의학논문 작성을 위한 통계분석 입문

Case-based Statistical Analyses for Writing Medical Journals with SPSS & R

SPSS & R

사례중심

김충락, 김진미, 이형식, 최윤선, 최홍조, 허대석

의학논문 작성을 위한 통계분석 입문
– SPSS & R, 사례 중심

첫째판 1쇄 인쇄 | 2021년 6월 23일
첫째판 1쇄 발행 | 2021년 7월 05일

지 은 이 김충락, 김진미, 이형식, 최윤선, 최홍조, 허대석
발 행 인 장주연
출 판 기 획 김도성
편집디자인 최정미
표지디자인 김재욱
제 작 담 당 이순호
발 행 처 군자출판사(주)
　　　　　등록 제4-139호(1991. 6. 24)
　　　　　본사 (10881) **파주출판단지** 경기도 파주시 회동길 338(서패동 474-1)
　　　　　전화 (031) 943-1888　　팩스 (031) 955-9545
　　　　　홈페이지 | www.koonja.co.kr

ISBN　979-11-5955-729-3
정가　30,000원

서 문

의학 연구자가 논문을 읽거나 작성하는 경우 일정 수준의 의학 통계 지식을 요구한다. 특히, 논문을 작성하는 경우는 더욱 그러하다. 그러나, 제대로 된 의학 논문의 작성을 위해 의학통계 전공자의 도움 또는 협업(cowork)없이는 불가능하다. 실제로 논문을 쓰기 전에 임상시험 단계에서부터 실험 디자인, 연구방법, 실험 표본 수(sample size)의 결정, 요구되는 검정력(power), 연구기간 등 다양한 부분에서 의학통계 전문가와 상의해야 한다.

이 책은 의학 분야 중에서도 종양학(oncology) 분야의 대표적 유형의 논문 6편을 대상으로 논문 작성법에 대해 소개하고 있다. 연구목적, 대상, 통계분석, 관련논문을 제시하고 SPSS와 R을 사용한 통계분석법을 자세히 소개하였다. 물론 여기에 소개된 것이 유일한 분석법은 아니다. 다른 분석법이나 다른 통계 패키지의 사용도 얼마든지 가능하다.

이 책은 종양학 뿐만 아니라 임상연구 전반에서 흔히 사용되는 통계방법들로 구성되어 있으며, 이론적인 내용 보다는 실제 사용방법에 초점을 두어 설명하였다. 여러 가지 통계 용어에 대한 정확한 개념에 대한 설명이 매우 중요하다. 하지만 관련 용어들에 대한 설명을 전부 수록하는 것이 불가하여 다음과 같은 대안을 제시한다. 이 책의 저자중의 한 사람인 김충락 교수의 동영상 강의를 활용하는 것인데 통계 용어 각각에 해당되는 동영상 강의를 소개한다. 더불어, 예제에 나타난 몇 가지 중요한 통계개념 가설검정(귀무가설, 대립가설, 기각역, 유의수준, p-value, 검정력), 신뢰구간, 다중비교(본페로니 수정), 칵스회귀모형 등에 대한 설명을 추가하였다.

끝으로 보건의료분야에서 고군분투하는 임상연구자들에게 이 책이 조금이라도 도움이 되길 기원하며 서문에 갈음한다.

목 차

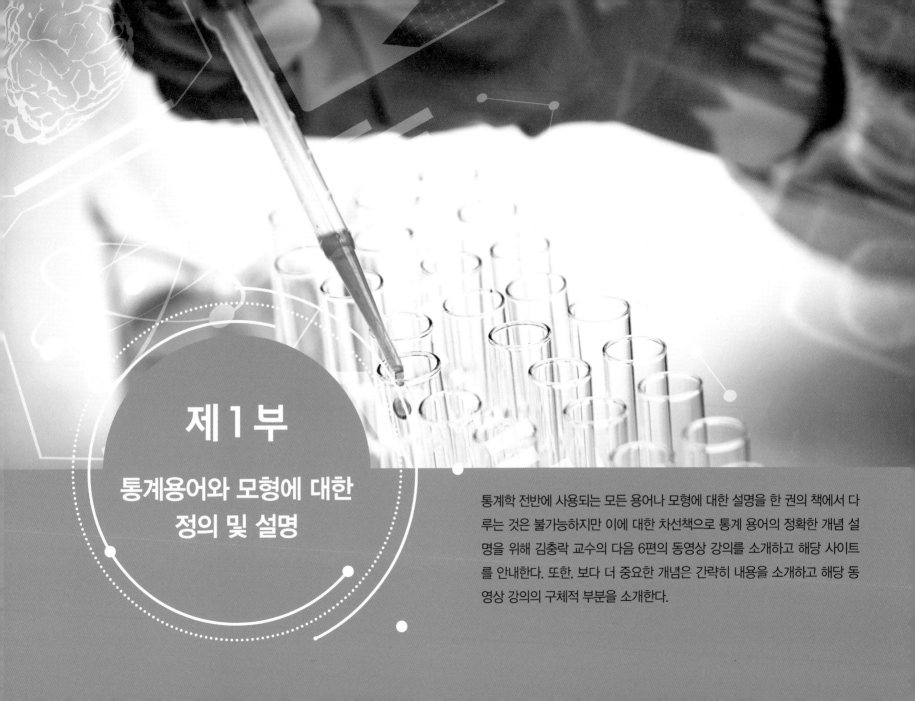

제 1 부

통계용어와 모형에 대한 정의 및 설명

통계학 전반에 사용되는 모든 용어나 모형에 대한 설명을 한 권의 책에서 다루는 것은 불가능하지만 이에 대한 차선책으로 통계 용어의 정확한 개념 설명을 위해 김충락 교수의 다음 6편의 동영상 강의를 소개하고 해당 사이트를 안내한다. 또한, 보다 더 중요한 개념은 간략히 내용을 소개하고 해당 동영상 강의의 구체적 부분을 소개한다.

## 제 1 장

동영상 강의

 R을 활용한 통계학 개론

 생존분석
(Survival Analysis)

 회귀분석 I
(Regression Analysis I)

 회귀분석 II
(Regression Analysis II)

 수리통계학 I
(Mathematical Statistics I)

 수리통계학 II
(Mathematical Statistics II)

R을 활용한 통계학 개론

이 강좌는 교육부의 국가평생교육원의 지원으로 개발된 KMOOC 강좌로서 매년 2학기(9월 – 12월)에 http://www.kmooc.kr/에서 청취할 수 있다. 이 기간이 아닐 때는 김충락 교수의 홈페이지 http://crkim.pusan.ac.kr/에 lecture 부분을 방문하면 동영상 파일이 zip 형태로 있다. 대학에서 제공하는 3학점 한 학기(15주) 분량의 통계학 기초개념을 담고 있으며 통계 패키지 R의 사용법도 소개하고 있다. 이 강좌에서 다루는 내용을 각 주 (week)별로 정리하여 소개한다. 통계학의 기본 개념들이 대부분 소개되어 있으므로 많은 도움이 되길 바란다.

🖳 동영상 강의 내용

동영상 제목	강의 내용	동영상 제목	강의 내용
Week01_Part 1	통계학의 정의, 인공지능	Week08_Part 1	독립 이표본 검정 : 대표본인 경우 (z–검정)
Week01_Part 2	모집단과 표본	Week08_Part 2	독립 이표본 검정 : 소표본인 경우 (t–검정),
Week01_Part 3	R 패키지 설치 및 사용법 입문	Week08_Part 3	쌍체비교 (matched pair comparison)
Week02_Part 1	자료의 종류 : 이산형, 연속형, 명목형, 순서형	Week08_Part 4	두 모비율의 비교
Week02_Part 2	표와 그래프 : 히스토그램, 줄기–잎 그림	Week09_Part 1	회귀모형이란 무엇인가?
Week02_Part 3	평균, 중간값, 분산, 표준편차, 백분위, 상자그림 (Box plot)	Week09_Part 2	단순선형회귀모형
Week02_Part 4	이변량 자료와 상관계수, 분할표	Week09_Part 3	최소제곱추정량
Week03_Part 1	확률의 정의	Week09_Part 4	회귀모형의 적합도 : 결정계수
Week03_Part 2	확률의 법칙	Week09_Part 5	다중선형회귀모형
Week03_Part 3	조건부 확률과 독립, 베이스 정리	Week10_Part 1	여러 형태의 범주형 자료
Week03_Part 4	임의표본	Week10_Part 2	피어슨 적합도 검정 (Pearson's goodness–of–fit test)
Week04_Part 1	확률변수	Week10_Part 3	일양성 검정 (homogeneity test)
Week04_Part 2	기댓값의 정의, 기댓값의 선형성, 적률, 중심적률	Week10_Part 4	독립성 검정 (independence test)
Week04_Part 3	베르누이 시행과 이항분포	Week11_Part 1	완전 확률화 디자인 (completely randomized design)
Week05_Part 1	포아송 분포	Week11_Part 2	완전 확률화 디자인의 추론
Week05_Part 2	정규분포	Week11_Part 3	동시신뢰구간 (simultaneous CI), 다중비교 (multiple comparison)
Week05_Part 3	표본의 분포	Week12_Part 1	윌콕슨 순위합 검정 (Wilcoxon rank sum test)
Week06_Part 1	점추정	Week12_Part 2	부호 검정과 부호순위 검정 (sign test and signed rank test)
Week06_Part 2	구간추정 : 대표본인 경우 (z–검정)	Week12_Part 3	순위상관계수 (Spearman's rank correlation)
Week06_Part 3	구간추정 : 소표본인 경우 (t–검정), 자유도 (degree of freedom)	Week13_Part 1	모의실험 (Monte Carlo experiment)
Week07_Part 1	가설검정 : 귀무가설, 대립가설, 유의수준, 기각역, 유의확률 (p–value)	Week13_Part 2	원주율의 계산
Week07_Part 2	분산의 추론 : 카이제곱분포	Week13_Part 3	테일러 급수 전개 (Taylor series expansion)
Week07_Part 3	t–분포의 재조명		

생존분석 (Survival Analysis)

이 강좌는 부산대학교 교수학습지원센터에서 촬영한 OCW (Open Course Ware) 강좌로서 3학점 한 학기 분량의 생존분석의 내용을 담고 있다. 대학원 수준의 강의로서 강의 동영상은 김충락 교수의 홈페이지 http://crkim.pusan.ac.kr/에 lecture 부분을 방문하면 접속 사이트가 안내되어 있다. 또한, 네이버에서 "김충락"을 검색하면 동영상 강좌가 바로 소개되어 있다. 중도절단자료(censored data), 카플란-마이어 추정치(Kaplan-Meier estimator), 로그-순위 검정(log-rank test), 칵스비례위험모형(Cox proportional hazard model), 가속수명모형(accelerated life model), 커널밀도함수추정(kernel density estimation), 바클리-재임스 추정(Buckley-James estimator), 모형의 적합도(goodness-of-fit), 임상시험의 주요논제(issues in clinical trials – relative risk, odds ratio, 2x2 test, ROC curve, sample size determination) 등이 중점적으로 다루어졌다. 강의노트는 김충락 교수의 홈페이지 http://crkim.pusan.ac.kr/의 lecture 부분을 방문하면 pdf 파일을 다운받아서 사용할 수 있다. 강의는 "Survival Analysis" by Miller의 내용을 바탕으로 하고 있다.

회귀분석 I (Regression Analysis I)

이 강좌는 부산대학교 교수학습지원센터에서 촬영한 OCW (Open Course Ware) 강좌로서 3학점 한 학기 분량의 회귀분석의 기초 내용을 담고 있다. 강의 동영상은 김충락 교수의 홈페이지 http://crkim.pusan.ac.kr/에 lecture 부분을 방문하면 접속 사이트가 안내되어 있다. 또한, 네이버에서 "김충락"을 검색하면 동영상 강좌가 바로 소개되어 있다. 행렬대수, 단순선형회귀모형, 중선형회귀모형(multiple linear regression model), 회귀진단(regression diagnostics), 회귀모형의 선택(Mallows' Cp, 변수선택방법, AIC, BIC, Kullback-Leibler distance) 등이 중점적으로 다루어졌다. 강의노트는 김충락 교수의 홈페이지 http://crkim.pusan.ac.kr/의 lecture 부분을 방문하면 pdf 파일을 다운받아서 사용할 수 있다. 강의는 교재 "회귀분석" 제2판(김충락, 강근석 공저; 교우사)의 1장-5장 내용을 바탕으로 하고 있다.

회귀분석 II (Regression Analysis II)

이 강좌는 회귀분석 I (Regression Analysis I)의 연속 강좌로서 부산대학교 교수학습지원센터에서 촬영한 OCW (Open Course Ware) 강좌다. 강의 동영상은 김충락 교수의 홈페이지 http://crkim.pusan.ac.kr/에 lecture 부분을 방문하면 접속 사이트가 안내되어 있다. 또한, 네이버에서 "김충락"을 검색하면 동영상 강좌가 바로 소개되어 있다. 3학점 한 학기 분량의 고급회귀분석 내용을 담고 있다. 선형회귀모형의 변환(다항회귀, 가중최소제곱법, 박스-칵스 변환모형, 로버스트 회귀, 역회귀), 편의추정법(능형회귀, 주성분회귀, LASSO, 베이스 추정법), 일반화선형회귀(로지스틱회귀, 로그-선형 모형), 비선형회귀, 비모수회귀(국소다항회귀, 스플라인 추정법), 중도절단자료의 분석(카플란-마이어 추정치, 칵스 회귀모형) 등이 중점적으로 다루어졌다. 강의노트는 김충락 교수의 홈페이지 http://crkim.pusan.ac.kr/의 lecture 부분을 방문하면 pdf 파일을 다운받아서 사용할 수 있다. 강의는 교재 "회귀분석" 제2판(김충락, 강근석 공저; 교우사)의 6장 - 12장 내용을 바탕으로 하고 있다.

수리통계학 I (Mathematical Statistics I)

이 강좌는 부산대학교 교수학습지원센터에서 촬영한 OCW (Open Course Ware) 강좌로서 3학점 한 학기 분량의 수리통계학의 기본 내용을 담고 있다. 강의 동영상은 김충락 교수의 홈페이지 http://crkim.pusan.ac.kr/에 lecture 부분을 방문하면 접속 사이트가 안내되어 있다. 또한, 네이버에서 "김충락"을 검색하면 동영상 강좌가 바로 소개되어 있다. 확률과 분포(확률의 정의, 베이스 정리, 이산형과 연속형 확률변수, 기댓값, 체비셰프 부등식, 젠센 부등식), 다변량 분포(조건부 분포, 상관계수, 독립성), 특수한 분포(이항분포, 다항분포, 음이항분포, 포아송 분포, 감마분포, 카이제곱분포, 베타분포, t-분포, F-분포, 다변량 정규분포), 근사이론(확률적 수렴, 불편추정치, 일치추정치, 근사분포, 중심극한정리), 통계적 추론(순서통계량, 백분위수, 신뢰구간, 가설검정) 등이 중점적으로 다루어졌다. 강의노트는 김충락 교수의 홈페이지 http://crkim.pusan.ac.kr/의 lecture 부분을 방문하면 pdf 파일을 다운받아서 사용할 수 있다. 강의는 교재 "Introduction to Mathematical Staistics" 6th ed. (Hogg, McKean, and Craig published by Prentice Hall)의 1장 - 5장 내용을 바탕으로 하고 있다.

수리통계학 II (Mathematical Statistics II)

이 강좌는 수리통계학 I (Mathematical Statistics I)의 연속강좌이다. 부산대학교 교수학습지원센터에서 촬영한 OCW (Open Course Ware) 강좌로서 3학점 한 학기 분량의 수리통계학의 고급 내용을 담고 있다. 강의 동영상은 김충락 교수의 홈페이지 http://crkim.pusan.ac.kr/에 lecture 부분을 방문하면 접속 사이트가 안내되어 있다. 또한, 네이버에서 "김충락"을 검색하면 동영상 강좌가 바로 소개되어 있다. 최우추정치(라오-크래머 하한, 효율성, 피셔 정보, 최우추정치의 성질), 충분성(손실함수, 위험함수, 충분성과 완비성, 일양최소분산불편추정치, 지수분포군), 가설검정(네이만-피어슨 정리, 일양최강검정, 우도비 검정), 카이제곱검정(이차형식, 분산분석, 다중검정), 비모수 통계학(부호검정, 윌콕슨검정, 맨-휘트니-윌콕슨 검정, 근사적상대효율성, 스피어만 상관) 등이 중점적으로 다루어졌다. 강의노트는 김충락 교수의 홈페이지 http://crkim.pusan.ac.kr/의 lecture 부분을 방문하면 pdf 파일을 다운받아서 사용할 수 있다. 강의는 교재 "Introduction to Mathematical Staistics" 6th ed. (Hogg, McKean, and Craig published by Prentice Hall)의 6장 - 10장 내용을 바탕으로 하고 있다.

## 제 2 장

몇 가지 통계용어 및 모형에 대한 설명

신뢰구간
(Confidence Interval)

자유도
(Degree of Freedom)

가설검정
(Hypothesis Testing)

다중검정 (Multiple Testing)과
동시신뢰구간 (Simultaneous
Confidence Interval)

칵스비례위험모형
(Cox Proportional Hazard Model)

신뢰구간 (Confidence Interval)

- 해당 동영상 강의 : R을 활용한 통계학 개론 (Week06_Part 2, Week08_Part 4)
- 정의 : 일반적으로 모수 θ에 대한 점추정치를 $\hat{\theta}$라 하면 모수에 대한 $100(1-\alpha)\%$ 근사적 신뢰구간은 $\hat{\theta} \pm Z_{\alpha/2} SE(\hat{\theta})$으로 표현된다.

모비율 p에 대한 $100(1-\alpha)\%$ 신뢰구간

표본에 대한 가정 : $X_1, \cdots, X_n$은 성공의 확률 p인 베르누이 시행이고 $np > 15, n(1-p) > 15$를 만족한다.

(즉, 대표본이면서 이항분포의 정규근사화가 성립된다) 이 경우

$$\frac{X - np}{\sqrt{np(1-p)}} = \frac{\dfrac{X}{n} - p}{\sqrt{p(1-p)/n}}$$

이 근사적으로 $N(0,1)$을 따르므로 $\hat{p} = X/n$이라 두면

$$-z_{\alpha/2} < \frac{\hat{p} - p}{\sqrt{p(1-p)/n}} < z_{\alpha/2}$$

이 되고 이를 p에 대해 풀면

$$\hat{p} \pm z_{\alpha/2}\sqrt{\frac{p(1-p)}{n}}$$

이 된다. 그런데 위의 구간은 알 수 없는 p를 포함하고 있으므로 이를 점 추정치인 $\hat{p}$로 대체시켜도 여전히 근사적 성질을 만족하게 되며 모비율 p에 대한 $100(1-\alpha)\%$ 근사적 신뢰구간은

$$\hat{p} \pm z_{\alpha/2}\sqrt{\frac{\hat{p}(1-\hat{p})}{n}}$$

이 된다. 이 또한, $\hat{p} \pm z_{\alpha/2} \, s.e.(\hat{p})$으로 표현할 수 있음을 유념하라.

자유도 (Degree of Freedom)

• 해당 동영상 강의 : R을 활용한 통계학 개론(Week06_Part 3)

• 정의 : 자유도(自由度 : degree of freedom (d.f.)) = 관측치 수 - 제약 조건의 개수

> (예) 3개의 관측치 X_1, X_2, X_3 => d.f.= 3
>
> 만약 $\overline{X}$ = 3이라는 제약조건이 하나 주어지면 d.f. = 3-1=2

가설검정 (Hypothesis Testing)

• 해당 동영상 강의 : R을 활용한 통계학 개론(Week07_Part 1)

• 정의 : 가설(假說, hypothesis)이란 아직 증명되지 않은 문제에 대하여 문장으로 설정한 것이라 정의할 수 있다. 그 중에서도 통계적 가설이란 가설의 참과 거짓을 귀납법, 연역법 등으로 증명할 수 없고 관련된 통계 자료를 이용하여 가장 가능성이 높은 결론을 내리고자 하는 것이다.

• 가설검정의 절차

  1) 귀무가설과 대립가설을 세운다.

  2) 검정통계량을 선택한다.

  3) 기각역을 설정한다.

> (문제) 어느 자동차 제조업체에서 생산되는 대형자동차의 연비는 평균 10.0 km/l, 분산 4.0 km/l로 알려져 있다. 이 회사에서는 새로 개발한 에코모드(Eco Mode) 엔진이 연비를 개선하였다고 주장한다. 즉, "에코모드는 연비를 개선한다"는 통계적 가설의 대표적인 예다. 왜냐 하면 실제로 에코모드를 장착한 자동차로 운전해 본 후 그 자료를 바탕으로 이 가설의 참 또는 거짓을 논할 수밖에 없다. 이런 의미에서 이 가설은 통계적 가설이다. 이 회사에서는 에코모드를 장착한 자동차 50대를 임의로 선정하여 여러 환경에서 운전해 본 결과 표본평균 $\overline{X}$ = 10.5 km/l 으로 나타났다. 과연 이 회사에서 개발한 에코모드는 연비를 개선한다는 주장이 옳은가?

통계적 가설검정의 절차

1) 귀무가설과 대립가설을 세운다.

> 통계적 가설
>
> H_0 : 부정하고 싶은 문장(귀무가설 : null hypothesis)
>
> H_1 : 주장하고 싶은 문장(대립가설 : alternative hypothesis)
>
> => $H_0 : \mu = 10 \; vs \; H_1 : \mu > 10$

2) 검정통계량을 선택한다.

> 검정통계량(test statistic) : 귀무가설의 기각 여부를 결정하는데 사용되는 통계량
>
> => 이 문제에서 연비의 참 값 μ에 대한 점 추정치로 표본평균 $\overline{X}$를 사용하는 것이 타당함

3) 기각역을 설정한다.

> 기각역(rejection region) : 귀무가설이 기각되는 영역
>
> => 어떤 값 c에 대하여 $\overline{X} > c$ 이면 H_0를 기각한다. 여기서 c는 기각치(critical value)라 부른다.
> 기각역 즉, c의 결정이 매우 중요.

유의수준과 검정력

• 통계적 가설이 다른 가설과 근본적으로 차이가 나는 것은 귀무가설과 대립가설 어느 것을 채택하더라도 오류(error)가 발생된다는 것이다. 왜냐하면, 어느 가설이 참인지는 결코 알 수 없기 때문이다. 제1종 오류를 일으킬 확률을 유의수준(level of significance)이라 부르며 주로 α로 표현하고, 제2종 오류를 일으킬 확률을 β로 나타낸다.

> α : 귀무가설이 맞음에도 불구하고 귀무가설을 기각하는 오류를 일으킬 확률
> β : 귀무가설이 틀림에도 불구하고 귀무가설을 기각하지 않는 오류를 일으킬 확률
> $1 - \beta$: 검정력 (power of test)

• 최적의 가설검정 : α와 β를 최소화시키는 검정법, 만약 자료의 크기 n이 정해져 있다면 α와 β 모두를 최소화하는 것은 불가능함.

• 가능한 최적의 검정법 : α를 작은 값(흔히 0.01, 0.05, 또는 0.1)으로 고정시킨 후 검정력($1 - \beta$)을 최대화 시킴

> 유의수준 α가 주어졌을 때 기각역 계산법 : 귀무가설하에서 검정통계량의 분포를 구한 다음 유의수준에 맞는 기각역을 결정한다.
>
> 위의 문제에서 유의수준 α가 주어졌을 때 기각역을 계산해 보자.
>
> $$\alpha = P[\overline{X} > c] = P\left[\frac{\overline{X} - 10}{2/\sqrt{50}} > \frac{c - 10}{2/\sqrt{50}}\right] = P[Z > z_\alpha]$$
>
> 이므로 $c = z_\alpha \frac{2}{\sqrt{50}} + 10$ 이 된다. 만약 유의수준 $\alpha = 0.05$가 주어졌다면
>
> $c = 1.645 \frac{2}{\sqrt{50}} + 10 = 10.465$ 가 된다. 따라서, 관측된 검정통계량은 $\overline{X} = 10.5$이므로 유의수준 0.05에서 귀무가설을 기각한다. 즉, 에코모드를 장착한 자동차의 연비는 10.465 이상 되면 효과가 있다고 말할 수 있다.

통계적 가설검정과 판사의 판결

- 귀무가설 : 피고는 무죄
  대립가설 : 피고는 유죄
- 검정통계량 : 증인, 증거물
- 기각역 : 법전, 판례
- 제1종 오류 : 실제로 무죄인 피고를 유죄
  로 판결함
- 제2종 오류 : 실제로 유죄인 피고를 무죄
  로 판결함

단측검정과 양측검정

귀무가설 $H_0 : \mu = \mu_0$에 대하여 3가지 형태의 대립가설이 가능하며 그에 따른 기각역의 형태는 다음과 같이 요약할 수 있다.
단, 여기서

$$Z = \frac{\overline{X} - \mu_0}{s/\sqrt{n}}$$

이고 대표본을 가정함.

귀무가설	대립가설	기각역	비고
$H_0 : \mu = \mu_0$	$H_1 : \mu > \mu_0$	$Z > z_\alpha$	단측검정
$H_0 : \mu = \mu_0$	$H_1 : \mu < \mu_0$	$Z < -z_\alpha$	단측검정
$H_0 : \mu = \mu_0$	$H_1 : \mu \neq \mu_0$	$|Z| > z_{\alpha/2}$	양측검정

참고 : 대표본 가정하에서 모평균 μ에 대한 $100(1-\alpha)\%$ 근사적 신뢰구간은

$$\overline{X} \pm z_{\alpha/2}\frac{s}{\sqrt{n}}$$

이고 이는 유의수준 α에서 양측검정

$$H_0 : \mu = \mu_0 \qquad H_1 : \mu \neq \mu_0$$

에 대한 채택역 (acceptance region, 기각역의 여사건)과 같게 된다.

유의확률 (p-value)

• 정의 : 주어진 검정통계량을 기각시키기 위한 제1종 오류의 최소값

(예) 위에서 검정통계량은 $\overline{X} = 10.5$이므로 이 값이 주어졌을 때 귀무가설을 기각시키기 위한 기각역은 $\overline{X} > 10.5$, $\overline{X} > 10.4$, $\overline{X} > 10.3$ 등 여러 가지가 가능하다. 이들에 대한 제1종 오류는 각각

$$P[\overline{X} > 10.5] = P[\frac{\overline{X} - 10}{2/\sqrt{50}} > \frac{10.5 - 10}{2/\sqrt{50}}] = P[Z > 1.768] = 0.038$$

$$P[\overline{X} > 10.4] = P[\frac{\overline{X} - 10}{2/\sqrt{50}} > \frac{10.4 - 10}{2/\sqrt{50}}] = P[Z > 1.414] = 0.080$$

$$P[\overline{X} > 10.3] = P[\frac{\overline{X} - 10}{2/\sqrt{50}} > \frac{10.3 - 10}{2/\sqrt{50}}] = P[Z > 1.061] = 0.145$$

이 된다. 당연히, 기각역은 $\overline{X} > 10.5$에 대한 제1종 오류값인 0.038이 가장 작으며 이 값이 유의확률 (p-value)이 된다.

<유의확률 (p-value)에 대한 몇 가지 사실>

(i) 유의확률이 작을수록 귀무가설을 기각할 수 있는 정당성이 커진다.
(ii) 주어진 유의수준 α에서 귀무가설이 기각 => 유의확률 < 유의수준
(iii) 주어진 유의수준 α에서 귀무가설이 채택 => 유의확률 > 유의수준

$0.05 < p$-value < 0.1 : 유의함 (significant) *
$0.01 < p$-value < 0.05 : 매우 유의함 (highly significant) **
p-value < 0.01 : 매우 강력하게 유의함 (highly strongly significant) ***

다중검정과 동시신뢰구간 (Multiple Testing and Simultaneous Confidence Interval)

- 해당 동영상 강의 : R을 활용한 통계학 개론(Week11_Part 3)
- 다중검정 : 완전 확률화 디자인에서 추론하고자 할 때 일원배치모형(One-way ANOVA (analysis of variance) model, One-way classification model)을 고려한다.

$$Y_{ij} = \mu_j + \epsilon_{ij}, \quad i = 1, \cdots, k \; ; \; j = 1, \cdots, n_i$$

Y_{ij} : i 번째 처리했을 때 j번째 관측값

μ_j : j 번째 처리효과의 참값 (모수)

$\epsilon_{ij} \sim N(0, \sigma^2)$: 오차항 (설명 안되는 부분)

목적 : $H_0 : \mu_1 = \mu_2 = \cdots = \mu_k$ 를 검정

즉, 하나의 가설이 아닌 여러 개의 가설을 동시에 검정하는 것이 다중 검정이며 이는 다음의 동시신뢰구간과 밀접한 관계가 있다.

동시신뢰구간

- 위의 다중검정에서 귀무가설이 기각되었다면 "모든 처리효과가 동일한 것은 아니다"라는 결론을 내릴 수 있다.
- 그렇다면 어떤 처리효과들이 다른가?

서로 다른 두 처리효과간의 차이를 보려면 $\binom{k}{2} = d$ 경우의 수 만큼의 차이를 계산해야함.

이를 위해 $\binom{k}{2} = d$ 경우의 수 만큼의 동시신뢰구간 (simultaneous C.I.) $\mu_i - \mu_j$, $i < j$ 을 계산.

신뢰구간이 0을 포함하면 두 처리효과는 차이가 없음

신뢰구간이 0을 포함하지 않으면 두 처리효과는 차이가 있음

예를 들어 k=3일 경우 $\mu_1 - \mu_2, \mu_2 - \mu_3, \mu_1 - \mu_3$ 에 대한 3개의 동시신뢰구간이 필요

각각에 대한 95% 신뢰구간을 A_1, A_2, A_3 라 하면

$$P(A_1) = P(A_2) = P(A_3) = 0.95$$

그러나,

$$P(A_1 \cap A_2 \cap A_3) = (0.95)^3 = 0.857$$

즉, 동시에 3개의 신뢰구간을 구하면 그 신뢰도는 0.95에서 0.857로 낮아진다.

이를 보완하기 위해 주로 본페로니 보정법 (Bonferroni's adjustment)을 주로 사용.

📇 본페로니 보정법

일반적으로 d개의 동시신뢰구간 $A_1, \cdots, A_d$ 이 $1-\alpha$의 신뢰도를 가지기 위해
다음의 본페로니 부등식 (Bonferroni inequality)을 이용한다.

$$1 - \alpha = P(\cap_{i=1}^{d} A_i) = 1 - P(\cup_{i=1}^{d} A_i^c) \geq 1 - \sum_{i=1}^{d} P(A_i^c) = 1 - d\alpha^*$$

따라서, α/d를 α 대신 사용하면 원하는 $1-\alpha$의 신뢰도를 얻게 된다.

예를 들어, 3개의 동시신뢰구간 $(d=3)$이 95% (즉, $\alpha = 0.05$)의 신뢰도를 얻으려면 각 신뢰구간은
$$\alpha^* = \alpha/3 = 0.05/3 = 0.0167$$
로 계산하면 된다.

$\mu_i - \mu_j$에 대한 신뢰구간을 구하려면 이 모수가 포함된 통계량과 그 통계량의 분포를 알면 된다.
점 추정치 : $\overline{Y_i} - \overline{Y_j}$

$$E(\overline{Y_i} - \overline{Y_j}) = \mu_i - \mu_j$$

$$Var(\overline{Y_i} - \overline{Y_j}) = \sigma^2 \left(\frac{1}{n_i} + \frac{1}{n_j}\right)$$

$$\Rightarrow \quad \frac{(\overline{Y_i} - \overline{Y_j}) - (\mu_1 - \mu_2)}{s\sqrt{\frac{1}{n_i} + \frac{1}{n_j}}} \sim t(n-k)$$

단, $\quad s^2 = SSE/(n-k)$는 σ^2의 불편추정치

결론적으로 $\mu_i - \mu_j, i < j$에 대한 $100 \times (1-\alpha)\%$ d개의 동시신뢰구간은

$$(\overline{Y_i} - \overline{Y_j}) \pm t_{\alpha/2d}\, s \sqrt{\frac{1}{n_i} + \frac{1}{n_j}}$$

칵스비례위험모형 (Cox Proportional Hazard Model)

아래의 내용은 "회귀분석" 제2판(김충락, 강근석 공저; 교우사)의 12장 내용 중 일부를 발췌한 것임.

> 생존기간 $T_1, T_2, \cdots, T_n$이 임의중도절단에 의해 $(Y_1, \delta_1), \cdots, (Y_n, \delta_n)$만 관측가능
> 하고, p개의 설명변수로 구성된 $x_1, \cdots, x_n$ (즉, $x_i = (X_{i1}, \cdots, X_{ip})'$) 이 있다고 하자.
> 편의상 $Y_1 < Y_2 < \cdots < Y_n$이라 하고 이에 해당되는 중도절단지수를 $\delta_1, \delta_2, \cdots, \delta_n$이
> 라 하자. 이때 R_i를 Y_i직전까지 생존해 있는 환자의 집합을 나타낸다고 할 때 R_i를
> **위험집합(risk set)**이라 부른다. 또한, x가 주어져 있을 때 시간 t에서의 위험율을
> $\lambda(t:x)$라 하고 $x = 0$에서의 위험율, 즉, **기저 위험율(baseline hazard)**을 $\lambda_0(t)$라
> 하자. 이때
>
> $$\lambda(t:x) = \exp(x'\beta)\lambda_0(t)$$
>
> 로 가정한 모형을 **비례위험모형(proportional hazard model)** 또는 **칵스회귀모형(Cox
> regression model)**이라 한다. 칵스회귀모형은 반응변수와 설명변수간의 관계를 직접
> 나타낸 것이 아니고 위험함수를 이용한 회귀모형임을 알 수 있다.

제 2 부
예 제

종양학(oncology) 분야의 대표적 유형의 논문 5편을 대상으로 논문 작성법에 대해 소개하고 있다. 연구목적, 대상, 통계분석, 관련논문을 제시하고 SPSS와 R을 사용한 통계분석법을 자세히 소개하였다. 물론 여기에 소개된 것이 유일한 분석법은 아니다. 다른 분석법이나 다른 통계 패키지의 사용도 얼마든지 가능하다.

예제 1

LN-number

자료설명

연구목적

• 근치 절제술 후 병리 조직 검사를 통해 AJCC/UICC 병기 분류상 제2기로 진단된 대장암 환자를 대상으로 림프절의 검사 개수가 술 후 종양 관련 생존율과 관련이 있는지를 분석하고, 림프절 전이 음성에 대한 신뢰성 있는 진단을 위해 최소한으로 검사하여야 할 림프절의 개수가 어느 정도인지를 평가하고자 한다.

대상

• 1995년에서 1999년 사이 D병원 외과에서 원발성 대장암으로 근치적 절제술을 받은 pT3 혹은 pT4 대장암 환자 중 추적이 가능하였던 241예 환자(남자: 132예)의 자료를 후향적으로 수집하였다.

통계분석

• 병기별 통계학적 차이: 연속형변수는 독립표본 t-검정(Independent t-test) 또는 윌콕슨 순위합 검정(Wilcoxon rank-sum test)을, 범주형변수는 카이제곱검정(Chi-square test) 또는 피셔정확검정(Fisher's exact test)을 실시하였다.

• 검사 림프절 개수와 병기별 생존율 비교: 생존율 추정은 카플란-마이어 추정법(Kaplan-Meier method)을, 생존율 비교는 로그-순위검정(log-rank test)을 실시하였다.

• 통계 처리는 SPSS22를 이용하여 시행되었으며 p-값이 0.05 미만인 경우를 통계학적으로 유의성이 있는 것으로 간주하였다.

관련논문

• LEE TM, CHOI HJ, PARK KJ, et al. 제2기 대장암 환자에서 신뢰성 있는 림프절 병기 결정에 필요한조사 림프절 수. *대한대장항문학회지*, 2005, 21.3.

분석절차

데이터수집 및 가공

데이터탐색

데이터분석

- 엑셀을 이용한 자료 정리
- 코딩변경, 변수계산

- 자료개수, 결측치, 이상치 확인
- 정규성 검토 등

- Table1: 독립인 두 집단 비교
- Table2: 독립인 네 집단 비교
- Figure1-2: 상관분석
- Figure3: 생존분석에서의 최적절단점 찾기
- Figure4: 생존분석, 로그-순위 검정

엑셀에서 자료정리 (LN number.xlsx)

	Name	Gender	나이	Grade	Site: 1:Rt~hepatic flexure, 2; T-colon, 3;Splenic flexure~Sigmoid	T stage	전이 LN #	LVI: 1; negative, 2; positive	Stage	BVI: 1; negative, 2; positive	PNI: 1; negative, 2; positive	Budding #	Total F/U	DFS(월)	재발: 0: 무, 1: 유	재발(전이) 장소	OS(월)	State: 1; alive, 2; dead		AJCC	조사 LN#	전이 LN #
2	no	gender	age	grade	site	t_stage	전이ln	lvi	stage	bvi	pni	budding	total_fu	dfs_mo	재발	재발장소	os	state	col1	ajcc	조사ln	전이ln_2
235	233	M	52	mod	R	T3	4		C				18	12	1	liver,lung	18	2		IIIC	7	4
236	234	F	56	signet	R	T3	10		C				15	9	1	retro,liver	15	2		IIIC	30	10
237	235	M	52	mod	R	T3	6		C				43	43	0		43	1		IIIC	25	6
238	236	F	59	well	R	T3	6		C				52	52	0		52	1		IIIC	16	6
239	237	F	57	well	R	T3	4		C				66	43	1	local,lung	66	2		IIIC	22	4
240	238	M	31	mod	1	T4	4	2	C	2	1	17	46	46	0		46	1		IIIC	50	4
241	239	M	70	mod	R	T3	14		C				23	12	1	lung,bone	23	2		IIIC	29	14
242	240	F	44	well	R	T3	4	2	C	1	1	20	27	13	1	carcinoamt	27	2		IIIB	21	4
243	241	M	57	well	1	T3	0	1	B	2	1	20	21		1	liver	21	2		IIA	5	0
244																						
245		M: 132	mean: 58 w: 123		R: 76		T3: 227		B: 134											Median: 15		
246		F: 109	med: 59 m: 109		L: 59		T4: 14		IIA: 127											mean: 17.5		
247		T: 241	R: 21-87 p: 3		p: 3				IIB: 7											SD: 12.5		
248					Mu: 3	R: 97			C: 107													
249					sig: 3				IIIB: 68													
250									IIIC: 39													

변수이름

⊙ 변수이름 규칙

- 한글, 영문, 숫자, "_" 조합 가능
- 단, 숫자로 시작하지 말 것, 띄어쓰기 금지, 특수문자("-", 괄호, 줄바꿈 등) 사용 금지
- 변수이름은 중복해서 사용 안됨
- 통계프로그램에 따라 대소문자를 구분함(가령, a와 A는 다름)

자료구조: 변수는 열단위에, 관측값은 행단위에 배치한다. 즉 행번호는 환자수, 열번호는 조사된 항목수와 일치

변수이름: 첫 줄에 변수이름을 넣는다. 단, 중복 안됨, 특수문자 사용 금지("_" 제외), 띄어쓰기 금지, 간략하게(8자 미만 추천)

변수/변수값 설명:
  방법1) 연구데이터 공유를 위해 별도 시트를 만들어 변수설명서, 즉 코드북(codebook)을 관리하라.
  방법2) 또는 **변수이름 위쪽으로 설명을 추가**한다(여러 줄 삽입 가능), 메모기능은 추천하지 않음

자료관리 나쁜 사례:
- 케이스 식별번호(no)가 없음 ➜ 환자번호, 설문지번호 등 일련번호 반드시 부여할 것
- 한 칸에 여러 정보 기재: 가령, 혈압 "120, 80" (변수 1개) ➜ "120", "80" (변수 2개)으로 분리 할 것, 주수 "20+4" ➜ "20"주, "4"일로 분리
- 날짜 형식 불일치: yymmdd 는 문자로 인식 ➜ yy-mm-dd 또는 yy/mm/dd로 입력해야 날짜로 인식 및 일수 계산 가능
- 결측값 형식 불일치 ➜ NA, UK, 88, 99, 999 등 하나로 통일 ➜ 분석과정에서 결측값은 모두 공란 처리함
- 대소문자 혼용 ➜ m 과 M 은 다른 값으로 인식함
- 숫자와 문자 혼용: 모두 문자로 인식함, 메모는 비고란 추가(변수 추가) ➜ 가령, status (1=death, 0=survial or loss), status_note(참고사항 등)
- 날짜 계산 오류: 날짜없이 계산 결과만 있음 ➜ 연구시작일, 관심사건 발생일, 마지막추적관찰일 등은 반드시 포함하고 수식을 이용하여 기록을 남길 것

Example of a data dictionary (codebook)

출처:
1. 국민건강영양조사 제5기 원시자료 이용지침서
2. 국민건강보험공단 표본 코호트2.0 DB 레이아웃
3. ICPSR data Archive
4. REDCap data dictionary

1

2.15. 건강설문조사 - 정신건강

문항번호	변수유형	변수명	변수설명	내용
12	N(2)	BP8	하루 평균 수면시간	1-24. [ ][ ]시간 88. 비해당(소아) 99. 모름
13	N(1)	BP1	평소 스트레스 인지 정도	1. 대단히 많이 느낀다 2. 많이 느끼는 편이다 3. 조금 느끼는 편이다 4. 거의 느끼지 않는다 8. 비해당(소아) 9. 모름
14	N(1)	BP5	2주이상 연속 우울감 여부	1. 예 2. 아니오 8. 비해당(소아) 9. 모름
15	N(1)	BP6_10	1년간 자살 생각 여부	1. 예 2. 아니오 8. 비해당(소아) 9. 모름
15-1	N(1)	BP6_31	1년간 자살 시도 여부	1. 예 2. 아니오 8. 비해당(문항15-2, 소아) 9. 모름
16	N(1)	BP7	1년간 정신문제 상담	1. 예 2. 아니오 8. 비해당(소아) 9. 모름
	N(1)*	mh_stress	스트레스 인지율 (mh_stress의 평균)	1. 스트레스 많이 느낌(문항13-1/2) 0. 스트레스 적게 느낌(문항13-3/4)
	N(1)*	mh_melan	우울감 경험률 (mh_melan의 평균)	1. 2주이상 연속 우울감 있음(문항14-1) 0. 2주이상 연속 우울감 없음(문항14-2)
	N(1)*	mh_suicide	자살 생각률 (mh_suicide의 평균)	1. 자살 생각해본 적 있음(문항15-1) 0. 자살 생각해본 적 없음(문항15-2)

* 생성변수
※ 정신건강 자료는 HNYR_ALL(여기서 YR은 제5기(2010-2012) 해당연도 두자리수) DB에 포함

2

3. 진료테이블 레이아웃

※ 명세서(20t), 진료내역(300), 상병내역(400), 처방전교부상세내역(600)으로 구성

3-1. 진료DB 명세서(20t) : 21개 변수

연번	변수명	변수 설명	변수값 설명	형식	길이
1	RN_INDI	개인고유번호	개인고유번호(7자리), 연계코드	숫자	8
2	RN_KEY	청구고유번호	청구고유번호(14자리), 연계코드	숫자	8
3	RN_INST	요양기관고유번호	요양기관고유번호(6자리), 연계코드	숫자	8
4	MDCARE_STRT_DT	요양개시일자	수진자가 진료를 받기 시작한 일자 외과, 치과, 한방, 보건기관: 당월 요양개시일자 또는 내원일자 약국: 조제투약일자	문자	16
5	FORM_CD	서식코드	요양급여비용심사(의뢰보뢰)청구서 및 명세서의 진료 구분별 서식구분, 코드표 참고	문자	4
6	MCARE_SUBJ_CD	진료과목코드	(병원급 이상)실제 진료를 받은 진료과목 (의원급)실병명에 해당하는 진료과목	문자	4
7	SICK_SYM1	주상병	진료기간 중 치료나 검사 등에 대한 환자의 요구가 가장 컸던 상병	문자	6
8	SICK_SYM2	부상병	진료기간 중 주상병과 함께 있거나 발생된 상병으로 환자 진료에 영향을 주었던 상병	문자	6
9	HSPTZ_PATH_TYPE	입원경로구분	병원급 이상 입원환자의 경우 기재 1번째 자리(도착경로) 1: 타의료기관경유 2: 응급구조대후송 3: 기타 2번째 자리(입원경로) 1: 응급실 2: 외래	문자	4
10	OFU_TYPE	공상 등 구분	공상(공무상심해) 및 보훈, 군인, 차상위 희귀질환자 등에 해당되는 적용대상자 구분 코드 ※ 각 제도별 대상자 선정기준 및 적용 내용은 관련 법령 및 고시 참고	문자	2
11	OPRTN_YN	수술여부	0:미수술 9:수술	문자	2

3

```
                     CODEBOOK FOR ICPSR 6558

ADJUSTING THE NATIONAL CRIME VICTIMIZATION SURVEY'S ESTIMATES OF
    RAPE AND DOMESTIC VIOLENCE FOR "GAG" FACTORS, 1986-1990

PLEASE NOTE: The "M" between the code and the code label indicates
             the code has been designated as a missing value.

------------------------------------------------------------------
                                             BEG    END
NAME      VARIABLE LABEL                     COL    COL    FMT
------------------------------------------------------------------
AGE       ACTUAL AGE AT INTERVIEW             1      2     F2

               Ages 16-96

ASSAULT   ASSAULT (NOT DOMESTIC VIOLENCE OR RAPE)   3    3    F1

               0    No assault
               1    Assault reported (not domestic violence or rape)
               9 M  Missing

BREAKENT  BREAKING OR ENTRY REPORTED          4      4     F1

               0    No breaking or entry reported
               1    Breaking and entry reported
               9 M  Missing

DOMVIOL   DOMESTIC VIOLENCE REPORTED          5      5     F1

               0    No domestic violence reported
               1    Domestic violence reported
                    (assault be spouse, ex-spouse or boyfriend)
               9 M  Missing

EDUC1     EDUCATION <= 12 YEARS               6      6     F1

               0    Education > 12 years
               1    Education <= 12 years
               9 M  Missing
```

4

	A	B	C	D	E	F	G	H	I	J
1	Variable / Fi	Form Name	Section Head	Field Type	Field Label	Choices, Calc	Field Note	Text Validati	Text Validati	Text Validati
2	record_id	demographics		text	Subject Id					
3	dem_firstnam	demographics		text	First Name					
4	dem_lastnam	demographics		text	Last name					
5	dem_gender	demographics		radio	Gender	1, female | 2, male | 3, prefer not to answer				
6	dem_dob	demographics		date_mdy	Birthdate			1/1/60	1/1/85	
7	dem_thanky	demographics		descriptive	Thank you, [dem_firstname], for you time in completing this form!					
8	happy1_aligr	alignment_demo		yesno	Are you happy?		RV			
9	hungry_align	alignment_demo		yesno	Are you hungry?		RH			
10	thirsty_align	alignment_demo		yesno	Are you thirsty?		LV			
11	angry_align	alignment_demo		yesno	Are you angry?		LH			
12	demo_firstna	validation_demo		text	First Name					
13	dem_lastnan	validation_demo		text	Last name					
14	dem_gender	validation_demo		radio	Gender	1, female | 2, male | 3, prefer not to answer				
15	birthdate_ba	validation_demo		radio	Birthdate (gi/go)					
16	dem_dob_va	validation_demo		date_mdy	Birthdate (with validation)			1/1/60	1/1/85	
17	age	validation_demo		text	Age		Enter an inte	integer	18	65
18	email	validation_demo		text	email					
19	mobile_phor	validation_demo		text	Mobile phone		Enter a valid	phone		
20	bmi_weight	bmi		text	Weight (in pounds)			number	50	300
21	bmi_height	bmi		text	Height (in inches)			number	48	200
22	bmi_bmi	bmi		calc	BMI	([bmi_weight]/([bmi_height]*[bmi_height]))*703				
23	bmi_bmi2	bmi		calc	BMI	round([[bmi_	With rounding to 1 decimal place			
24	bmi_bmi3	bmi		calc	BMI	round([[bmi_	With rounding to 1 decimal place			
25	race	checkbox_branching_dem		checkbox	Race	White, White (A person having origins in any of the original peopl				
26	race_other	checkbox_branching_dem		text	Other race					

SPSS에서 데이터 불러오기

엑셀파일 종료 → SPSS메뉴: [파일]–[열기]–[데이터]–[LN number.xlsx] 또는 [엑셀파일을 드래그해서 던져 넣기]

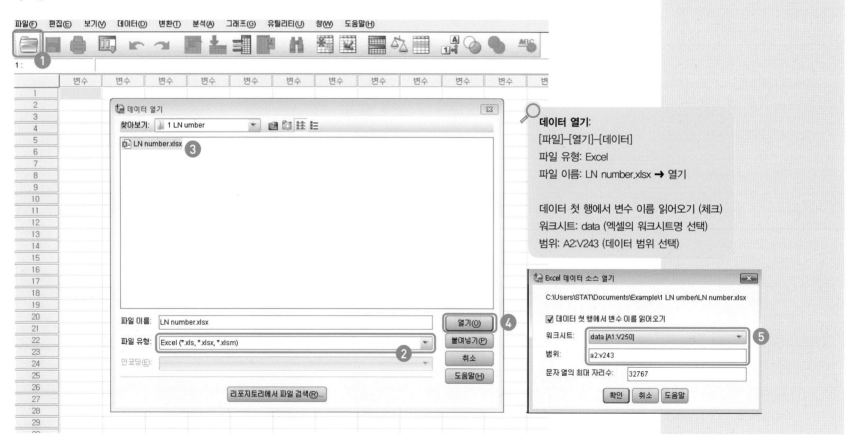

데이터 열기:
[파일]–[열기]–[데이터]
파일 유형: Excel
파일 이름: LN number.xlsx → 열기

데이터 첫 행에서 변수 이름 읽어오기 (체크)
워크시트: data (엑셀의 워크시트명 선택)
범위: A2:V243 (데이터 범위 선택)

데이터 보기

no	gender	age	grade	site	t_stage	전이ln	lvi	stage	bvi	pni	budding	total_fu	dfs_mo	재발	재발장소	os
225	M	72	well	R	T3	5	.	C	.	.	.	12	7	1	carcin...	12
226	F	35	well	R	T3	8	.	C	.	.	.	14	9	1	lung,b...	14
227	M	46	poor	R	T4	12	.	C	.	.	.	8	6	1	carcin...	8
228	F	71	mod	R	T3	5	.	C	.	.	.	58	58	0		58
229	M	32	poor	R	T3	6	.	C	.	.	.	15	11	1	carcin...	15
230	M	70	mod	R	T3	14	.	C	.	.	.	26	14	1	lung,b...	26
231	F	39	well	R	T3	28	.	C	.	.	.	52	36	1	lung,b...	52
232	M	61	mod	R	T3	6	.	C	.	.	.	25	11	1	liver	25
233	M	52	mod	R	T3	4	.	C	.	.	.	18	12	1	liver,lu...	18
234	F	56	signet	R	T3	10	.	C	.	.	.	15	9	1	retro,li...	15
235	M	52	mod	R	T3	6	.	C	.	.	.	43	43	0		43
236	F	59	well	R	T3	6	.	C	.	.	.	52	52	0		52
237	F	57	well	R	T3	4	.	C	.	.	.	66	43	1	local,l...	66
238	M	31	mod	1	T4	4	2	C	2	1	17	46	46	0		46
239	M	70	mod	R	T3	14	.	C	.	.	.	23	12	1	lung,b...	23
240	F	44	well	1	T3	4	2	C	1	1	20	27	13	1	carcin...	27
241	M	57	well	1	T3	0	1	B	2	1	12	21	11	1	liver	21

데이터 보기(D)　변수 보기(V)

데이터개수, 변수이름, 데이터 유형 (숫자: 오른쪽 정렬,
문자: 왼쪽 정렬) 등을 확인한다.

변수 보기

	이름	유형	너비	소수점이...	레이블	값	결측값	열	맞춤	측도	역할
1	no	숫자	12	0		없음	없음	6	오른쪽	명목형	입력
2	gender	문자	1	0	Gender	없음	없음	6	왼쪽	명목형	입력
3	age	숫자	12	0	나이	없음	없음	6	오른쪽	척도	입력
4	grade	문자	8	0	Grade	없음	없음	6	왼쪽	명목형	입력
5	site	문자	1	0	Site: 1:Rt~hep...	{1, Right-si...	없음	6	왼쪽	명목형	입력
6	t_stage	문자	2	0	T stage	없음	없음	6	왼쪽	명목형	입력
7	전이ln	숫자	12	0	전이 LN #	없음	없음	6	오른쪽	척도	입력
8	lvi	숫자	12	0	LVI: 1; negativ...	{1, negativ...	없음	6	오른쪽	명목형	입력
9	stage	문자	1	0	Stage	없음	없음	6	왼쪽	명목형	입력
10	bvi	숫자	12	0	BVI: 1; negativ...	{1, negativ...	없음	6	오른쪽	명목형	입력
11	pni	숫자	12	0	PNI: 1; negativ...	{1, negativ...	없음	6	오른쪽	명목형	입력
12	budding	숫자	12	0	Budding #	없음	없음	6	오른쪽	척도	입력
13	total_fu	숫자	12	0	Total F/U	없음	없음	6	오른쪽	척도	입력
14	dfs_mo	숫자	12	0	DFS(월)	없음	없음	6	오른쪽	척도	입력
15	재발	숫자	12	0	재발: 0: 무, 1: 유	{0, 무}...	없음	6	오른쪽	명목형	입력
16	재발장소	문자	50	0	재발(전이) 장소	없음	없음	6	왼쪽	명목형	입력
17	os	숫자	12	0	OS(월)	없음	없음	6	오른쪽	척도	입력
18	state	숫자	12	0	State: 1; alive, ...	{1, alive}...	없음	6	오른쪽	명목형	입력
19	col1	숫자	12	0		없음	없음	6	오른쪽	명목형	입력
20	ajcc	문자	4	0	AJCC	없음	없음	6	왼쪽	명목형	입력
21	조사ln	숫자	12	0	조사 LN#	없음	없음	6	오른쪽	척도	입력
22	전이ln_2	숫자	12	0	전이 LN #	없음	없음	11	오른쪽	척도	입력

데이터 보기(D)　변수 보기(V)

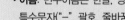

- **이름**: 변수이름은 한글, 영문, 숫자, "_" 조합 가능(단, 숫자로 시작할 수 없음), 띄어쓰기 및 특수문자("-", 괄호, 줄바꿈 등) 사용 안됨, 중복 사용 안됨
- **유형**: 숫자, 문자, 날짜 등 선택 가능
- **레이블**: 변수 설명 넣기, 특수문자 사용가능, 출력결과에 반영됨
- **값**: 변수값 설명
- **결측값**: 사용자정의 결측값 설정 (빈칸은 자동으로 시스템 결측값으로 인식함)
- **열**: 데이터보기의 열 너비 설정
- **맞춤**: 문자는 오른쪽 정렬, 숫자는 왼쪽 정렬이 기본값
- **측도**: 분석결과에 영향을 주지 않으나 변수 구분용으로 설정해 두면 분석 시 편리함

⊙ **명령문으로 변수 값 넣기**

명령문을 이용하면 값 확인 및 수정이 편리함

[파일]-[새파일]-[명령문]

Value labels
변수이름1 값 '설명' /
변수이름2 값 '설명' /
변수이름3 값 '설명'.

[Syntax Editor 메뉴]-[실행]-[모두]

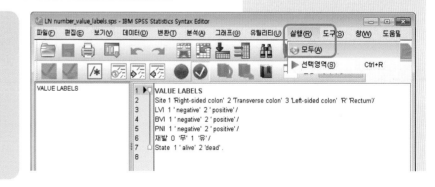

⚕ R에서 데이터 불러오기

```
## 엑셀파일
require(readxl)
mydata <- read_excel("LN number.xlsx", sheet="data", range="a2:v243")
```

```
> mydata
# A tibble: 241 x 22
      no gender  age grade site t_stage 전이ln   lvi stage  bvi   pni budding total_fu dfs_mo 재발 재발장소    os state col1
   <dbl> <chr>  <dbl> <chr> <chr> <chr>  <dbl> <dbl> <chr> <dbl> <dbl>   <dbl>    <dbl>  <dbl> <dbl> <chr>  <dbl> <dbl> <lgl>
1      1 M        21 well  3    T3         0     1 B        1     1       1       46     46     0 NA        46     1 NA
2      2 F        76 mod   3    T3         0     1 B        1     1       5       20      3     1 liver     20     2 NA
3      3 M        38 well  3    T3         0     1 B        1     2       4       36     26     0 NA        36     1 NA
4      4 F        74 well  3    T3         0     1 B        1     1       4       51     51     0 NA        51     1 NA
5      5 M        67 mod   1    T3         0     1 B        1     1       9       45     45     0 NA        45     1 NA
6      6 F        43 well  1    T3         0     1 B        1     1       2       40     40     0 NA        40     1 NA
7      7 M        52 mod   1    T3         0     1 B        2     1       3       69     69     0 NA        69     1 NA
8      8 M        71 mod   3    T3         0     1 B        1     1       4       50     50     0 NA        50     1 NA
9      9 F        52 mod   1    T3         0     1 B        1     1      11       75     75     0 NA        75     1 NA
10    10 F        73 mod   1    T3         0     1 B        1     1       0       45     45     0 NA        45     1 NA
# ... with 231 more rows, and 3 more variables: ajcc <chr>, 조사ln <dbl>, 전이ln_2 <dbl>
```

```
## SPSS 데이터파일
require(haven)
mydata2 <- read_sav("LN number.sav")
as_factor(mydata2)
zap_labels(mydata2)
```

```
> mydata2
# A tibble: 241 x 22
      no gender  age grade site  t_stage 전이ln   lvi stage  bvi   pni budding total_fu dfs_mo 재발 재발장소
   <dbl> <chr>  <dbl> <chr> <chr+> <chr>   <dbl> <dbl+> <chr> <dbl+> <dbl+>  <dbl>    <dbl>  <dbl> <dbl+> <chr>
1      1 M        21 well  3 [Lef~ T3          0 1 [ ne~ B     1 [ ne~ 1 [ ne~     1       46     46 0 [무]  ""
2      2 F        76 mod   3 [Lef~ T3          0 1 [ ne~ B     1 [ ne~ 1 [ ne~     5       20      3 1 [유]  "liver"
3      3 M        38 well  3 [Lef~ T3          0 1 [ ne~ B     1 [ ne~ 2 [ po~     4       36     26 0 [무]  ""
4      4 F        74 well  3 [Lef~ T3          0 1 [ ne~ B     1 [ ne~ 1 [ ne~     4       51     51 0 [무]  ""
5      5 M        67 mod   1 [Rig~ T3          0 1 [ ne~ B     1 [ ne~ 1 [ ne~     9       45     45 0 [무]  ""
6      6 F        43 well  1 [Rig~ T3          0 1 [ ne~ B     1 [ ne~ 1 [ ne~     2       40     40 0 [무]  ""
7      7 M        52 well  1 [Rig~ T3          0 1 [ ne~ B     2 [ po~ 1 [ ne~     3       69     69 0 [무]  ""
8      8 M        71 mod   1 [Lef~ T3          0 1 [ ne~ B     1 [ ne~ 1 [ ne~     4       50     50 0 [무]  ""
9      9 F        52 mod   1 [Rig~ T3          0 1 [ ne~ B     1 [ ne~ 1 [ ne~    11       75     75 0 [무]  ""
10    10 F        73 mod   1 [Rig~ T3          0 1 [ ne~ B     1 [ ne~ 1 [ ne~     0       45     45 0 [무]  ""
# ... with 231 more rows, and 6 more variables: os <dbl>, state <dbl+1bl>, col1 <dbl>, ajcc <chr>, 조사ln <dbl>,
#   전이ln_2 <dbl>
```

⊙ R에서 데이터 불러오기

패키지명 :: 함수명

#엑셀 파일 불러오기
readxl :: read_excel("myfile.xlsx", sheet="워크시트명", range="데이터범위")

#SPSS 데이터파일 불러오기
haven :: read_sav("myfile.sav")

#텍스트 파일 불러오기
read.table("myfile.txt", header=T)

#CSV 파일 불러오기
read.csv("myfile.csv")
read.table("myfile.csv", header=T, sep="₩t")

🩺 데이터탐색

[분석]−[기술통계량]−[데이터 탐색]

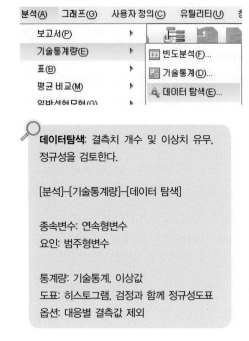

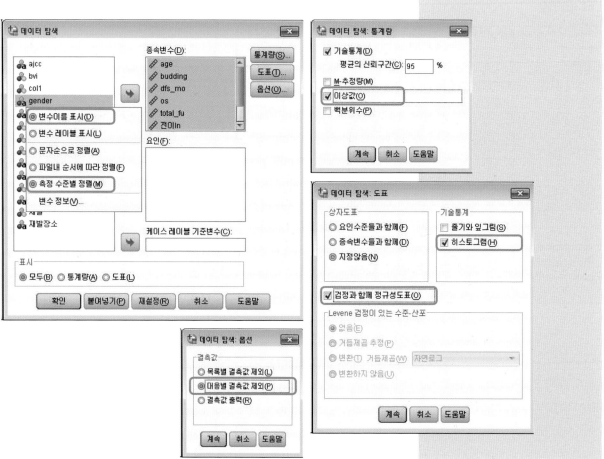

데이터탐색: 결측치 개수 및 이상치 유무,
정규성을 검토한다.

[분석]−[기술통계량]−[데이터 탐색]

종속변수: 연속형변수
요인: 범주형변수

통계량: 기술통계, 이상값
도표: 히스토그램, 검정과 함께 정규성도표
옵션: 대응별 결측값 제외

⚕ 자료개수 및 결측치 개수 확인

Explore

Case Processing Summary

	Cases					
	Valid		Missing		Total	
	N	Percent	N	Percent	N	Percent
나이	241	100.0%	0	0.0%	241	100.0%
Budding #	145	60.2%	96	39.8%	241	100.0%
DFS(월)	241	100.0%	0	0.0%	241	100.0%
OS(월)	241	100.0%	0	0.0%	241	100.0%
Total F/U	241	100.0%	0	0.0%	241	100.0%
전이 LN #	241	100.0%	0	0.0%	241	100.0%
전이 LN #	241	100.0%	0	0.0%	241	100.0%
조사 LN#	241	100.0%	0	0.0%	241	100.0%

🔍 **자료개수 및 결측치 개수 확인용:**
결측치가 너무 많은 변수는 주요분석, 특히 다변량분석에서
제외되어야 함

⊙ **결측치(missing value)**

- 결측치는 '0' 또는 '특성 없음'과 구분되어야 한다.

- 결측치 처리방법:
  1) 완전한 자료만 이용하거나
  2) 결측치 대체(imputation)한다 – 결측치 대체방법은 매우 다양하나 공통적으로 권장되는 방법은 없다.

- 임상시험에서 결측치는 비뚤림을 발생시키는 잠재적인 원인이 된다. 따라서 최소화시키기 위한 노력이 필요하다.

이상치 및 분포모양 확인

Descriptives

			Statistic	Std. Error
나이	Mean		58.53	.794
	95% Confidence Interval for Mean	Lower Bound	56.96	
		Upper Bound	60.09	
	5% Trimmed Mean		58.86	
	Median		59.00	
	Variance		151.917	
	Std. Deviation		12.325	
	Minimum		21	
	Maximum		87	
	Range		66	
	Interquartile Range		17	
	Skewness		-.395	.157
	Kurtosis		-.261	.312
조사 LN#	Mean		17.55	.804
	95% Confidence Interval for Mean	Lower Bound	15.96	
		Upper Bound	19.13	
	5% Trimmed Mean		16.28	
	Median		15.00	
	Variance		155.915	
	Std. Deviation		12.487	
	Minimum		3	
	Maximum		104	
	Range		101	
	Interquartile Range		14	
	Skewness		2.423	.157
	Kurtosis		11.057	.312

Extreme Values

			Case Number	Value
나이	Highest	1	22	87
		2	164	82
		3	57	80
		4	151	79
		5	24	78[a]
	Lowest	1	1	21
		2	205	22
		3	238	31
		4	229	32
		5	163	32
조사 LN#	Highest	1	102	104
		2	224	76
		3	134	58
		4	34	54
		5	67	54
	Lowest	1	178	3
		2	97	3
		3	81	3
		4	69	3
		5	20	3[f]

이상치 확인용

⊙ 왜도와 첨도

왜도(skewness)
- 비대칭정도, 치우침 정도
- 0이면 좌우대칭 종모양
- 음수이면 왼쪽 긴꼬리 분포
- 양수이면 오른쪽 긴꼬리 분포

첨도(kurtosis)
- 자료가 평균을 중심으로 모여있는 정도, 정규분포의 첨도는 0
- 음수일 경우 정규분포보다 자료가 더 퍼져있음
- 양수일 경우 정규분포보다 자료가 더 모여있음

이상치 및 분포모양 확인용:
| 왜도 | > 2, 첨도 > 7 이면 심각한 이상치 존재, 즉, 입력오류 의심
이상치 처리방법:
입력오류라면 차트를 확인하여 수정하고, 매우 특이한 값이라면 삭제하기보다는 선정, 제외 기준이 타당한지를 검토하는 것이 바람직하다.

🩺 정규성 검토

Tests of Normality

	Kolmogorov-Smirnov[a]			Shapiro-Wilk		
	Statistic	df	Sig.	Statistic	df	Sig.
나이	.054	241	.090	.983	241	.005
Budding #	.150	145	.000	.822	145	.000
DFS(월)	.124	241	.000	.957	241	.000
OS(월)	.098	241	.000	.972	241	.000
Total F/U	.097	241	.000	.972	241	.000
전이 LN #	.309	241	.000	.549	241	.000
전이 LN #	.309	241	.000	.549	241	.000
조사 LN#	.126	241	.000	.821	241	.000

a. Lilliefors Significance Correction

🔍 **정규성 검정:**
Shapiro-Wilk p=0.005 < α=0.050이므로 귀무가설(H0: 정규분포를 따른다)을 기각한다. 즉 정규성 가정이 타당하지 않다.

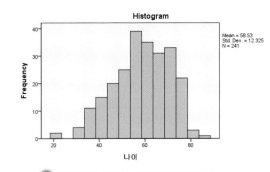

🔍 **히스토그램:**
이상치 유무 및 좌우대칭 종모양인지를 확인한다.

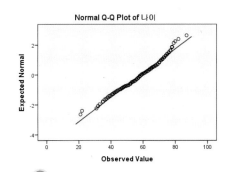

🔍 **정규확률그림:**
점들이 직선에서 크게 벗어나면 정규성 가정을 의심해 볼 수 있다.

⊙ **정규성 가정이 타당하지 않은 경우**

• 정규성 가정이 만족되도록 적절히 변수변환(가령, 로그변환)을 하거나
• 범주화 또는
• 비모수검정을 한다.

🩺 R에서 데이터탐색

```
##변수정의
require(tidyverse)
wd = mydata %>%
  select(age, gender) %>% #변수선택
  mutate_at(vars(gender), as.factor) #범주형변수

##데이터탐색
summary(wd)
Hmisc :: describe(wd)
summary(tableone :: CreateTableOne(data=wd))
psych :: describe(wd)
```

```
> summary(wd)
      age         gender
Min.   :21.00   F:109
1st Qu.:51.00   M:132
Median :59.00
Mean   :58.53
3rd Qu.:68.00
Max.   :87.00
```

```
> Hmisc :: describe(wd)
wd

 2  Variables     241  Observations
--------------------------------------------------------
age
       n  missing distinct     Info     Mean      Gmd      .05      .10      .25      .50
     241        0       53    0.999    58.53    13.99       37       41       51       59

lowest : 21 22 31 32 33, highest: 78 79 80 82 87
--------------------------------------------------------
gender
       n  missing distinct
     241        0        2

value         F      M
Frequency   109    132
Proportion 0.452 0.548
--------------------------------------------------------
```

```
> wd
# A tibble: 241 x 2
    age gender
  <dbl> <fct>
 1    21 M
 2    76 F
 3    38 M
 4    74 F
 5    67 M
 6    43 F
 7    52 M
 8    71 M
 9    52 F
10    73 F
# ... with 231 more rows
```

```
> summary(tableone :: CreateTableOne(data=wd))

    ### Summary of continuous variables ###

strata: Overall
      n miss p.miss mean sd median p25 p75 min max skew kurt
age 241    0      0   59 12     59  51  68  21  87 -0.4 -0.3

==========================================================

    ### Summary of categorical variables ###

strata: Overall
      var   n miss p.miss level freq percent cum.percent
gender 241   0    0.0        F  109    45.2        45.2
                             M  132    54.8       100.0
```

```
> psych :: describe(wd)
        vars   n  mean    sd median trimmed   mad min max range  skew kurtosis   se
age        1 241 58.53 12.33     59   59.07 13.34  21  87    66 -0.39    -0.30 0.79
gender*    2 241  1.55  0.50      2    1.56  0.00   1   2     1 -0.19    -1.97 0.03
```

⊙ R에서 데이터탐색

패키지명 :: 함수명

Hmisc :: describe(mydata)
psych :: describe(mydata)
summary(tableone ::
CreateTableOne(data=mydata))

R에서 정규성검토

```
require(tidyverse)
wd = mydata %>% select(age, 조사ln) #변수선택

psych :: pairs.panels(wd, method="spearman", stars=T) #행렬산점도
lapply(wd, shapiro.test) #정규성검정
```

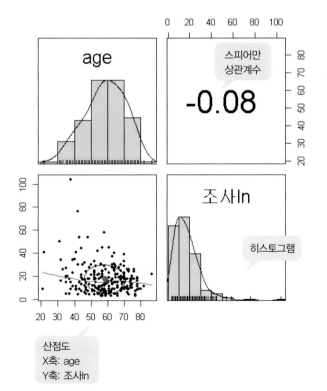

산점도
X축: age
Y축: 조사ln

스피어만
상관계수

-0.08

히스토그램

```
> wd
# A tibble: 241 x 2
    age  조사ln
   <dbl>  <dbl>
1    21      9
2    76     24
3    38      9
4    74     16
5    67     27
6    43     15
7    52      4
8    71     18
9    52     17
10   73     26
# ... with 231 more rows


> lapply(wd, shapiro.test) #정규성검정
$age

        Shapiro-Wilk normality test

data:  X[[i]]
W = 0.98258, p-value = 0.004706


$조사ln

        Shapiro-Wilk normality test

data:  X[[i]]
W = 0.82074, p-value = 5.697e-16
```

⊙ R에서 정규성검토

#히스토그램
hist(x)
plot(density(x))

#정규확률그림
qqnorm(x); qqline(x)

#정규성검정
shapiro.test(x)

🩺 로그변환 방법

[변환]-[변수계산]

🔍 로그변환:
[변환]-[변수계산]

목표변수: 새변수명
숫자표현식: Ln(기존변수명)

⊙ 로그변환 방법

- 양수(y>0)인 경우: ln(y)

- 0을 포함하는 경우: ln(y+1)

- 음수(y<0)를 포함하는 경우:
  $Sign(y) * ln(|y| + 1)$
  – 양수: $ln(y + 1)$
  – 음수: $-ln(-y + 1)$

	조사ln	전이ln_2	ln_진이lLN
130	30	0	.00
131	23	0	.00
132	8	0	.00
133	7	0	.00
134	58	3	1.39
135	12	3	
136	23	1	
137	18	1	
138	24	2	
139	9	1	
140	8	1	
141	27	1	
142	20	1	.69
143	5	1	.69
144	11	1	.69
145	9	3	1.39
146	16	2	1.10
147	44	1	.69

🔍 x=0을 포함하는 경우
로그변환시 LN(x)이면
결측이 되므로 LN(x+1)
로 계산함

로그변환결과: 예시(1)

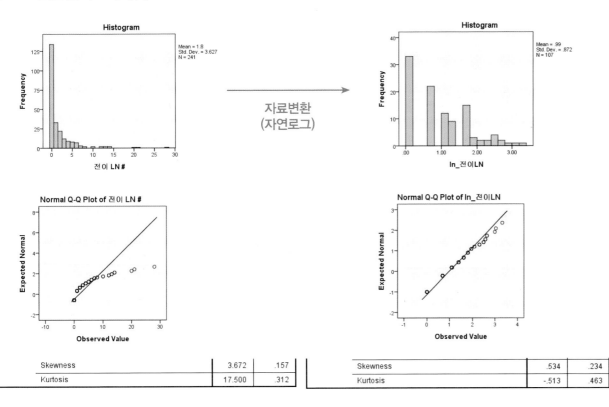

자료변환
(자연로그)

| | Skewness | 3.672 | .157 |
| | Kurtosis | 17.500 | .312 |

Tests of Normality

	Kolmogorov-Smirnov[a]			Shapiro-Wilk		
	Statistic	df	Sig.	Statistic	df	Sig.
전이 LN #	.309	241	.000	.549	241	.000

a. Lilliefors Significance Correction

| | Skewness | .534 | .234 |
| | Kurtosis | -.513 | .463 |

Tests of Normality

	Kolmogorov-Smirnov[a]			Shapiro-Wilk		
	Statistic	df	Sig.	Statistic	df	Sig.
ln_전이LN	.180	107	.000	.905	107	.000

a. Lilliefors Significance Correction

〈로그변환 후〉

정규확률그림(Q-Q plot):
모든 점들이 직선에서 크게 벗어나지 않으므로 정규성 가정이 타당하다고 판단.

정규성검정:
Shapiro-Wilk test p<0.001이므로 귀무가설(H0: 정규분포를 따른다)을 기각한다, 즉 정규성 가정이 타당하지 않다.(**상반되는 결론**)

비록 KS test나 SW test 모두 정규성이 의심된다고 하였으나 Q-Q plot이 정규분포에 상당히 가까움을 시사함으로 이 경우 특별히 더 나은 변환을 찾기 어려우면 로그 변환이 무난한 것으로 판단할 수 있다. 또는 원자료를 범주화하여 분석한다.

🩺 로그변환결과: 예시(2)

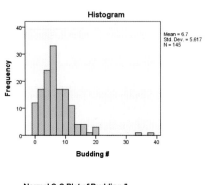

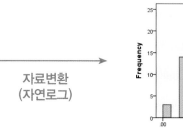

자료변환
(자연로그)

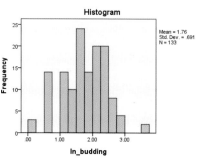

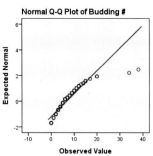

Skewness	2.305	.201
Kurtosis	9.272	.400

Tests of Normality

	Kolmogorov-Smirnov[a]			Shapiro-Wilk		
	Statistic	df	Sig.	Statistic	df	Sig.
Budding #	.150	145	.000	.822	145	.000

a. Lilliefors Significance Correction

Skewness	-.154	.210
Kurtosis	.041	.417

Tests of Normality

	Kolmogorov-Smirnov[a]			Shapiro-Wilk		
	Statistic	df	Sig.	Statistic	df	Sig.
ln_budding	.106	133	.001	.979	133	.035

a. Lilliefors Significance Correction

🔍 〈로그변환 후〉

정규확률그림(Q-Q plot):
모든 점들이 직선에서 크게 벗어
나지 않으므로 정규성 가정이 타
당하다고 판단.

정규성검정:
Shapiro-Wilk test p<0.001이므
로 귀무가설(H0: 정규분포를 따
른다)을 기각한다. 즉 정규성 가
정이 타당하지 않다.(상반되는 결
론)

비록 KS test나 SW test 모두 정
규성이 의심된다고 하였으나
Q-Q plot이 정규분포에 상당히
가까움을 시사함으로 이 경우 특
별히 더 나은 변환을 찾기 어려
우면 로그 변환이 무난한 것으로
판단할 수 있다. 또는 원자료를
범주화하여 분석한다.

✿ 범주화 방법

[변환]-[시각적 구간화]

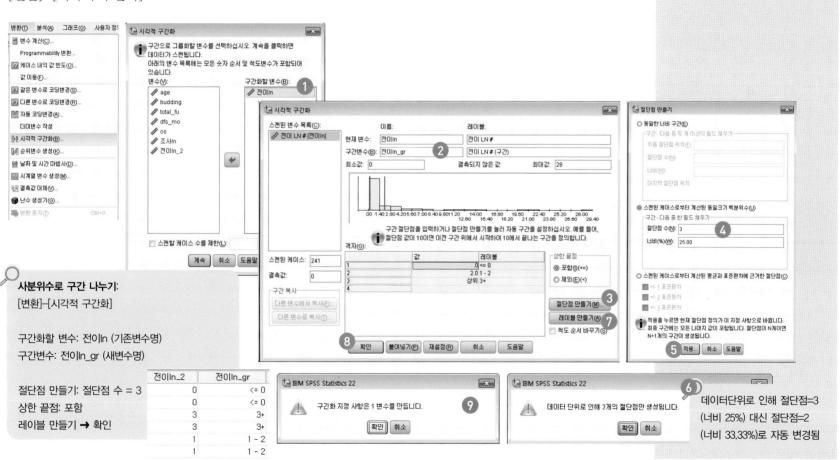

사분위수로 구간 나누기:
[변환]-[시각적 구간화]

구간화할 변수: 전이ln (기존변수명)
구간변수: 전이ln_gr (새변수명)

절단점 만들기: 절단점 수 = 3
상한 끝점: 포함
레이블 만들기 ➔ 확인

전이ln_2	전이ln_gr
0	<= 0
0	<= 0
3	3+
3	3+
1	1 - 2
1	1 - 2

R에서 변수변환 및 범주화

```
require(tidyverse)
wd = mydata %>% mutate(

  전이ln_로그변환 = log(전이ln + 1),
  전이ln_제곱근변환 = sqrt(전이ln),
  전이ln_제곱 = 전이ln **2,

  전이ln_구간2 = Hmisc::cut2(전이ln, g=2),
  전이ln_구간3 = Hmisc::cut2(전이ln, g=3),
  전이ln_구간4 = Hmisc::cut2(전이ln, g=4),

  전이ln_범주화 = cut(전이ln, breaks=c(-Inf, 0, 1, 3, Inf))

) %>% select(전이ln, 전이ln_로그변환:전이ln_범주화)

summary(wd) #기술통계량
```

⊙ R에서 변수변환

log(x) #로그변환
sqrt(x) #제곱근변환
x ** (1/2) #제곱근변환
X ** 2 #거듭제곱
1 / x #역수

⊙ R에서 범주화

cut(x, breaks=(-Inf, a1, a2, Inf))
Hmisc :: cut2(x, g=구간개수)

#사분위수 확인하기
quantile(x)

```
> summary(wd)   #기술통계량
      전이ln         전이ln_로그변환    전이ln_제곱근변환   전이ln_제곱        전이ln_구간2 전이ln_구간3 전이ln_구간4   전이ln_범주화
 Min.   : 0.000   Min.   :0.0000   Min.   :0.0000   Min.   :  0.00   0    :134   0    :134   0    :134   (-Inf,0]:134
 1st Qu.: 0.000   1st Qu.:0.0000   1st Qu.:0.0000   1st Qu.:  0.00   [1,28]:107   1    : 33   [1, 3): 55   (0,1]   : 33
 Median : 0.000   Median :0.0000   Median :0.0000   Median :  0.00              [2,28]: 74   [3,28]: 52   (1,3]   : 34
 Mean   : 1.805   Mean   :0.6094   Mean   :0.8042   Mean   : 16.36                                        (3, Inf]: 40
 3rd Qu.: 2.000   3rd Qu.:1.0986   3rd Qu.:1.4142   3rd Qu.:  4.00
 Max.   :28.000   Max.   :3.3673   Max.   :5.2915   Max.   :784.00
```

Table1

Table 1. Clinicopathologic features of patients

	Stage II	Stage III	P
Cases	134 (55.6%)	107 (44.4%)	
Age (median, range, year)	58.5 (21~87)	59 (35~74)	0.2023
Gender			0.3644
Male	77	55	
Female	57	52	
Tumor location			0.08
Right colon	45	31	
Transverse colon	7	2	
Left colon	37	22	
Rectum	45	52	
Depth of Invasion			0.7837
T3	127	100	
T4	7	7	
Recovered nodes, median (range)	13 (3~104)	18 (3~76)	0.0009

자료:

1995년에서 1999년 사이 동아대학교의료원 외과에서 원발성 대장암으로 근치적 절제술을 받은 pT3 혹은 pT4 대장암 환자 중 추적이 가능하였던 241예 환자(남자: 132예)의 자료를 토대로 후향적으로 분석하였다. 즉, 이들의 술 후 병리조직 결과지를 중심으로 환자의 성별, 나이, 종양의 해부학적 위치, 종양의 침윤도, 검사된 림프절 수, 림프절 전이 유무 및 전이 양성 시 전이 림프절 수 등을 조사하였으며, 환자의 추적 관찰 성적은 데이터베이스와 의무기록지의 정보를 기준으로 분석하였다. 여기서 가족성 용종증, 유전성 비용종성 대장암, 궤양성 대장염에 의한 대장암, 그리고 동시성 또는 이시성 대장암 환자는 대상에서 제외하였다.

결론:

조직 표본당 검사된 림프절 개수의 전체 중앙값은 15(범위: 3~104)개로 평균은 17.5±12.5개였으며, 병기 IIA와 IIB에서 검사한 림프절 개수의 중앙값은 13(범위: 3~104, 평균: 15.7±12.5)개로서 병기 IIIB 및 IIIC 표본에서의 중앙값인 18(범위: 3~76, 평균: 19.9±12.2)개에 비해 적었으며 이 차이는 통계학적 유의성이 있었다(P=0.0102, Table 1).

⊙ **통계방법**

1) 연속형변수
- 정규성 가정이 타당한 경우 평균(mean)과 표준편차(SD; standard deviation)를 제시하고, 독립표본 t-검정(independent t-test; two-sample t-test; unpaired t-test)을 실시한다.
- 순위자료(ordinal data)이거나 치우친 자료는 중앙값(median)과 범위(range) 또는 사분위수범위(IQR; interquartile range)를 제시하고, 맨-휘트니검정(Mann-Whitney test) 또는 윌콕슨 순위합 검정(Wilcoxon rank-sum test)을 실시한다.

2) 범주형변수
- 카이제곱검정(Chi-square test)을 실시한다. 단, 각 칸의 기대빈도가 5미만인 경우 피셔정확검정(Fisher's exact test)을 실시한다.

⊙ **유의확률 표기 참고사항**

- 유의확률 표기 방법은 저널마다 상이하나 일반적으로 셋째자리까지 표기(넷째에서 반올림)한다.
- 0은 <0.001 로, 1은 1.000 또는 >W0.999로 표기.
- 참고: https://www.graphpad.com/support/faq/how-to-report-p-values-in-journals/

독립인 두 집단의 비교 (연속형변수) – 모수적방법

[분석]–[평균비교]–[독립표본 T 검정]

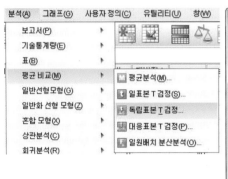

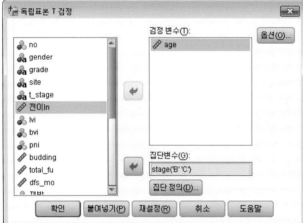

⊙ 문자를 숫자로 코딩변경

[변환]–[자동 코딩변경]
가령, Stage (B, C) → Stage2 (1, 2)

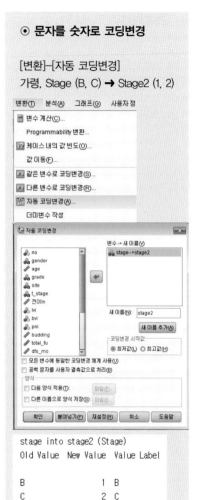

```
stage into stage2 (Stage)
Old Value   New Value   Value Label

B                1         B
C                2         C
```

독립인 두 집단의 평균 비교:

집단별로 정규성 가정이 타당한 경우 평균(mean)과 표준편차(SD; standard deviation)를 제시하고, 독립표본 t-검정(independent t-test; two-sample t-test; unpaired t-test)을 실시한다.

[분석]–[평균비교]–[독립표본 T 검정]

검정변수: age(연속형변수)
집단변수: stage(범주형변수)
집단정의: B, C(범주형변수의 값)

[참고] 집단정의에서 문자값이 입력되지 않는 경우 숫자로 코딩변경 후 진행

독립표본 T 검정 결과

T-Test

Group Statistics

	Stage	N	Mean	Std. Deviation	Std. Error Mean
나이	B	134	59.43	12.154	1.050
	C	107	57.39	12.501	1.209

Independent Samples Test

		Levene's Test for Equality of Variances		t-test for Equality of Means						95% Confidence Interval of the Difference	
		F	Sig.	t	df	Sig. (2-tailed)	Mean Difference	Std. Error Difference		Lower	Upper
나이	Equal variances assumed	.213	.645	1.279	239	.202	2.040	1.596		-1.103	5.184
	Equal variances not assumed			1.274	224.479	.204	2.040	1.601		-1.114	5.195

1) 등분산검정:
F=0.213, df=(1, 239), p=0.645 > α=0.050이므로 귀무가설(H0: 두 집단의 분산이 같다)을 기각하지 않는다. 즉, 등분산 가정이 만족된다.

등분산 가정됨(Equal variances assumed)의 t-검정 선택

2) 평균차이 검정:
t=1.279, df=239, p=0.202 > α=0.050이므로 귀무가설(H0: 두 집단의 평균은 같다)을 기각하지 않는다. 두 집단의 평균차이=2.04, 95% CI=(-1.103, 5.184)

즉 Stage=B인 집단의 평균나이(59.43)가 stage=C인 집단의 평균나이(57.39)보다 2.04 높기는 하지만 통계적으로 유의한 차이는 아니다.

⊙ 등분산 가정이 만족되지 않는 경우

방법1) 등분산 가정안됨(Equal variances not assumed)의 t-검정을 선택하거나(독립표본 T-검정 메뉴)

방법2) 비모수검정 한다.

독립인 두 집단의 비교 (연속형변수) - 비모수적방법

[분석]-[비모수검정]-[레거시 대화상자]-[2-독립표본] 또는 [분석]-[비모수검정]-[독립표본]

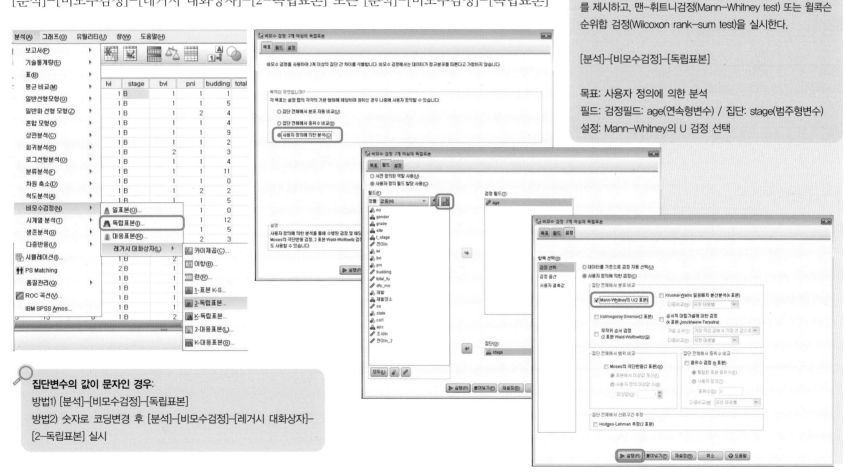

독립인 두 집단의 평균(중앙값) 비교:
순위자료(ordinal data)이거나 치우친 자료인 경우 중앙값(me-dian)과 범위(range) 또는 사분위수범위(IQR; interquartile range)를 제시하고, 맨-휘트니검정(Mann-Whitney test) 또는 윌콕슨 순위합 검정(Wilcoxon rank-sum test)을 실시한다.

[분석]-[비모수검정]-[독립표본]

목표: 사용자 정의에 의한 분석
필드: 검정필드: age(연속형변수) / 집단: stage(범주형변수)
설정: Mann-Whitney의 U 검정 선택

집단변수의 값이 문자인 경우:
방법1) [분석]-[비모수검정]-[독립표본]
방법2) 숫자로 코딩변경 후 [분석]-[비모수검정]-[레거시 대화상자]-[2-독립표본] 실시

🩺 맨-휘트니 검정 결과

Nonparametric Tests

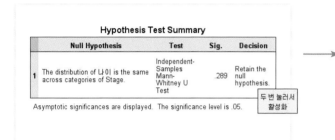

Hypothesis Test Summary

	Null Hypothesis	Test	Sig.	Decision
1	The distribution of 나이 is the same across categories of Stage.	Independent-Samples Mann-Whitney U Test	.289	Retain the null hypothesis.

Asymptotic significances are displayed. The significance level is .05.

> 두 번 눌러서 활성화

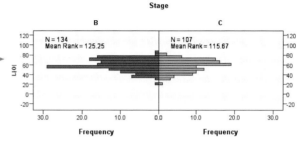

Independent-Samples Mann-Whitney U Test

Total N	241
Mann-Whitney U	6,599.000
Wilcoxon W	12,377.000
Test Statistic	6,599.000
Standard Error	537.488
Standardized Test Statistic	-1.060
Asymptotic Sig. (2-sided test)	.289

🔍 **맨-휘트니 검정:**
p=0.289 > α=0.05 이므로 귀무가설(H0: 두 집단의 평균은 같다)을 기각하지 못한다. 즉, 두 집단의 평균 나이가 통계적으로 유의하게 다르다고 볼 수 없다.

자주 하는 질문) 맨-휘트니 검정과 윌콕슨 순위합 검정의 차이점은?

• 두 검정 모두 독립인 두 집단에서의 평균 비교 시 사용되는 비모수적검정법으로 동일한 결과를 준다.

• SPSS는 맨-휘트니 검정(Mann-Whitney U test)으로 제공되며, SAS, R에서는 윌콕슨 순위합 검정(Wilcoxon rank-sum test)으로 제공된다.

독립인 두 집단의 비교 (범주형변수) – 카이제곱검정

[분석]-[기술통계량]-[교차분석]

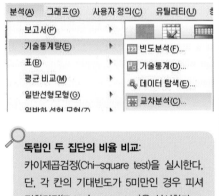

독립인 두 집단의 비율 비교:
카이제곱검정(Chi-square test)을 실시한다.
단, 각 칸의 기대빈도가 5미만인 경우 피셔
정확검정(Fisher's exact test)을 실시한다.

[분석]-[기술통계량]-[교차분석]

행: gender (범주형변수)
열: stage (범주형변수)

통계량: 카이제곱
셀: 열 퍼센트

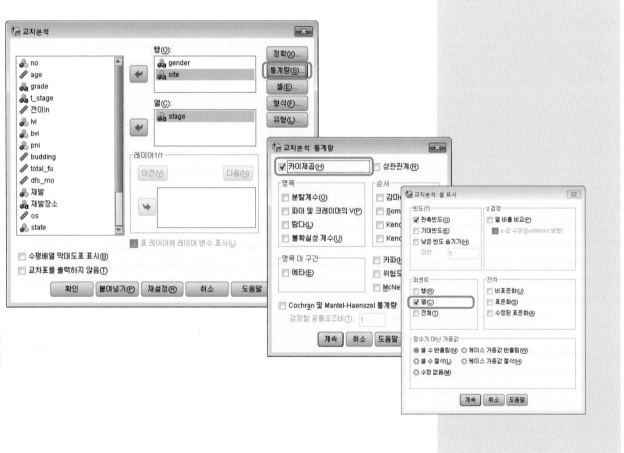

🩺 카이제곱검정 결과

Gender * Stage

Crosstab

			Stage		Total
			B	C	
Gender	F	Count	57	52	109
		% within Stage	42.5%	48.6%	45.2%
	M	Count	77	55	132
		% within Stage	57.5%	51.4%	54.8%
Total		Count	134	107	241
		% within Stage	100.0%	100.0%	100.0%

Chi-Square Tests

	Value	df	Asymp. Sig. (2-sided)	Exact Sig. (2-sided)	Exact Sig. (1-sided)
Pearson Chi-Square	.882[a]	1	.348		
Continuity Correction[b]	.655	1	.419		
Likelihood Ratio	.882	1	.348		
Fisher's Exact Test				.364	.209
N of Valid Cases	241				

a. 0 cells (0.0%) have expected count less than 5. The minimum expected count is 48.39.

b. Computed only for a 2x2 table

🔍 **카이제곱검정:**
카이제곱=0.882, df=1, p=0.348 > α=0.050이므로 귀무가설(H0: 두 집단의 비율은 같다)을 기각하지 않는다.

즉, Stage=B인 집단의 남성비율(57.5%)이 stage=C인 집단의 남성비율(51.4%)보다 높기는 하지만 통계적으로 유의한 차이는 아니다. 다시 말해, 두 집단의 성별분포가 통계적으로 다르다고 볼 수 없다.

Site: 1:Rt~hepatic flexure, 2; T-colon, 3;Splenic flexure~Sigmoid * Stage

Crosstab

			Stage		Total
			B	C	
Site: 1:Rt~hepatic flexure, 2; T-colon, 3;Splenic flexure~Sigmoid	Right-sided colon	Count	45	31	76
		% within Stage	33.6%	29.0%	31.5%
	Transverse colon	Count	7	2	9
		% within Stage	5.2%	1.9%	3.7%
	Left-sided colon	Count	37	22	59
		% within Stage	27.6%	20.6%	24.5%
	Rectum	Count	45	52	97
		% within Stage	33.6%	48.6%	40.2%
Total		Count	134	107	241
		% within Stage	100.0%	100.0%	100.0%

Chi-Square Tests

	Value	df	Asymp. Sig. (2-sided)
Pearson Chi-Square	6.735[a]	3	.081
Likelihood Ratio	6.866	3	.076
N of Valid Cases	241		

a. 1 cells (12.5%) have expected count less than 5. The minimum expected count is 4.00.

🔍 **기대빈도가 5미만인 셀이 존재하는 경우**
피셔정확검정(Fisher's exact test)을 수행한다.

2 x 2 table: 자동 출력
K x k table: 정확검정 옵션을 선택해야 함

🩺 피셔정확검정 결과

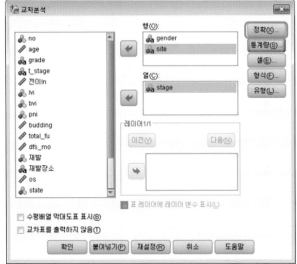

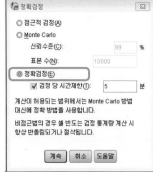

정확검정 옵션이 없는 경우
모듈을 구매해야 함

Site: 1:Rt~hepatic flexure, 2; T-colon, 3;Splenic flexure~Sigmoid * Stage

Crosstab

Count

		Stage		Total
		B	C	
Site: 1:Rt~hepatic flexure, 2; T-colon, 3;Splenic flexure~Sigmoid	Right-sided colon	45	31	76
	Transverse colon	7	2	9
	Left-sided colon	37	22	59
	Rectum	45	52	97
Total		134	107	241

Chi-Square Tests

	Value	df	Asymp. Sig. (2-sided)	Exact Sig. (2-sided)
Pearson Chi-Square	6.735[a]	3	.081	.081
Likelihood Ratio	6.866	3	.076	.082
Fisher's Exact Test	6.548			.083
N of Valid Cases	241			

a. 1 cells (12.5%) have expected count less than 5. The minimum expected count is 4.00.

🔍 **피셔 정확검정:**

p=0.083 > α=0.05이므로 귀무가설(H0: 두 집단의 비율
은 같다)을 기각하지 않는다. 즉, 두 집단의 종양위치(site)
분포가 통계적으로 다르다고 볼 수 없다.

🩺 R에서 독립인 두 집단의 비교

```
y <- mydata$조사ln; group <- factor(mydata$gender)

## 평균비교
var.test(y ~ group)         #등분산검정
t.test(y ~ group, paired=F, var.equal=T)     #모수적 방법
wilcox.test(y ~ group, paired=F, correct=F) #비모수적 방법

## 95% 신뢰구간 구하기
require(DescTools)
MeanCI(y)                   #95% CI
tapply(y, group, MeanCI) #by group
```

```
## 비율비교
x1 <- factor(mydata$gender); x2 <- factor(mydata$site)

chisq.test(x1, x2, correct=F)  #카이제곱검정
fisher.test(x1, x2)            #피셔정확검정

require(gmodels)
CrossTable(x1, x2, chisq=T, fisher=T)

## 95% 신뢰구간 구하기
x <- c(38, 6, 37, 51); n <- c(76, 9, 59, 97)
prop.test(x, n, correct = F)
BinomCI(x, n, method="clopper-pearson") #exact CI
```

```
> t.test(y ~ group, paired=F, var.equal=T)

        Two Sample t-test

data:  y by group
t = -0.069313, df = 239, p-value = 0.9448
alternative hypothesis: true difference in means is not equal to 0
95 percent confidence interval:
 -3.302374  3.077881
sample estimates:
mean in group F mean in group M
      17.48624        17.59848

> tapply(y, group, MeanCI)  #by group
$F
    mean    lwr.ci   upr.ci
17.48624 15.15729 19.81519

$M
    mean    lwr.ci   upr.ci
17.59848 15.40975 19.78722


> prop.test(x, n, correct = F)

        2-sample test for equality of proportions without continuity correction

data:  x out of n
X-squared = 1.0203, df = 1, p-value = 0.3124
alternative hypothesis: two.sided
95 percent confidence interval:
 -0.05744606  0.17893619
sample estimates:
   prop 1    prop 2
0.3486239 0.2878788

> BinomCI(x, n, method="clopper-pearson") #exact CI
          est    lwr.ci    upr.ci
F:n.1 0.3486239 0.2598573 0.4458443
M:n.2 0.2878788 0.2124450 0.3730923
```

R에서 독립인 두 집단의 비교 (tableone 패키지)

```
wd = mydata %>%
  select(age, gender, site, t_stage, 조사ln) %>%    ##변수선택
  mutate_at(vars(gender, site, t_stage), as.factor)   ##factor로 변환

require(tableone)
T1 = CreateTableOne(data=wd, strata="t_stage"); T1  ##t_stage별 비교

T2 = print(T1,
    showAllLevels=T, includeNA=T, noSpaces=T,  ##주요옵션
    contDigits=1, pDigits=4,          ##소수점자리수
    argsNormal=list(var.equal=F),     ##등분산가정
    nonnormal="조사ln", minMax=F,    ##비모수검정
    exact=T                          ##피셔정확검정
); T2
```

```
## 결과 내보내기
options(width=10000)
sink("T1_Summary.txt")
summary(T1)
sink()

write.csv(T2, "T2.csv")
```

```
> T1
                 Stratified by t_stage
                    T3          T4          p      test
  n                 227          14
  age (mean (SD))   58.45 (12.32) 59.79 (12.74)  0.695
  gender = M (%)    122 (53.7)    10 ( 71.4)     0.311
  site (%)                                       0.054
     1              70 (30.8)      6 ( 42.9)
     2               7 ( 3.1)      2 ( 14.3)
     3              55 (24.2)      4 ( 28.6)
     R              95 (41.9)      2 ( 14.3)
  t_stage = T4 (%)   0 ( 0.0)     14 (100.0)    <0.001
  조사ln (mean (SD)) 17.39 (12.59) 20.14 (10.75)  0.424
```

T1_summary.txt

```
■ T1_Summary.txt - 메모장
파일(F) 편집(E) 서식(O) 보기(V) 도움말(H)

     ### Summary of continuous variables ###

t_stage: T3
       n miss p.miss mean sd median p25 p75 min max skew kurt
age  227    0      0   58 12     59  52  68  21  87 -0.4 -0.3
조사ln 227    0      0   17 13     15   9  22   3 104  2.5 11.4

t_stage: T4
       n miss p.miss mean sd median p25 p75 min max skew kurt
age   14    0      0   60 13     62  51  68  31  78 -0.7  0.5
조사ln  14    0      0   20 11     18  13  24   8  50  1.7  4.0

p-values
        pNormal pNonNormal
age   0.6946466  0.6825287
조사ln 0.4241209  0.1833988

Standardize mean differences
          1 vs 2
age   0.1066415
조사ln 0.2353908
```

T2.csv

	A	B	C	D	E	F
1		level	T3	T4	p	test
2	n		227	14		
3	age (mean (SD))		58.4 (12.3)	59.8 (12.7)	0.6946	
4	gender (%)	F	105 (46.3)	4 (28.6)	0.2708	exact
5		M	122 (53.7)	10 (71.4)		
6	site (%)	1	70 (30.8)	6 (42.9)	0.047	exact
7		2	7 (3.1)	2 (14.3)		
8		3	55 (24.2)	4 (28.6)		
9		R	95 (41.9)	2 (14.3)		
10	t_stage (%)	T3	227 (100.0)	0 (0.0)	<0.0001	exact
11		T4	0 (0.0)	14 (100.0)		
12	조사ln (median [IQR])		15.0 [9.0, 22.0]	18.5 [13.0, 23.8]	0.1834	nonnorm

R에서 독립인 두 집단의 비교 (moonBook 패키지)

```
require(moonBook)
T3 = mytable(t_stage ~ ., data=wd, method=3); T3
```

```
Descriptive Statistics by 't_stage'

                  T3                 T4             p
                (N=227)            (N=14)
----------------------------------------------------------
age      59.0 [51.5;68.0]  61.5 [51.0;68.0]  0.684
gender                                          0.311
  - F      105 (46.3%)        4 (28.6%)
  - M      122 (53.7%)       10 (71.4%)
site                                            0.054
  - 1       70 (30.8%)        6 (42.9%)
  - 2        7 ( 3.1%)        2 (14.3%)
  - 3       55 (24.2%)        4 (28.6%)
  - R       95 (41.9%)        2 (14.3%)
조사ln     15.0 [ 9.0;22.0]  18.5 [12.0;24.0]  0.184
----------------------------------------------------------
```

```
## 결과 내보내기
mycsv(summary(T3), file="T3_summary.csv")
mycsv(T3, file="T3.csv")
```

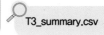
T3_summary.csv

T3.csv

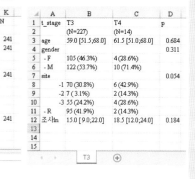

⊙ R에서 독립표본 t-검정

t.test(y ~ group, paired=F, var. equal=T) #분산이 같은 경우

t.test(y ~ group, paired=F, var. equal=F) #분산이 다른 경우

var.test(y ~ group) #등분산검정

⊙ R에서 맨-휘트니 검정

wilcox.test(y ~ group)

⊙ R에서 카이제곱검정

chisq.test(x1, x2, correct=F)
fisher.test(x1, x2)

library(gmodels)
CrossTable(x1, x2, chisq=T, fisher=T)

Table2

Table 2. Number of lymph nodes harvested per anatomic location

	Right-sided colon	Transverse colon	Left-sided colon	Rectum
No of cases	76	9	59	97
Median (range)	19 (3 ~ 54)	19 (5 ~ 41)	12 (3 ~ 58)	14 (3 ~ 104)
Mean (± SD)	21.6 (±12.6)	20.4 (±12.7)	14.7 (±9.3)	15.9 (±13.4)

결론:

림프절의 검사수는 종양의 해부학적 부위에 따라 통계학적으로 서로 유의한 차이가 있었는데, 우측 결장과 횡행결장에서 가장 많아 중앙값이 각각 19개였으며, 다음이 직장 14개, 좌측 결장 12개의 순이었다(P=0.0037, Table 2)

⊙ **통계방법**

1) 세 집단 이상의 비교:
정규성 가정이 타당하면 일원배치분산분석(one−way ANOVA)을 실시하고 순위자료(ordinal data)이거나 치우친 분포는 크루스칼−왈리스 검정(Kruskal−Wallis test) 실시

2) 사후분석(post hoc analysis):
집단 간에 차이가 있는 경우 둘씩 짝지어 다중비교(multiple comparison) 한다. 필요 시 유의수준을 보정한다. (본페로니, 튜키, 쉐페, 던컨 등)

독립인 네 집단의 비교 (연속형변수) - 모수적방법

[분석]-[평균비교]-[일원배치 분산분석] 또는 [분석]-[일반선형모형]-[일변량]

[참고] 집단변수의 값이 숫자인 경우:
[분석]-[평균비교]-[일원배치 분산분석]

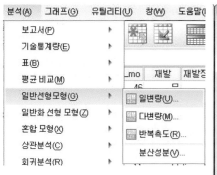

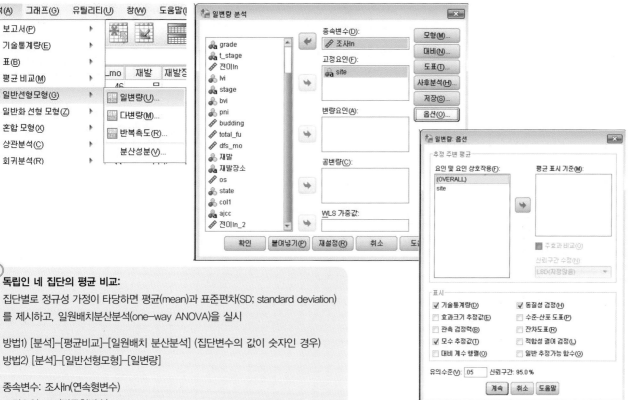

독립인 네 집단의 평균 비교:

집단별로 정규성 가정이 타당하면 평균(mean)과 표준편차(SD; standard deviation)를 제시하고, 일원배치분산분석(one-way ANOVA)을 실시

방법1) [분석]-[평균비교]-[일원배치 분산분석] (집단변수의 값이 숫자인 경우)
방법2) [분석]-[일반선형모형]-[일변량]

종속변수: 조사ln(연속형변수)
고정요인: site(범주형변수)

옵션: 기술통계량, 동질성 검정

일원배치분산분석 결과

→ Univariate Analysis of Variance

Between-Subjects Factors

		Value Label	N
Site: 1:Rt~hepatic flexure, 2; T-colon, 3;Splenic flexure~Sigmoid	1	Right-sided colon	76
	2	Transverse colon	9
	3	Left-sided colon	59
	R	Rectum	97

Descriptive Statistics

Dependent Variable: 조사 LN#

Site: 1:Rt~hepatic flexure, 2; T-colon, 3;Splenic flexure~Sigmoid	Mean	Std. Deviation	N
Right-sided colon	21.58	12.579	76
Transverse colon	20.44	12.650	9
Left-sided colon	14.71	9.346	59
Rectum	15.85	13.362	97
Total	17.55	12.487	241

Levene's Test of Equality of Error Variances[a]

Dependent Variable: 조사 LN#

F	df1	df2	Sig.
1.760	3	237	.156

Tests the null hypothesis that the error variance of the dependent variable is equal across groups.

a. Design: Intercept + site

등분산검정:
F=1.760, df=(3, 237), p=0.156 > α=0.05 이므로 귀무가설(H0: 각 집단의 분산은 같다)을 기각하지 않는다. 즉, 등분산 가정이 만족된다.

Tests of Between-Subjects Effects

Dependent Variable: 조사 LN#

Source	Type III Sum of Squares	df	Mean Square	F	Sig.
Corrected Model	2066.171[a]	3	688.724	4.617	.004
Intercept	34765.625	1	34765.625	233.059	.000
site	2066.171	3	688.724	4.617	.004
Error	35353.531	237	149.171		
Total	111629.000	241			
Corrected Total	37419.701	240			

a. R Squared = .055 (Adjusted R Squared = .043)

평균차이 검정:
F=4.617, df=(3, 237), p=0.004 < α=0.05이므로 귀무가설(H0: 각 집단의 평균은 같다)을 기각하고 대립가설(H1: 적어도 하나는 다르다)을 채택한다.

집단간에 차이를 비교하기 위해 사후분석으로 다중비교를 실시한다.

⊙ 등분산 가정이 만족되지 않는 경우

방법1) Welch 검정하거나 ([분석]–[평균비교]–[일원배치 분산분석]–[옵션: Welch])
방법2) 비모수검정
방법3) 등분산 가정이 만족되도록 변수변환 등을 고려할 수 있다.

사후분석: 최소유의차검정

다중비교:
최소유의차 검정결과 Right-sided vs. Left-sided, Right-sided vs. Rectum 에서 유의한 차이를 보였다. 즉,
Right-sided (21.579)
= Transverse (20.444) > Transverse (20.444) = Left-sided (14.712) = Rectum (15.845)

최소유의차검정(least significant difference, LSD)은 네 집단을 둘씩 짝지어 독립표본 t-검정(등분산 가정)한 결과이다.

Estimated Marginal Means

Site: 1:Rt~hepatic flexure, 2; T-colon, 3;Splenic flexure~Sigmoid

Estimates

Dependent Variable: 조사 LN#

Site: 1:Rt~hepatic flexure, 2; T-colon, 3;Splenic flexure~Sigmoid	Mean	Std. Error	95% Confidence Interval	
			Lower Bound	Upper Bound
Right-sided colon	21.579	1.401	18.819	24.339
Transverse colon	20.444	4.071	12.424	28.465
Left-sided colon	14.712	1.590	11.579	17.844
Rectum	15.845	1.240	13.402	18.288

Pairwise Comparisons

Dependent Variable: 조사 LN#

(I) Site: 1:Rt~hepatic flexure, 2; T-colon, 3;Splenic flexure~Sigmoid	(J) Site: 1:Rt~hepatic flexure, 2; T-colon, 3;Splenic flexure~Sigmoid	Mean Difference (I-J)	Std. Error	Sig.[b]	95% Confidence Interval for Difference[b]	
					Lower Bound	Upper Bound
Right-sided colon	Transverse colon	1.135	4.306	.792	-7.347	9.616
	Left-sided colon	6.867*	2.119	.001	2.692	11.042
	Rectum	5.734*	1.871	.002	2.048	9.419
Transverse colon	Right-sided colon	-1.135	4.306	.792	-9.616	7.347
	Left-sided colon	5.733	4.371	.191	-2.878	14.343
	Rectum	4.599	4.256	.281	-3.785	12.983
Left-sided colon	Right-sided colon	-6.867*	2.119	.001	-11.042	-2.692
	Transverse colon	-5.733	4.371	.191	-14.343	2.878
	Rectum	-1.133	2.016	.575	-5.106	2.839
Rectum	Right-sided colon	-5.734*	1.871	.002	-9.419	-2.048
	Transverse colon	-4.599	4.256	.281	-12.983	3.785
	Left-sided colon	1.133	2.016	.575	-2.839	5.106

Based on estimated marginal means

*. The mean difference is significant at the .05 level.

b. Adjustment for multiple comparisons: Least Significant Difference (equivalent to no adjustments).

사후분석: 본페로니검정

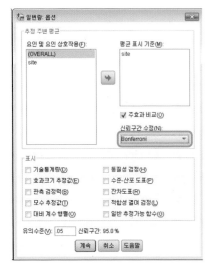

Estimated Marginal Means

Site: 1:Rt~hepatic flexure, 2; T-colon, 3;Splenic flexure~Sigmoid

Estimates

Dependent Variable: 조사 LN#

Site: 1:Rt~hepatic flexure, 2; T-colon, 3;Splenic flexure~Sigmoid	Mean	Std. Error	95% Confidence Interval	
			Lower Bound	Upper Bound
Right-sided colon	21.579	1.401	18.819	24.339
Transverse colon	20.444	4.071	12.424	28.465
Left-sided colon	14.712	1.590	11.579	17.844
Rectum	15.845	1.240	13.402	18.288

Pairwise Comparisons

Dependent Variable: 조사 LN#

(I) Site: 1:Rt~hepatic flexure, 2; T-colon, 3;Splenic flexure~Sigmoid	(J) Site: 1:Rt~hepatic flexure, 2; T-colon, 3;Splenic flexure~Sigmoid	Mean Difference (I-J)	Std. Error	Sig.[b]	95% Confidence Interval for Difference[b]	
					Lower Bound	Upper Bound
Right-sided colon	Transverse colon	1.135	4.306	1.000	-10.321	12.590
	Left-sided colon	6.867[*]	2.119	.008	1.229	12.505
	Rectum	5.734[*]	1.871	.015	.756	10.712
Transverse colon	Right-sided colon	-1.135	4.306	1.000	-12.590	10.321
	Left-sided colon	5.733	4.371	1.000	-5.896	17.361
	Rectum	4.599	4.256	1.000	-6.724	15.922
Left-sided colon	Right-sided colon	-6.867[*]	2.119	.008	-12.505	-1.229
	Transverse colon	-5.733	4.371	1.000	-17.361	5.896
	Rectum	-1.133	1.000		-6.498	4.232
Rectum	Right-sided colon	-5.734[*]	1.			
	Transverse colon	-4.599	4.			
	Left-sided colon	1.133	2.0			

Based on estimated marginal means

*. The mean difference is significant at the .05 level.

b. Adjustment for multiple comparisons: Bonferroni.

다중비교:

본페로니 검정결과 Right~sided vs. Left~sided, Right~sided vs. Rectum 에서 유의한 차이를 보였다. 즉,

Right~sided (21.579) = Transverse (20.444) > Transverse (20.444) = Left~sided (14.712) = Rectum (15.845)

p=0.008의 계산과정:

집단의 수가 4이므로 둘씩 짝지어 다 중비교 할 경우 $_4C_2$ = 6가지 경우의 수가 나온다. 따라서 본페로니방법은 p~value × 6으로 보정된 결과이다.

0.001365 * 6 = 0.00819

자주하는 질문)
다중비교 시 유의수준 보정이 반드시 필요한가?

• 반드시 필요하다. 집단의 수가 작 은 경우 주로 본페로니 방법(Bonferroni method)을 사용하며 집단 의 수가 큰 경우에는 유의수준의 개념이 아닌 FDR (false discovery rate : 위발견율)의 개념을 주로 사용한다.

• 유의수준이란 귀무가설이 맞음에 도 불구하고 귀무가설을 기각할 확률이다.

• 다중비교에서 본페로니 방법은 유 의수준을 다중비교 개수 k로 나눈 값을 사용한다. 또는 p~value를 계산할 때는 원래의 p~value에 다 중비교 개수 k를 곱하여 보정한다.

• FDR의 유의수준은 k개의 귀무가 설 중 잘못 기각된 귀무가설의 비 율이다. 즉, alpha=0.05이고 100 개의 귀무가설을 기각했을 때 잘 못 기각한 귀무가설의 수는 5개로 해석한다.

🩺 평균도표

Profile Plots

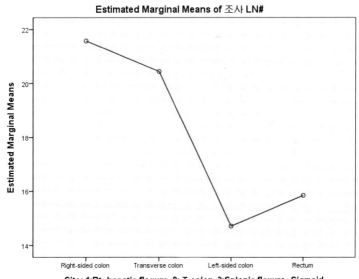

Site: 1:Rt~hepatic flexure, 2; T-colon, 3;Splenic flexure~Sigmoid

다중비교결과:

　　　a　　　ab　　　b　　　b

🔍 같은 문자간에는 차이가 없음을 의미함

독립인 네 집단의 비교 (연속형변수) - 비모수적방법

[분석]-[비모수검정]-[레거시 대화상자]-[K-독립표본] 또는 [분석]-[비모수검정]-[독립표본]

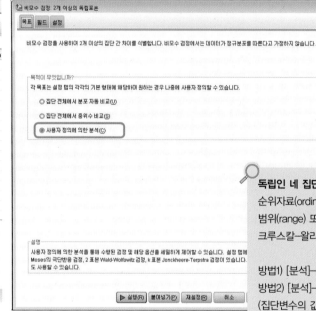

독립인 네 집단의 평균(중앙값) 비교:

순위자료(ordinal data)이거나 치우친 자료인 경우 중앙값(median)과 범위(range) 또는 사분위수범위(IQR: interquartile range)를 제시하고, 크루스칼-왈리스검정(Kruskal-Wallis test)을 실시한다.

방법1) [분석]-[비모수검정]-[독립표본]
방법2) [분석]-[비모수검정]-[레거시 대화상자]-[K-독립표본] 실시
(집단변수의 값이 숫자인 경우)

목표: 사용자 정의에 의한 분석
필드: 검정필드: 조사Hn (연속형변수) / 집단: site (범주형변수)
설정: Kruskal-Wallis 일원배치 분산분석 검정 선택
다중비교: 모든 대응별

독립인 네 집단의 비교 (연속형변수) - 비모수적방법 (계속)

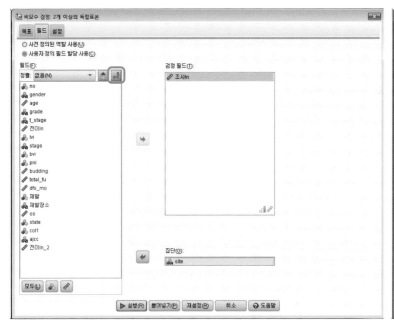

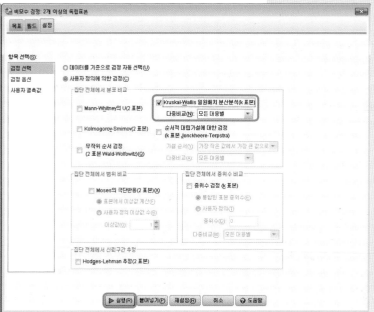

크루스칼–왈리스 검정 결과

Nonparametric Tests

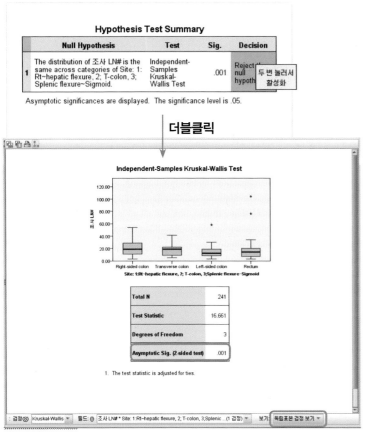

평균차이 검정:

p=0.001 < α=0.05이므로 귀무가설(H0: 각 집단의 평균은 같다)을 기각하고 대립가설(H1: 적어도 하나는 다르다)을 채택한다.

다중비교:

본페로니 검정결과 Left–sided vs. Right–sided, Rectum vs. Right–sided 에서 유의한 차이를 보임

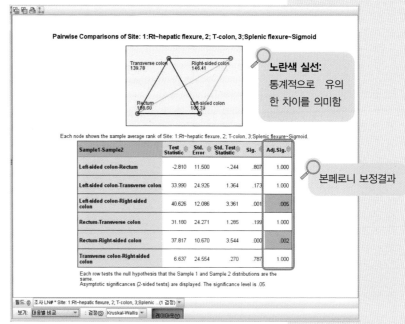

노란색 실선:
통계적으로 유의한 차이를 의미함

본페로니 보정결과

R에서 독립인 네 집단의 비교 및 다중비교

```
y <- mydata$조사ln; group <- factor(mydata$site)

## 모수적 방법
bartlett.test(y ~ group) #등분산검정
oneway.test(y ~ group, var.equal = T) #분산이 같은 경우
oneway.test(y ~ group, var.equal = F) #분산이 다른 경우

## 다중비교
pairwise.t.test(y, group, p.adj = "none") #최소유의차검정(LSD)
pairwise.t.test(y, group, p.adj = "bonf") #본페리니 방법
pairwise.t.test(y, group, p.adj = "fdr")   #FDR 방법
```

```
## 비모수적 방법
kruskal.test(y ~ group)

## 다중비교
pairwise.wilcox.test(y, group, p.adj = "none")
pairwise.wilcox.test(y, group, p.adj = "bonf")
pairwise.wilcox.test(y, group, p.adj = "fdr")
```

```
> oneway.test(y ~ group, var.equal = F)

        One-way analysis of means (not assuming equal variances)

data:  y and group
F = 4.8163, num df = 3.000, denom df = 36.961, p-value = 0.006275

> pairwise.t.test(y, group, p.adj = "bonf")

        Pairwise comparisons using t tests with pooled SD

data:  y and group

  1      2      3
2 1.0000 -      -
3 0.0082 1.0000 -
R 0.0146 1.0000 1.0000

P value adjustment method: bonferroni
```

```
> kruskal.test(y ~ group)

        Kruskal-Wallis rank sum test

data:  y by group
Kruskal-Wallis chi-squared = 16.661, df = 3, p-value = 0.0008298

> pairwise.wilcox.test(y, group, p.adj = "bonf")

        Pairwise comparisons using Wilcoxon rank sum test with co:
tion

data:  y and group

  1      2      3
2 1.0000 -      -
3 0.0047 1.0000 -
R 0.0024 1.0000 1.0000
```

🩺 R에서 독립인 네 집단의 비교 및 다중비교 (tableone 패키지 이용)

```
require(tidyverse)
wd = mydata %>%   select(age, gender, site, t_stage, 조사ln)

require(tableone)
T1 = CreateTableOne(data=wd, strata="site"); T1
T2 = print(T1,
        showAllLevels=T, includeNA=T, noSpaces=T, ##주요옵션
        contDigits=1, pDigits=4,      ##소수점자리수
        argsNormal=list(var.equal=F), ##등분산가정
        nonnormal="조사ln", minMax=F, ##비모수검정
        exact=T              ##피셔정확검정
)
## 결과 내보내기
write.csv(T2, "T2.csv")
```

T2.csv

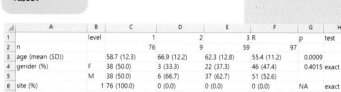

	A	B	C	D	E	F	G	H
1		level	1	2	3	R	p	test
2	n		76	9	59	97		
3	age (mean (SD))		58.7 (12.3)	66.9 (12.2)	62.3 (12.8)	55.4 (11.2)	0.0009	
4	gender (%)	F	38 (50.0)	3 (33.3)	22 (37.3)	46 (47.4)	0.4015	exact
5		M	38 (50.0)	6 (66.7)	37 (62.7)	51 (52.6)		
6	site (%)	1	76 (100.0)	0 (0.0)	0 (0.0)	0 (0.0)	NA	exact
7		2	0 (0.0)	9 (100.0)	0 (0.0)	0 (0.0)		
8		3	0 (0.0)	0 (0.0)	59 (100.0)	0 (0.0)		
9		R	0 (0.0)	0 (0.0)	0 (0.0)	97 (100.0)		
10	t_stage (%)	T3	70 (92.1)	7 (77.8)	55 (93.2)	95 (97.9)	0.047	exact
11		T4	6 (7.9)	2 (22.2)	4 (6.8)	2 (2.1)		
12	조사ln (median [IQR])		19.0 [11.0, 29.0]	19.0 [9.0, 22.0]	12.0 [8.5, 19.0]	14.0 [7.0, 20.0]	0.0008	nonnorm
13								

T2

```
## 사용자 정의함수
posthoc <- function(wd){
 T1 = CreateTableOne(data=wd, strata="site")
 T2 = print(T1,
        showAllLevels=T, includeNA=T, noSpaces=T, ##주요옵션
        contDigits=1, pDigits=4,      ##소수점자리수
        argsNormal=list(var.equal=F), ##등분산가정
        nonnormal="조사ln", minMax=F, ##비모수검정
        exact=T              ##피셔정확검정
 )
}

## 다중비교
wd2 <- wd %>% filter(site %in% 1:2)
posthoc(wd2)
```

다중비교

```
> posthoc(wd2)
                         Stratified by site
                     level 1                2                  p       test
 n                          76               9
 age (mean (SD))            58.7 (12.3)      66.9 (12.2)       0.0607
 gender (%)           F     38 (50.0)        3 (33.3)          0.4858  exact
                      M     38 (50.0)        6 (66.7)
 site (%)             1     76 (100.0)       0 (0.0)           <0.0001 exact
                      2     0 (0.0)          9 (100.0)
 t_stage (%)          T3    70 (92.1)        7 (77.8)          0.1993  exact
                      T4    6 (7.9)          2 (22.2)
 조사ln (median [IQR])      19.0 [11.0, 29.0] 19.0 [9.0, 22.0] 0.7860  nonnorm
```

R에서 평균도표 그리기

```
require(ggplot2)
require(ggpubr)

mydata$site_f <-
  factor(mydata$site,
      levels=c(1:3,"R"),
      labels=c("Right-sided", "Transverse", "Left-sided", "Rectum"))

## 평균도표: 평균과 유의성 표시
ggline(mydata, x="site_f", y="조사ln", add="mean") +
  stat_compare_means(method="anova", label.y=25) +
  stat_compare_means(method="t.test", label="p.signif",
          ref.group=1, label.y=23)

ggsave("Figure1-1.jpg") #저장
```

```
## 평균도표: 평균과 95%신뢰구간, 유의성 표시
my_comparisons =
  list(c("Right-sided", "Left-sided"), c("Right-sided", "Rectum"))

ggline(mydata, x="site_f", y="조사ln", add="mean_ci") +
stat_compare_means(method="anova", label.y=40) +
stat_compare_means(method="t.test",
          comparisons=my_comparisons,
          aes(label = ..p.signif..),
          tip.length=0.01, label.y=c(35, 37))

ggsave("Figure1-2.jpg") #저장

## 상자그림
ggboxplot(mydata, x="site_f", y="조사ln")
```

Figure1-1.jpg

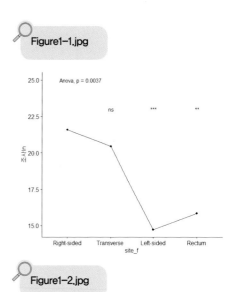

Figure1-2.jpg

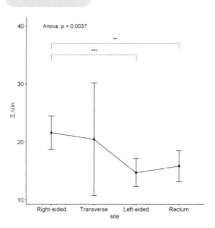

다중비교 결과 제시방법 예시

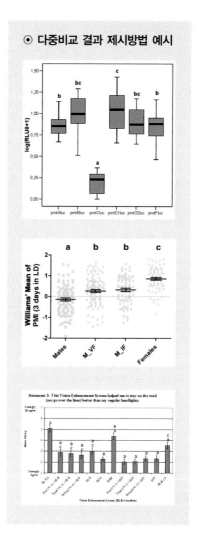

Figure1-2

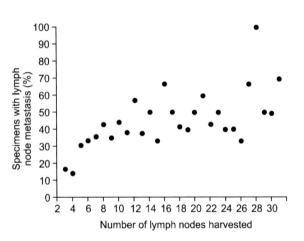

Fig. 1. Proportion of cases with at least one positive regional lymph node metastasis, by the number of regional lymph nodes examined pathologically (P=0.0002, 95% CI: 0.3333~0.8138).

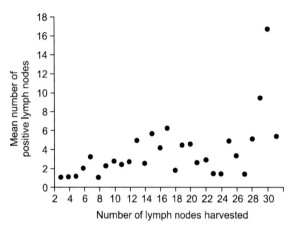

Fig. 2. Mean number of positive regional lymph nodes identified in surgically resected stage III specimens, by the number of regional lymph nodes examined pathologically (P=0.0014, 95% CI: 0.2385~0.7759).

⊙ **통계방법**

상관분석(correlation analysis):
1) 산점도를 그리고, 선형관계가 있는지 확인한다.
2) 선형관계가 확인되면 상관계수를 구한다. 곡선관계가 확인되면 변수변환하거나 계층을 나누어 분석한다.

상관계수의 종류:
1) 피어슨 상관계수(Pearson correlation coefficient): 두 변수가 연속이고, 정규성 가정이 타당할 때 사용
2) 스피어만 상관계수(Spearman's rank correlation coefficient): 두 변수가 순위형이거나 치우친 분포일때 사용

🔍 **결론:**

Fig. 1은 검사된 림프절의 개수에 따른 림프절 전이 양성 환자의 비율의 변화를 나타낸 것인데, 림프절의 검사 개수가 많을수록 림프절 전이 양성 환자는 증가하는 경향을 보였다(P=0.0002, 95% confidence interval [CI]: 0.3333~0.8138).

Fig. 2는 참고로 제3기 환자에서 림프절의 검사수와 전이 양성인 림프절 수와의 관계를 나타낸 그림으로서, 역시 림프절의 검사수가 증가할수록 평균 림프절 전이 수도 증가하는 경향을 보였다(P=0.0014, 95% CI: 0.2385~0.7759).

🩺 상관분석 (1단계) - 산점도 그리기

[그래프]-[레거시 대화상자]-[산점도/점도표]-[단순산점도]

Graph

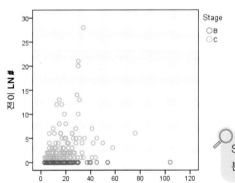

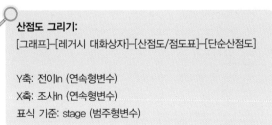

산점도 그리기:
[그래프]-[레거시 대화상자]-[산점도/점도표]-[단순산점도]

Y축: 전이ln (연속형변수)
X축: 조사ln (연속형변수)
표식 기준: stage (범주형변수)

Stage B는 전이개수가 모두 0이므로
분석에서 제외하기로 함

🩺 케이스 선택 (Stage = "C")

[데이터]-[케이스 선택]

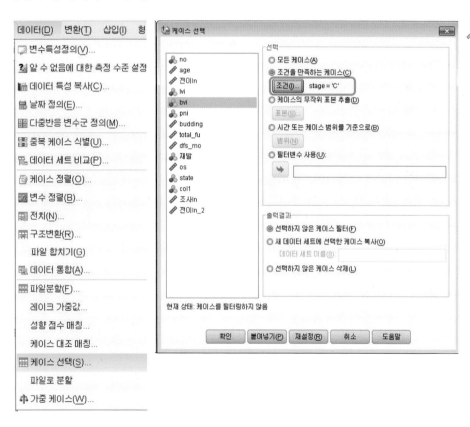

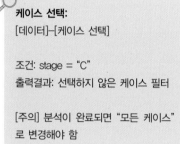

케이스 선택:

[데이터]-[케이스 선택]

조건: stage = "C"
출력결과: 선택하지 않은 케이스 필터

[주의] 분석이 완료되면 "모든 케이스"
로 변경해야 함

	stage	bvi	pni
125	B	2	1
126	B	1	1
127	B	2	1
128	B	1	1
129	B	2	1
130	B	1	1
131	B	.	.
132	B	2	1
133	B	1	1
134	C	1	2
135	C	1	1
136	C	1	1
137	C	1	1
138	C	2	2
139	C	1	1
140	C	1	1
141	C	1	1
142	C	1	1

상관분석 (2단계) - 상관계수 구하기

[분석]-[상관분석]-[이변량 상관]

[분석]-[상관분석]-[이변량 상관]

상관계수 구하기:

두 변수가 정규성 가정이 타당하면 피어슨 상관계수 (Pearson correlation coefficient)를, 두 변수가 순위형이거나 치우친 분포이면 스피어만 상관계수(Spearman's rank correlation coefficient)를 제시한다.

[분석]-[상관분석]-[이변량 상관]

변수: 전이ln (연속형변수), 조사ln (연속형변수)
상관계수: Pearson, Spearman 선택

상관분석 결과

Correlations

Correlations

		조사 LN#	전이 LN #
조사 LN#	Pearson Correlation	1	.276**
	Sig. (2-tailed)		.004
	N	107	107
전이 LN #	Pearson Correlation	.276**	1
	Sig. (2-tailed)	.004	
	N	107	107

**. Correlation is significant at the 0.01 level (2-tailed).

피어슨 상관계수:
r=0.276, p=0.004 < α=0.05 이므로 귀무가설(H0: 상관계수=0 이다)을 기각한다. 즉 약한 양의 상관을 가진다.

Nonparametric Correlations

Correlations

			조사 LN#	전이 LN #
Spearman's rho	조사 LN#	Correlation Coefficient	1.000	.356**
		Sig. (2-tailed)	.	.000
		N	107	107
	전이 LN #	Correlation Coefficient	.356**	1.000
		Sig. (2-tailed)	.000	.
		N	107	107

**. Correlation is significant at the 0.01 level (2-tailed).

스피어만 상관계수:
r=0.356, p<0.001이므로 귀무가설(H0: 상관계수=0 이다)을 기각한다. 즉 약한 양의 상관을 가진다.

⊙ 상관계수

• 상관계수(r)는 두 변수의 선형관계를 나타내는 척도이므로 산점도(scatter plot)를 그려 보아 선형추세가 있는지 확인하는 것이 중요하다.
• 상관계수의 부호:
음수) 음의 상관(negative correlation)
양수) 양의 상관(positive correlation)
• 상관계수의 크기(절대값):
0 = 무상관 또는 선형관계가 없다
1 = 모든 점들이 직선위에 있다

Rule of thumb

size of Correlation	Interpretation
0.9~1	Very strong
0.7~0.9	Strong
0.4~0.7	Moderate
0.1~0.4	Week
0.0~0.1	Negligible

자주하는 질문)
두 변수가 곡선관계인 경우?
• 선형이 되도록 적절히 변환 후 상관분석 또는 회귀분석을 하거나, 다항회귀분석을 실시하라.

R에서 상관분석

```
## 산점도
require(ggplot2)
ggplot(mydata, aes(x=조사In, y=전이In, color=stage)) + geom_point()

mydata2 <- subset(mydata, stage =="C") ## 케이스선택

## 상관분석(1): 상관계수
wd <- as.matrix(mydata2[c("age", "전이In", "조사In")])
cor(wd, method="pearson")
cor(wd, method="spearman")

## 상관분석(2): 상관계수와 유의확률
Hmisc :: rcorr(wd, type="pearson")
Hmisc :: rcorr(wd, type="spearman")

## 산점도행렬(1)
psych :: pairs.panels(wd, method="pearson", stars=T)
psych :: pairs.panels(wd, method="spearman", stars=T)

## 산점도행렬(2)
PerformanceAnalytics :: chart.Correlation(wd, method="pearson")
PerformanceAnalytics :: chart.Correlation(wd, method="spearman")
```

피어슨 상관계수

```
> cor(wd)
              age        전이In      조사In
age     1.0000000  -0.1290844  -0.2556012
전이In  -0.1290844   1.0000000   0.2761043
조사In  -0.2556012   0.2761043   1.0000000
```

산점도행렬(1)

산점도행렬(2)

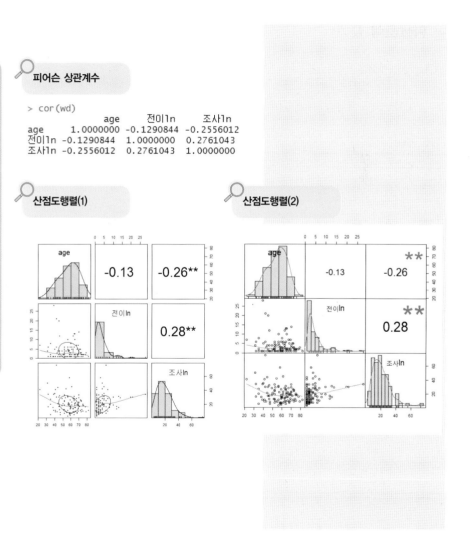

Figure3

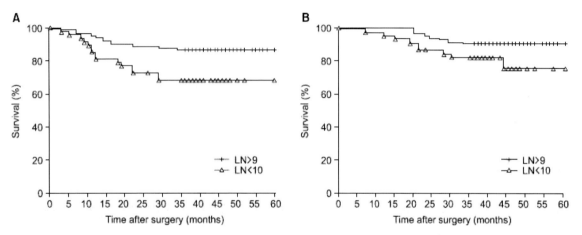

Fig. 3. Comparison of Kaplan-Meier survival curves of stage II patients between subgroup with ≤9 lymph nodes examined and that with ≥10 lymph nodes examined. Both disease-free survival (A) and overall survival (B) were significantly lower in subgroup with ≤9 lymph nodes examined than in that with ≥10 lymph nodes examined (DFS: P=0.0082, 95% CI: 0.1457~0.7508; OS: P=0.0303, 95% CI: 0.1204~0.8996).

결론:

제2기 환자에서 림프절의 검사수를 기준으로 5년 DFS와 OS를 분석한 결과, 두 생존율 모두에서 통계학적 유의성을 보였던 림프절 검사수의 경계는 9개 이하/10개 이상에서였으며 10개 이하/11개 이상의 경계에서는 5년 DFS만이 통계학적 유의성을 나타내었다. 즉 9개 이하(48예, 35.8%)/10개 이상(86예, 64.2%)의 림프절 경계에서의 DFS와 OS는 각각 68.6%/87.2% (P=0.0082, 95% CI: 0.1457~0.7508, Fig. 3A)와 76.8%/91.9% (P=0.0303, 95% CI: 0.1204~0.8996; Fig. 3B)이었던 반면, 10개 이하(53예, 39.6%)/11개 이상(81예, 60.4%)의 림프절 경계에서의 DFS와 OS는 각각 69.7%/ 87.7% (P=0.0086, 95% CI: 1.315~6.531)와 78.8%/91.4% (P=0.073, 95% CI: 0.9197~6.559)였다.

⊙ **통계방법**

1) 생존율의 추정:
카플란-마이어 추정법
(Kaplan-Meier method) 이용

2) 생존율의 비교:
로그-순위 검정(log-rank test) 실시

3) 생존자료에서의 최적절단점
(optimal cut-off value):

• 로그-순위 통계량을 최대로 하는
  지점을 찾는다.
• The optimal cutoff point is defined
  as the one with the most signifi-
  cant (log-rank test) split.

• SPSS에서는 기능이 제공되지 않
  으므로 수작업으로 적절한 지점을
  찾는다.

• R의 maxstat 패키지를 활용하면
  로그-순위 통계량을 최대로 하는
  최적절단점을 쉽게 찾을 수 있다.

케이스 선택 (Stage="B")

[데이터]-[케이스 선택]

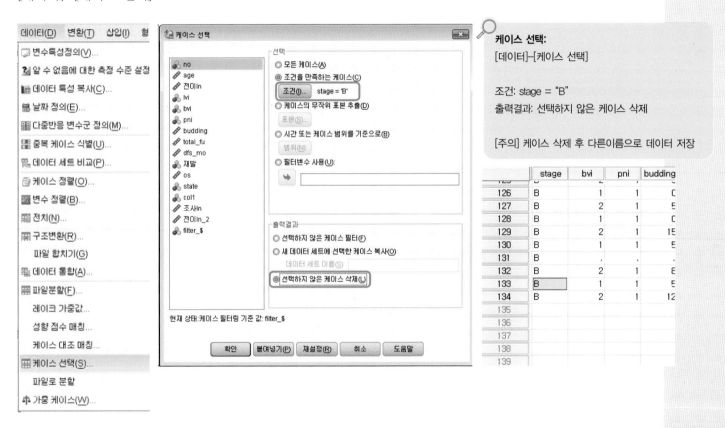

케이스 선택:

[데이터]-[케이스 선택]

조건: stage = "B"

출력결과: 선택하지 않은 케이스 삭제

[주의] 케이스 삭제 후 다른이름으로 데이터 저장

생존자료에서 최적절단점 찾기 (1단계) - 구간 나누기

[변환]-[시각적 구간화]

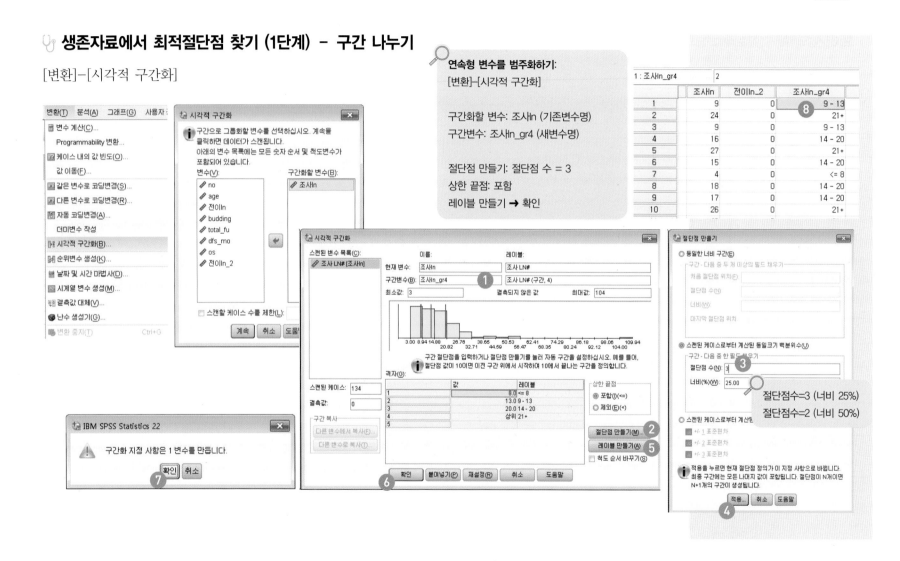

생존자료에서 최적절단점 찾기 (2단계) – 생존분포 확인하기

[분석]–[생존분석]–[Kaplan–Meier]

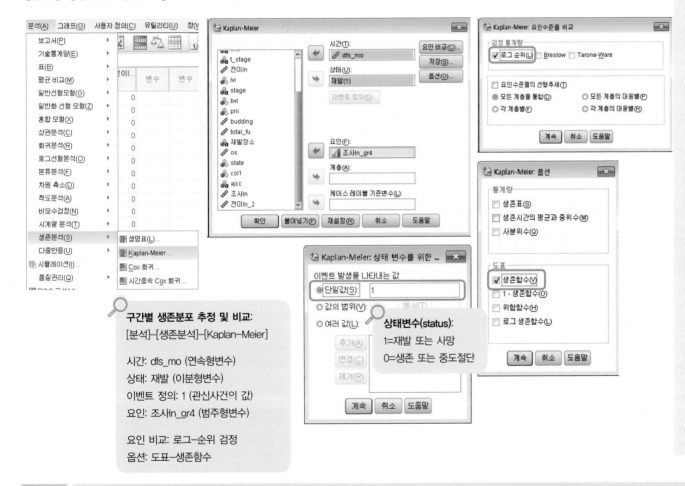

구간별 생존분포 추정 및 비교:
[분석]–[생존분석]–[Kaplan–Meier]

시간: dfs_mo (연속형변수)
상태: 재발 (이분형변수)
이벤트 정의: 1 (관심사건의 값)
요인: 조사ln_gr4 (범주형변수)

요인 비교: 로그–순위 검정
옵션: 도표–생존함수

상태변수(status):
1=재발 또는 사망
0=생존 또는 중도절단

⊙ 생존분석의 특징

• 생존시간은 대부분 비정규분포이다.
• 중도절단을 포함한다.

중도절단:
• loss to follow up (추적관찰이 불
  가능한 경우)
• drop out (환자의 치료 거부 및 중
  단)
• termination of study (연구 종료)
• death from unrelated cause (관
  련 없는 사망)

🩺 로그-순위 검정 결과

Case Processing Summary

조사 LN# (구간, 4)	Total N	N of Events	Censored	
			N	Percent
<= 8	37	12	25	67.6%
9 - 13	32	6	26	81.3%
14 - 20	34	4	30	88.2%
21+	31	4	27	87.1%
Overall	134	26	108	80.6%

Event 개수가 각 범주별로 충분한지를 검토한다. 의학연구에서는 보통 10이상 이 추천된다.

Overall Comparisons

	Chi-Square	df	Sig.
Log Rank (Mantel-Cox)	6.111	3	.106

Test of equality of survival distributions for the different levels of 조사 LN# (구간, 4).

로그-순위 검정:

p=0.106 > α=0.05 이므로 귀무가설 (H0: 각 집단의 생존분포는 같다.)을 기 각하지 못한다. 즉, 네 집단의 생존율 이 다르다고 볼 수 없다.

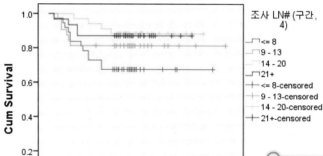

Survival Functions

조사 LN# (구간, 4)
- ⌐ <= 8
- ⌐ 9 - 13
- ⌐ 14 - 20
- ⌐ 21+
- + <= 8-censored
- + 9 - 13-censored
- + 14 - 20-censored
- + 21+-censored

Cum Survival

DFS(월)

그림을 통해 최적 절단점(optimal cut-off value)의 위치를 탐색한다.

8과 9 사이에서 또렷한 변화를 확인 할 수 있다.

생존자료에서 최적절단점 찾기 (3단계) - 최적절단점 찾기

[변환]-[시각적 구간화]

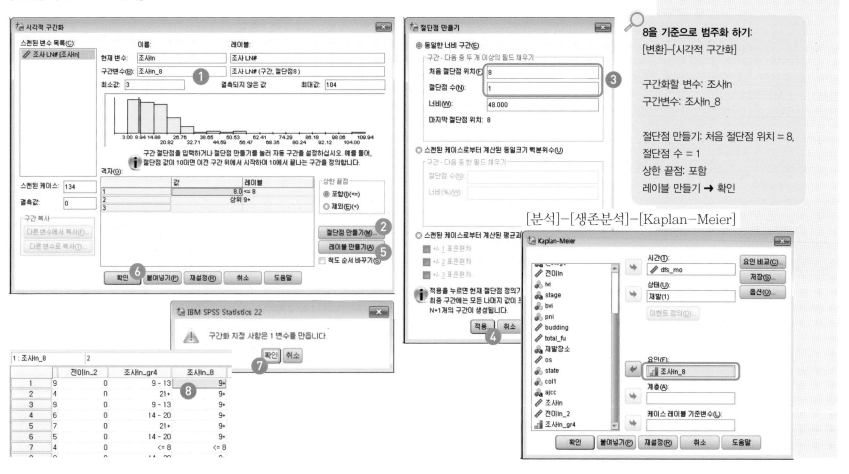

8을 기준으로 범주화 하기:

[변환]-[시각적 구간화]

구간화할 변수: 조사ln

구간변수: 조사ln_8

절단점 만들기: 처음 절단점 위치 = 8,

절단점 수 = 1

상한 끝점: 포함

레이블 만들기 ➔ 확인

[분석]-[생존분석]-[Kaplan-Meier]

절단점 탐색 결과

[절단점: 8]

Kaplan-Meier

Case Processing Summary

조사 LN# (구간, 절단점8)	Total N	N of Events	Censored	
			N	Percent
<= 8	37	12	25	67.6%
9+	97	14	83	85.6%
Overall	134	26	108	80.6%

Overall Comparisons

	Chi-Square	df	Sig.
Log Rank (Mantel-Cox)	5.364	1	.021

Test of equality of survival distributions for the different levels of 조사 LN# (구간, 절단점8).

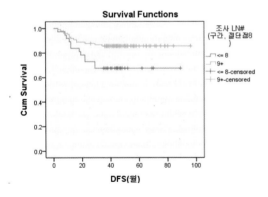

[절단점: 9]

Kaplan-Meier

Case Processing Summary

조사 LN# (구간, 절단점9)	Total N	N of Events	Censored	
			N	Percent
<= 9	48	15	33	68.8%
10+	86	11	75	87.2%
Overall	134	26	108	80.6%

Overall Comparisons

	Chi-Square	df	Sig.
Log Rank (Mantel-Cox)	6.997	1	.008

Test of equality of survival distributions for the different levels of 조사 LN# (구간, 절단점9).

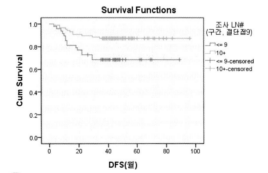

[절단점: 10]

Kaplan-Meier

Case Processing Summary

조사 LN# (구간, 절단점10)	Total N	N of Events	Censored	
			N	Percent
<= 10	53	16	37	69.8%
11+	81	10	71	87.7%
Overall	134	26	108	80.6%

Overall Comparisons

	Chi-Square	df	Sig.
Log Rank (Mantel-Cox)	6.914	1	.009

Test of equality of survival distributions for the different levels of 조사 LN# (구간, 절단점10).

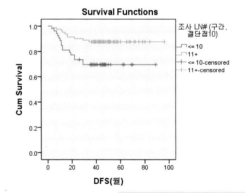

절단점 9에서 로그-순위 검정통계량은 최대가 된다 (카이제곱=6.997, df=1, p=0.008).

The optimal cutoff point is defined as the one with the most significant (log-rank test) split.

R에서 최적절단점 탐색 (사분위수 이용)

```
require(tidyverse) #filter, transmute
require(survival)  #Surv, survfit
require(Hmisc)     #cut2
require(survminer) #ggsurvplot

wd <- mydata %>%
 filter(stage == "B") %>%
 transmute(
   time = dfs_mo,
   status = 재발,
   y = Surv(time, status==1),
   x = 조사ln,
   gr = Hmisc::cut2(x, g=4)
)

fit <- survfit(y ~ gr, data=wd)
ggsurvplot(fit, legend=c(0.7, 0.2))

fit <- survfit(y ~ (x <= 9), data=wd)
ggsurvplot(fit, legend=c(0.7, 0.2), pval=T)

fit <- survfit(y ~ (x <= 10), data=wd)
ggsurvplot(fit, legend=c(0.7, 0.2), pval=T)
```

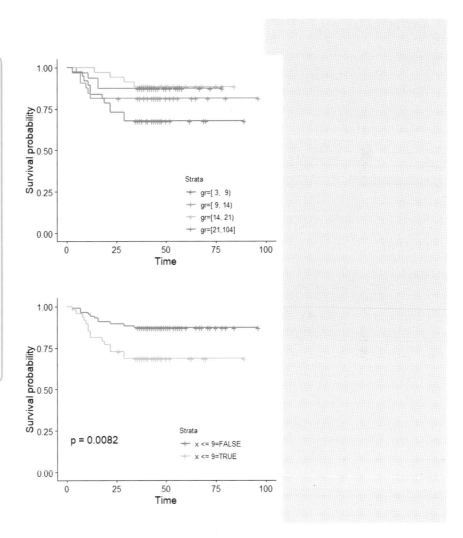

R에서 최적절단점 탐색 (maxstat 패키지 이용)

```
require(maxstat)  #maxstat.test
(maxs <- maxstat.test(y ~ x, data=wd, smethod="LogRank"))

plot(maxs, xlab="조사ln")
cutval <- maxs$estimate
mtext(paste0("Optimal cut-off point=", sprintf("%.1f", cutval)),
    side=3, adj=0, line=1, cex=0.8)

## 로그-순위 검정
wd$group2 = factor(ifelse(wd$x <=9, 1, 2),
        levels=1:2, labels=c("LN ≤9","LN >9"))
(logrank <- survdiff(y ~ group2, data=wd))

## 생존곡선
fit <- survfit(y ~ group2, wd)
ggsurvplot(fit, legend=c(0.7, 0.2), pval=T,
        legend.title = element_blank(),
        legend.lab = levels(wd$group2))
```

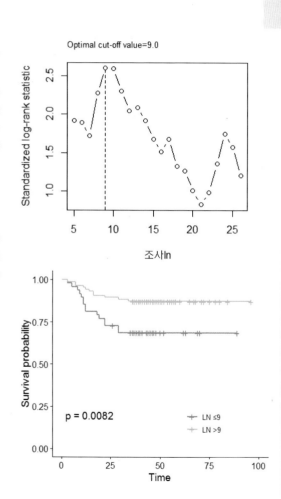

R에서 생존곡선 꾸미기 (Number at risk)

```
require(ggplot2)
require(survminer) #ggsurvplot

jpeg("Figure3.jpg", res=300, width=250*5, height=400*5)

ggsurvplot(
  fit,                    # survfit object with calculated statistics.
  #fun = "event",         # cumulative event
  pval = TRUE,            # show p-value of log-rank test.
  conf.int = TRUE,        # show confidence intervals

  conf.int.style = "step",  # customize style of confidence intervals
  #linetype = "strata",     # Change line type by groups
  xlab = "Time in months",  # customize X axis label.
  break.time.by = 12,       # break X axis in time intervals by 12.
  ggtheme = theme_light(),  # customize plot and risk table with a theme.

  risk.table = T,           # abs_pct: absolute number and percentage at risk.
  risk.table.col = "strata",# Change risk table color by groups
  risk.table.y.text.col = T,# colour risk table text annotations.
  risk.table.y.text = FALSE,# show bars instead of names in text annotations

  #tables.height = 0.2,
  #tables.theme = theme_cleantable(),

  ncensor.plot = TRUE,      # plot the number of censored subjects at time t
  #surv.median.line = "hv", # add the median survival pointer.
  legend.labs = c("LN ≤9","LN >9"),    # change legend labels.
  palette = c("#E7B800", "#2E9FDF") # custom color palettes.
)

dev.off()
```

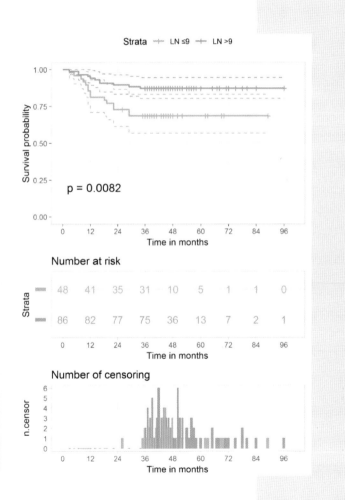

Figure4

⊙ Subgroup analysis

1) 생존율의 추정:
카플란—마이어 추정법
(Kaplan—Meier method) 이용

2) 생존율의 비교:
로그—순위 검정(log—rank test) 실시

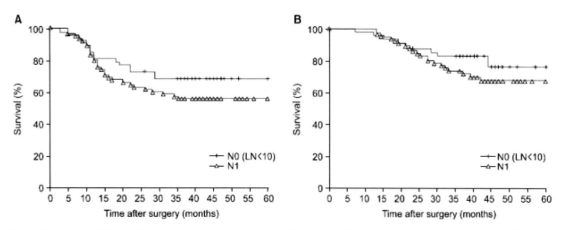

Fig. 4. Comparison of Kaplan-Meier survival curves between stage II patients with ≤9 lymph nodes examined and stage III patients with 1~3 metastatic lymph nodes. Neither disease-free survival (A) nor overall survival (B) was significantly different between groups (P=0.2031 and 0.2772, respectively).

결론:

림프절 검사수가 9개 이하였던 제2기 환자군의 5년 생존율을 3개 이하의 림프절 전이가 있었던(즉 AJCC/UICC 분류상 N1) 67예의 제3기 환자군과 비교한 결과 DFS가 각각 68.6%와 56.1% (Fig. 4A), 그리고 OS가 76.8% 및 68.3% (Fig. 4B)로서 양 군 간에 통계학적으로 차이가 없는 것으로 나타나(DFS: P=0.2031, OS: P=0.2772), 림프절의 검사수가 적은 제2기의 대장암 에서의 병기의 저평가의 가능성의 존재를 암시하고 있다.

명령문을 이용한 변수생성

[LN number.sav]-[파일]-[새 파일]-[명령문]

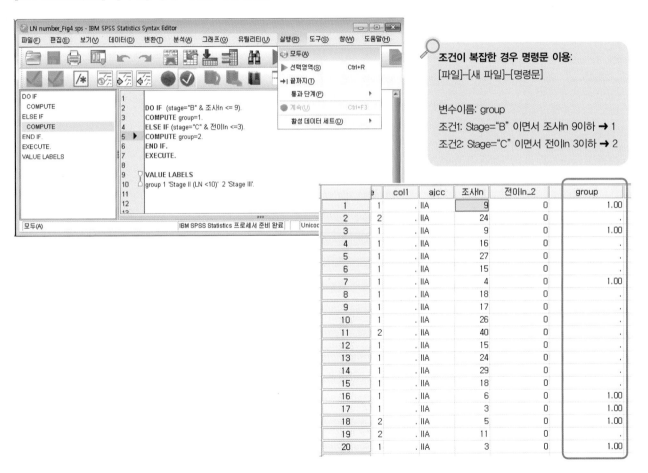

조건이 복잡한 경우 명령문 이용:
[파일]-[새 파일]-[명령문]

변수이름: group
조건1: Stage="B" 이면서 조사ln 9이하 ➜ 1
조건2: Stage="C" 이면서 전이ln 3이하 ➜ 2

⊙ 명령문으로 변수 생성

[파일]-[새 파일]-[명령문]

DO IF(조건식).
　COMPUTE 새변수이름 = 값 .
ELSE IF(조건식).
　Compute 새변수이름 = 값 .
ELSE.
　Compute 새변수이름 = 값 .
END IF.
EXECUTE.

[Syntax Editor 메뉴]-[실행]-[모두]

두 집단의 생존율 비교

[LN_number.sav]-[분석]-[생존분석]-[Kaplan-Meier]

상태변수(status):
1=재발 또는 사망
0=생존 또는 중도절단

생존율 계산 및 비교:
[분석]-[생존분석]-[Kaplan-Meier]

시간: dfs_mo(연속형변수)
상태: 재발(이분형변수)
이벤트 정의: 1(관심사건의 값)
요인: group(범주형변수)

요인 비교: 로그-순위 검정
옵션: 도표-생존함수

🩺 로그-순위 검정 결과

Kaplan-Meier

Case Processing Summary

group	Total N	N of Events	Censored	
			N	Percent
Stage II (LN <10)	48	15	33	68.8%
Stage III	67	29	38	56.7%
Overall	115	44	71	61.7%

Overall Comparisons

	Chi-Square	df	Sig.
Log Rank (Mantel-Cox)	1.465	1	.226
Breslow (Generalized Wilcoxon)	1.211	1	.271
Tarone-Ware	1.341	1	.247

Test of equality of survival distributions for the different levels of group.

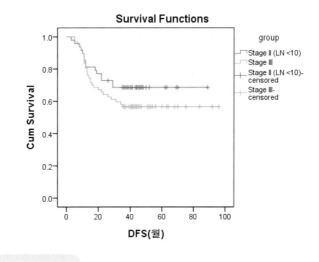

Survival Functions

🔍 로그-순위 검정:
p=0.226 > α=0.05이므로 귀무가설
(H0: 두 집단의 생존분포는 같다)을
기각하지 못한다. 즉 두 집단의 생존
율은 유의한 차이가 아니다.

⊙ 검정통계량의 차이점

각 시점에서 위험상태에 있는 케이
스 수(number at risk)에 따라 가중
치를 다르게 부여함

Type of test	Weight
Log-rank	1
Breslow	n
Tarone-Ware	sqrt(n)

🩺 R에서 로그–순위 검정

```
require(tidyverse)
require(survival)

wd <- mydata %>% transmute(
   time = dfs_mo,  status = 재발,  y = Surv(time, status==1),
   group = ifelse(stage =="B" & 조사ln <=9, 1,
       ifelse(stage =="C" & 전이ln <=3, 2, NA)),
   group = factor(group, 1:2, c("N0", "N1"))
) %>% filter(!is.na(group))

## 로그-순위 검정
survdiff(y ~ group, data=wd, rho=0)   #log-rank
survdiff(y ~ group, data=wd, rho=1)   #Breslow
survdiff(y ~ group, data=wd, rho=0.5) #Tarone-Ware
```

```
> comp(ten(fit))
                   Q          Var        Z     pNorm
1           3.9387e+00  1.0690e+01  1.2047 0.22832
n           3.4000e+02  9.6493e+04  1.0945 0.27372
sqrtN       3.6546e+01  1.0057e+03  1.1524 0.24915
S1          2.9086e+00  6.9272e+00  1.1051 0.26911
S2          2.8752e+00  6.7847e+00  1.1038 0.26966
FH_p=1_q=1  7.1493e-01  2.5148e-01  1.4257 0.15397
```

```
require(survMisc)
fit <- survfit(y ~ group, wd)
comp(ten(fit))

require(survminer)
ggsurvplot(fit, pval=T, pval.method=T, log.rank.weights="1", #log-rank
      legend=c(0.7, 0.2), legend.lab=levels(wd$group))

ggsurvplot(fit, pval=T, pval.method=T, log.rank.weights="n", #Breslow
      pval.method.size = 5,
      legend=c(0.7, 0.2), legend.lab=levels(wd$group))

ggsurvplot(fit, pval=T, pval.method=T,
      log.rank.weights="sqrtN", #Tarone-Ware
      legend=c(0.7, 0.2), legend.lab=levels(wd$group))
```

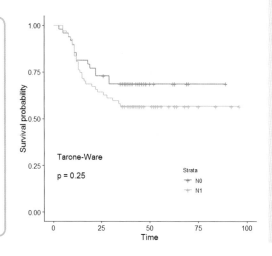

생존율의 종류

OS (Overall survival, 전체생존):
진단 혹은 치료 후 사망(치료 질병과 인과관계 없음)까지의 시간, observed survival

Cause-specific survival:
진단 혹은 치료 후 사망(치료 질병과 인과관계 있음)까지의 시간, Disease-specific survival 라고도 함

DFS (Disease-free survival, 무병생존):
치료 후 완치(complete response, CR)된 케이스 중 치료 후 재발 또는 사망(치료 질병과 인과관계 있음) 까지의 시간, relapse-free survival (RFS) 라고도 함

PFS (Progression-free survival, 무진행생존):
치료 후 (완치 여부와 상관없이) 재발 또는 사망(치료 질병과 인과관계 없음) 까지의 시간, 여기서 재발은 SD이상 치료반응을 보인 후 다시 진행 또는 악화 (progressive disease, PD)를 의미한다.

TTP (Time to tumor progression, 종양진행까지의 시간):
치료 후 (완치 여부와 상관없이) 재발(치료 질병과 인과관계 있음) 까지의 시간, 여기서 재발은 SD이상 치료반응을 보인 후 다시 진행 또는 악화 (progressive disease, PD)를 의미한다.

Local control(국소제어):
치료 후 local relapse 또는 loco-regional relapse까지의 시간

기타: https://en.wikipedia.org/wiki/Survival_rate

R에서 생존시간 계산

```
## 날짜형식: as.Date() 또는 lubridate::ymd() 이용

index_date = c("2008-02-01", "2009-07-15", "2010-05-30")
death_date = c("2010-02-01", NA, "2020-01-17")
last_fu_date = c("2010-02-28", "2020-02-28", "2020-01-28")

require(tidyverse)
mydata = data.frame(index_date, death_date, last_fu_date) %>%
  mutate_all(as.Date) %>% mutate(

    status = ifelse(is.na(death_date), 0, 1),

    time_dy = ifelse(status==1,
               as.numeric(death_date - index_date, "days"),
               as.numeric(last_fu_date - index_date, "days")),
    time_yr = time_dy / 365,
    time_mo = time_yr * 12,

  )

require(survival)
with(mydata, Surv(time_mo, status))
```

```
## 날짜시간형식: as.POSIXct() 또는 lubridate::ymd_hms() 이용

index_date = c("2008-02-01 8:00", "2009-07-15 15:00", "2010-05-30 18:00")
event_date = c("2010-02-01 12:30", NA, "2020-01-17 19:35")
last_fu_date = c("2010-02-28 18:00", "2020-02-28 18:00", "2020-01-28 18:00")

mydata = data.frame(index_date, event_date, last_fu_date) %>%
  mutate_all(as.POSIXct) %>% mutate(

    status = ifelse(is.na(death_date), 0, 1),

    time_hr = ifelse(status==1,
               as.numeric(event_date - index_date, "hours"),
               as.numeric(last_fu_date - index_date, "hours")),
    time_dy = time_hr / 24,
    time_yr = time_dy / 365 ,
    time_mo = time_yr * 12,

  )

require(survival)
with(mydata, Surv(time_mo, status))
```

```
> with(mydata, Surv(time_mo, status))
[1]  24.03288  127.56164+ 115.69315
```

```
> with(mydata, Surv(time_mo, status))
[1]  24.03904  127.56575+ 115.69532
```

결론

Table1	**병기별 차이** 조직 표본당 검사된 림프절 개수는 병기간에 유의한 차이가 있었다(p=0.001).
Table2	**종양의 해부학적 부위별 차이** 림프절 검사 개수는 부위에 따라 유의한 차이가 있었다(p=0.004).
Figure1-2	**림프절 검사 개수와 전이 양성인 림프절 수의 상관관계** 두 변수는 유의한 양의 상관을 보였다(r=0.356, p<0.001).
Figure3	**제2기 환자에서 림프절의 검사 개수에 따른 생존율 비교** 림프절의 검사 개수가 9개 이하인 환자군이 10이상인 환자군보다 생존율이 유의하게 낮았다(p=0.008).
Figure4	**림프절 검사 개수가 9개 이하인 제2기 환자군과 림프절 전이가 3개 이하인 제3기 환자군의 생존율 비교** 두 군의 생존율은 통계학적으로 유의한 차이라 볼 수 없었다(p=0.226).

예제 2

LN-ratio

자료설명

연구목적

- 대장암의 병기 설정에 있어 영역림 프절(regional lymph node [LN]) 전이 유무와 전이 개수는 예후와 밀접한 관계가 있다. 그러나 신뢰성 있는 LN 전이 상태를 결정하기 위해서는 충분한 수의 LN를 조사해야 하는데, 현재까지 조사 LN 개수에 대한 지침은 명확하게 설정되어 있지는 않다. 이러한 한계를 극복하기 위해 LN ratio라는 개념이 연구되기 시작. 즉 전체 조사 LN 개수에 대한 전이 LN 개수를 나타낸 개념으로 이러한 ratio-based LN staging은 gastric, breast, bladder, and pancreatic cancers에서 의미 있는 예후 인자로 보고됨.

대상

- 1995년에서 2001년 사이 D병원 외과에서 제3기(LN 전이가 있는 경우 stage III로 분류) 결장암 환자 201명의 자료를 후향적으로 수집하였다.

통계분석

- 5-year DFS 추정은 카플란-마이어 추정법(Kaplan-Meier method)을 이용하였고, 집단간 생존율 비교는 로그-순위검정(log-rank test)을 실시하였다. 다변량분석을 위해 칵스의 비례위험모형(Cox proportional hazards regression mo이) 이용하였다.

- 통계 처리는 SPSS22를 이용하여 시행되었으며 p-값이 0.05 미만인 경우를 통계학적으로 유의성이 있는 것으로 간주하였다.

관련논문

- LEE HY, CHOI HJ, PARK KJ, et al. Prognostic significance of metastatic lymph node ratio in node-positive colon carcinoma. *Annals of surgical oncology*, 2007, 14.5: 1712.

분석절차

데이터수집 및 가공	데이터탐색	데이터분석
• 엑셀을 이용한 자료 정리 • 코딩변경, 변수계산	• 자료개수, 결측치, 이상치 확인 • 정규성 검토 등	• Table1, Figure1-2: 생존분석, 로그-순위검정 • Table2: 생존분석, Cox회귀(일변량분석) • Table3: 계층별 로그-순위검정 • Table4: 생존분석, Cox 회귀(다변량분석)

🩺 엑셀에서 자료 정리 (LN ratio.xlsx)

	A	B	C	D	E	F	G	H	I	J	K	L	M	N	O
1		Gender	Grade	T stage	Total F/U	5Y-DFS(월)	재발:0:무,1:유	5Y-OS(월)	State:0,alive,1;dead	AJCC	조사 LN#	전이 LN #	N stage	LN Ratio	LVI:0,Negative,P;Positive
2	No	gender	grade	t_stage	fu_mo	dfs_mo	relapse	os_mo	status	ajcc	조사ln	전이ln	n_stage	ln_ratio	lvi
192	190	M	G2	T3	31	14	1	31	1	IIIC	20	5	N2	0.25	0
193	191	M	G2	T4	35	11	1	35	1	IIIB	24	3	N1	0.13	0
194	192	M	G1	T4	62	60	0	60	0	IIIB	26	2	N1	0.08	1
195	193	M	G1	T4	40	17	1	40	0	IIIB	19	1	N1	0.05	1
196	194	M	G2	T4	13	5	1	13	1	IIIB	18	1	N1	0.06	1
197	195	M	G1	T4	21	5	1	21	1	IIIB	12	2	N1	0.17	1
198	196	M	>G2	T4	13	6	1	13	1	IIIC	17	12	N2	0.71	1
199	197	M	G2	T4	66	60	0	60	0	IIIC	29	4	N2	0.14	0
200	198	M	G2	T4	51	9	1	51	0	IIIC	24	5	N2	0.21	0
201	199	F	G1	T4	72	60	0	60	0	IIIB	14	1	N1	0.07	1
202	200	F	>G2	T4	38	18	1	38	1	IIIB	8	2	N1	0.25	1
203	201	M	G2	T4	57	29	1	57	1	IIIC	15	4	N2	0.27	0
204															
205															
206		M: 106	G1: 101	T2: 23	med: 52			N: 116			med: 17	med: 3		med: 0.16	
207		F: 95	G2M: 88	T3: 167				P: 85			mean: 18.6	mean: 3.5		mean: 0.2	
208			>G2: 12	T4: 11							SD: 8.8	SD: 3.5		SD: 0.16	
209											T: 3743	T: 713			
210															
211											최소: 5			최소: 0.01	
212											Q1: 12			Q1: 0.11	
213											Q2: 17			Q2: 0.16	
214											Q3: 24			Q3: 0.24	
215											최대: 58			최대: 0.92	
216															
217															

변수이름 (H열: os_mo 강조)

변수이름 규칙

- 한글, 영문, 숫자, "_" 조합 가능
- 단, 숫자로 시작하지 말 것, 띄어쓰기 금지, 특수문자("-", 괄호, 줄바꿈 등) 사용 금지
- 변수이름은 중복해서 사용 안됨
- 통계프로그램에 따라 대소문자를 구분 함 (가령, a와 A는 다름)

🔍 **자료구조:**
변수는 열단위에, 관측값은 행단위에 배치한다. 즉 행번호는 환자수, 열번호는 조사된 항목수와 일치

변수이름:
첫 줄에 변수이름을 넣는다. 단, 중복 안됨, 특수문자 사용 금지("_" 제외), 띄어쓰기 금지, 간략하게(8자 미만 추천)

변수/변수값 설명:
방법1) 연구데이터 공유를 위해 별도 시트를 만들어 변수설명서, 즉 코드북(codebook)을 관리하라.
방법2) 간단히 메모하는 경우 변수이름 위쪽으로 설명을 추가한다. (여러 줄 삽입 가능), 메모기능 가급적 자제

🩺 SPSS로 데이터 불러오기

엑셀파일 종료 ➡ [파일]–[열기]–[데이터]–[LN ratio.xlsx] 또는 [엑셀파일을 드래그해서 던져 넣기]

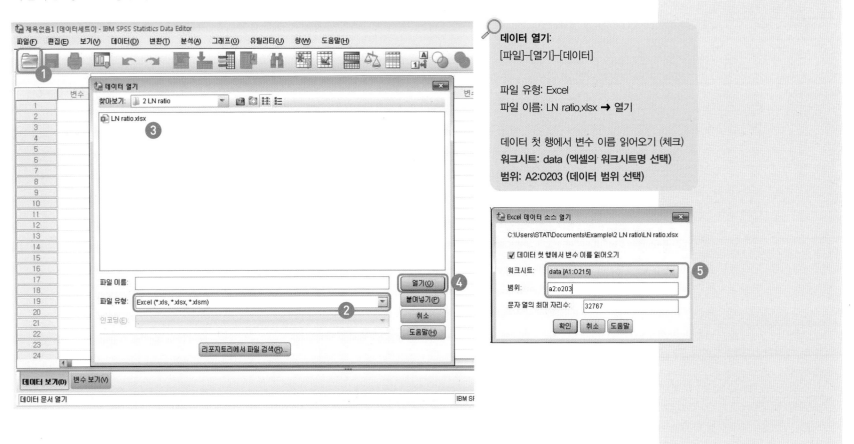

데이터 열기:

[파일]–[열기]–[데이터]

파일 유형: Excel

파일 이름: LN ratio.xlsx ➡ 열기

데이터 첫 행에서 변수 이름 읽어오기 (체크)

워크시트: data (엑셀의 워크시트명 선택)

범위: A2:O203 (데이터 범위 선택)

데이터 보기 (n=201)

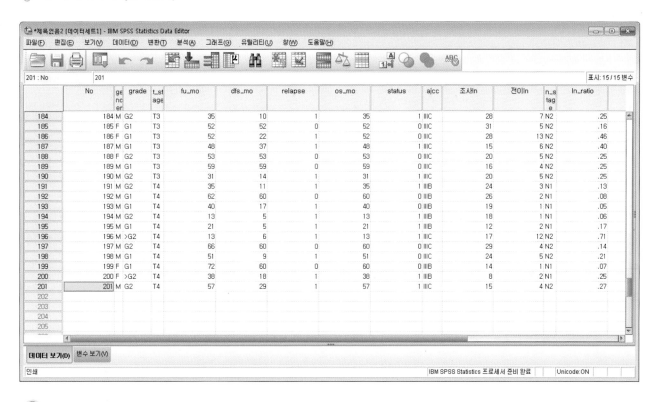

No	gender	grade	t_stage	fu_mo	dfs_mo	relapse	os_mo	status	ajcc	조사ln	전이ln	n_stage	ln_ratio
184	M	G2	T3	35	10	1	35	1	IIIC	28	7	N2	.25
185	F	G1	T3	52	52	0	52	0	IIIC	31	5	N2	.16
186	F	G1	T3	52	22	1	52	0	IIIC	28	13	N2	.46
187	M	G1	T3	48	37	1	48	1	IIIC	15	6	N2	.40
188	F	G2	T3	53	53	0	53	0	IIIC	20	5	N2	.25
189	M	G1	T3	59	59	0	59	0	IIIC	16	4	N2	.25
190	M	G2	T3	31	14	1	31	1	IIIC	20	5	N2	.25
191	M	G2	T4	35	11	1	35	1	IIIB	24	3	N1	.13
192	M	G1	T4	62	60	0	60	0	IIIB	26	2	N1	.08
193	M	G1	T4	40	17	1	40	0	IIIB	19	1	N1	.05
194	M	G2	T4	13	5	1	13	1	IIIB	18	1	N1	.06
195	M	G1	T4	21	5	1	21	1	IIIB	12	2	N1	.17
196	M	>G2	T4	13	6	1	13	1	IIIC	17	12	N2	.71
197	M	G1	T4	66	60	0	60	0	IIIC	29	4	N2	.14
198	M	G1	T4	51	9	1	51	0	IIIC	24	5	N2	.21
199	F	G1	T4	72	60	0	60	0	IIIB	14	1	N1	.07
200	F	>G2	T4	38	18	1	38	1	IIIC	8	2	N1	.25
201	M	G2	T4	57	29	1	57	1	IIIC	15	4	N2	.27

변수이름과 데이터개수, 데이터 유형 등을 확인한다.

(숫자: 오른쪽 정렬, 문자: 왼쪽 정렬 됨)

변수 보기 (소수점, 레이블, 값, 측도 등 수정)

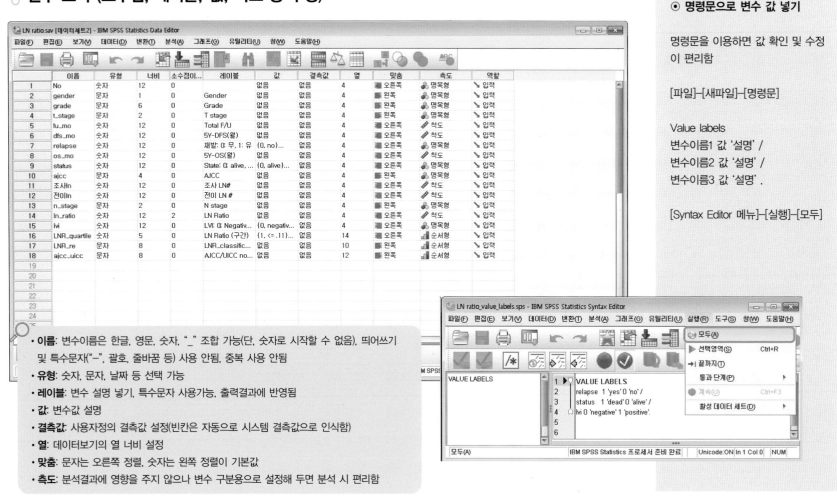

- **이름**: 변수이름은 한글, 영문, 숫자, "_" 조합 가능(단, 숫자로 시작할 수 없음), 띄어쓰기 및 특수문자("–", 괄호, 줄바꿈 등) 사용 안됨, 중복 사용 안됨
- **유형**: 숫자, 문자, 날짜 등 선택 가능
- **레이블**: 변수 설명 넣기, 특수문자 사용가능, 출력결과에 반영됨
- **값**: 변수값 설명
- **결측값**: 사용자정의 결측값 설정(빈칸은 자동으로 시스템 결측값으로 인식함)
- **열**: 데이터보기의 열 너비 설정
- **맞춤**: 문자는 오른쪽 정렬, 숫자는 왼쪽 정렬이 기본값
- **측도**: 분석결과에 영향을 주지 않으나 변수 구분용으로 설정해 두면 분석 시 편리함

◉ 명령문으로 변수 값 넣기

명령문을 이용하면 값 확인 및 수정이 편리함

[파일]–[새파일]–[명령문]

Value labels
변수이름1 값 '설명' /
변수이름2 값 '설명' /
변수이름3 값 '설명' .

[Syntax Editor 메뉴]–[실행]–[모두]

🩺 R에서 데이터 불러오기

```
## 엑셀파일 불러오기
require(readxl)
mydata <- read_excel("LN ratio.xlsx", sheet="data", range="a2:o203")
```

```
> mydata
# A tibble: 201 x 15
     No gender grade t_stage fu_mo dfs_mo relapse os_mo status ajcc  조사ln 전이ln n_stage ln_ratio  lvi
  <dbl> <chr>  <chr> <chr>   <dbl>  <dbl>   <dbl> <dbl>  <dbl> <chr> <dbl> <dbl> <chr>      <dbl> <dbl>
1     1 F      G2    T2         47     47       0    47      0 IIIA     23     1 N1          0.04     1
2     2 F      G1    T2         58     58       0    58      0 IIIA     15     2 N1          0.13     0
3     3 M      G2    T2         45     45       0    45      0 IIIA     15     1 N1          0.07     0
4     4 F      G1    T2         43     43       0    43      0 IIIA      7     1 N1          0.14     1
5     5 M      G1    T2         61     60       0    60      0 IIIA     13     1 N1          0.08     0
6     6 M      G2    T2         52     52       0    52      0 IIIA     17     2 N1          0.12     0
7     7 M      G1    T2         51     51       0    51      0 IIIA     18     2 N1          0.11     1
8     8 M      G1    T2         60     60       0    60      0 IIIA     11     1 N1          0.09     0
9     9 M      G2    T2         33     18       1    33      0 IIIA     12     2 N1          0.17     1
10   10 M      >G2   T2         62     60       0    60      0 IIIA     17     3 N1          0.18     0
# ... with 191 more rows
```

```
## SPSS 데이터파일
require(haven)
mydata2 <- read_sav("LN number.sav")
```

```
> mydata2
# A tibble: 201 x 18
     No gender grade t_stage fu_mo dfs_mo relapse  os_mo status  ajcc  조사ln 전이ln n_stage ln_ratio     lvi LNR_gr4        LNR_gr3
  <dbl> <chr>  <chr> <chr>   <dbl>  <dbl> <dbl+l>  <dbl>  <dbl+l> <chr> <dbl> <dbl> <chr>      <dbl> <dbl+l> <dbl+l>        <chr>
1     5 M      G1    T2         61     60  0 [no]     60 0 [ali~ IIIA     13     1 N1          0.08 0 [neg~ 1 [<= ~ pNR1
2     8 M      G1    T2         60     60  0 [no]     60 0 [ali~ IIIA     11     1 N1          0.09 0 [neg~ 1 [<= ~ pNR1
3    10 M      >G2   T2         62     60  0 [no]     60 0 [ali~ IIIA     17     3 N1          0.18 0 [neg~ 3 [.17~ pNR2
4    13 M      G2    T2         68     60  0 [no]     60 0 [ali~ IIIA     16     2 N1          0.13 0 [neg~ 2 [.12~ pNR2
5    15 M      G2    T2         87     60  0 [no]     60 0 [ali~ IIIA     20     1 N1          0.05 0 [neg~ 1 [<= ~ pNR1
6    17 M      G2    T2         75     60  0 [no]     60 0 [ali~ IIIA     16     1 N1          0.06 0 [neg~ 1 [<= ~ pNR1
7    19 M      G1    T2         71     60  0 [no]     60 0 [ali~ IIIA     19     1 N1          0.05 0 [neg~ 1 [<= ~ pNR1
8    21 F      G1    T2         71     60  0 [no]     60 0 [ali~ IIIA     14     1 N1          0.07 0 [neg~ 1 [<= ~ pNR1
9    ?? F      G2    T2         60     60  0 [no]     60 0 [ali~ IIIA     16     1 N1          0.06 1 [pos~ 1 [<= ~ pNR1
10   24 F      G1    T3         66     60  0 [no]     60 0 [ali~ IIIB     58     3 N1          0.05 0 [neg~ 1 [<= ~ pNR1
# ... with 191 more rows, and 1 more variable: ajcc_uicc <chr>
```

⊙ R에서 데이터 불러오기

패키지명 :: 함수명

#엑셀 파일 불러오기
readxl :: read_excel("myfile.xlsx", sheet="워크시트명", range="데이터범위")

#SPSS 데이터파일 불러오기
haven :: read_sav("myfile.sav")

#텍스트 파일 불러오기
read.table("myfile.txt", header=T)

#CSV 파일 불러오기
read.csv("myfile.csv")
read.table("myfile.csv", header=T, sep="\t")

Table1

TABLE 1. *Clinicopathologic characteristics and survival*

Variable	Categories	No. of cases	5-Year DFS (%)	*P* value
Age (y)	< 60	104	54.6	.4219
	≥60	97	60.5	
Sex	Male	106	56.6	.7162
	Female	95	58.9	
Tumor grade	G1	101	64.3	.0096
	G2	88	54.5	
	≥G3	12	25	
Lymphovascular invasion	Negative	124	67.7	.0002
	Positive	77	41.6	
pT stage[a]	pT2	23	78.3	.0026
	pT3	167	56.8	
	pT4	11	27.3	
pN stage[a]	pN1	133	63.9	.0065
	pN2	68	45.6	

DFS, disease-free survival; G1, well differentiated; G2, moderately differentiated; G3, poorly differentiated.

[a] Classification by the American Joint Committee on Cancer and the International Union Against Cancer system.

Results:

A total of 3743 LNs with a median nodal yield of 17 (range, 7–58) per specimen were retrieved and examined, of which 713 (median, 3; range, 1–28) LNs proved to be metastatic. A statistically significant correlation was found between the number of metastatic LNs and LNR (Pearson correlation coefficient, .777; 95% confidence interval [95% CI], .7155–.8265; $P < .0001$), and a simple linear regression demonstrated that the LNR increases .0344 units as the number of metastatic LNs increases by 1 (95% CI, .0305–.0382; $P < .0001$). Overall 5-year DFS in this analysis was 57.7%. Essential clinicopathologic characteristics and their corresponding survivals in terms of 5-year DFS are listed in Table 1; significance was demonstrated between 5-year DFS and such variables as tumor grade ($P = .0096$), lymphovascular invasion ($P = .0002$), and pT and pN stage by AJCC/UICC classification ($P = .0026$ and .0065, respectively).

⊙ 통계방법

1) 생존율의 추정:
카플란-마이어 추정법(Kaplan-Meier method) 이용

2) 생존율의 비교:
로그-순위 검정(log-rank test) 실시

생존율 추정 및 비교

[분석]−[생존분석]−[Kaplan−Meier]

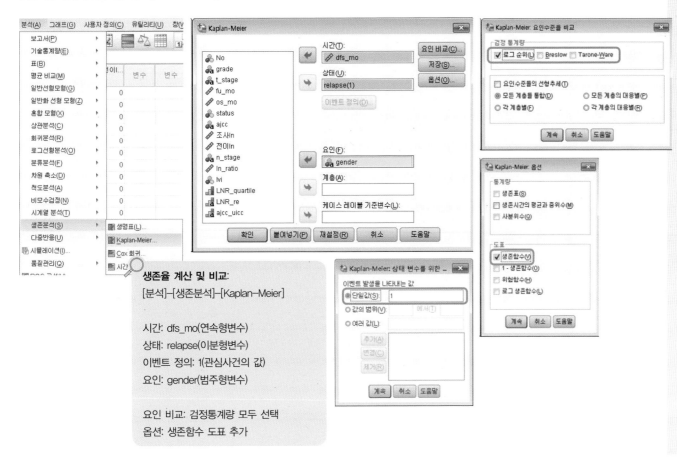

생존율 계산 및 비교:

[분석]−[생존분석]−[Kaplan−Meier]

시간: dfs_mo(연속형변수)
상태: relapse(이분형변수)
이벤트 정의: 1(관심사건의 값)
요인: gender(범주형변수)

요인 비교: 검정통계량 모두 선택
옵션: 생존함수 도표 추가

⊙ 생존분석의 특징

• 생존시간은 대부분 비정규분포이다.
• 중도절단을 고려한다.

중도절단:

• loss to follow up(추적관찰이 불가능한 경우)
• drop out(환자의 치료 거부 및 중단)
• termination of study(연구 종료)
• death from unrelated cause(관련 없는 사망)

🩺 마지막 시점에서의 생존율과 로그-순위 검정 결과

Kaplan-Meier

Case Processing Summary

Gender	Total N	N of Events	Censored N	Censored Percent
F	95	39	56	58.9%
M	106	46	60	56.6%
Overall	201	85	116	57.7%

> 🔍 마지막 시점에서의 생존율을 나타냄.
> 여기서는 5-year DFS

Overall Comparisons

	Chi-Square	df	Sig.
Log Rank (Mantel-Cox)	.132	1	.716
Breslow (Generalized Wilcoxon)	.152	1	.696
Tarone-Ware	.140	1	.708

Test of equality of survival distributions for the different levels of Gender.

> 🔍 로그-순위 검정:
> p=0.716 > α=0.05이므로 귀무가설
> (H0: 두 집단의 생존분포는 같다.)을 기
> 각하지 못한다. 즉, 두 집단의 생존율
> 이 다르다고 볼 수 없다.

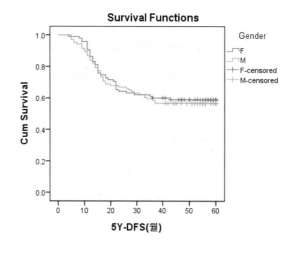

● 검정통계량의 차이점

각 시점에서 위험상태에 있는 케이스 수(number at risk)에 따라 가중치를 다르게 부여함

Type of test	Weight
Log-rank	1
Breslow	n
Tarone-Ware	sqrt(n)

생명표에서 생존율 찾기

Survival Table

Gender	Time	Status	Cumulative Proportion Surviving at the Time		N of Cumulative Events	N of Remaining Cases
			Estimate	Std. Error		
41	33.000	yes	.	.	41	65
42	33.000	yes	.604	.048	42	64
43	34.000	yes	.594	.048	43	63
44	36.000	yes	.585	.048	44	62
45	37.000	yes	.	.	45	61
46	37.000	yes	.566	.048	46	60
47	41.000	no	.	.	46	59
48	42.000	no	.	.	46	58

Survival Table

Gender	Time	Status	Cumulative Proportion Surviving at the Time		N of Cumulative Events	N of Remaining Cases
			Estimate	Std. Error		
37	35.000	yes	.611	.050	37	58
38	36.000	yes	.600	.050	38	57
39	36.000	no	.	.	38	56
40	40.000	no	.	.	38	55
41	41.000	no	.	.	38	54
42	43.000	yes	.589	.051	39	53
43	43.000	no	.	.	39	52

5-year DFS은
Time=60(개월)의 Estimate 값을 찾는다.

Status=no이면 결측이므로
Status=yes인 것들 중
60 바로 이전 시점의 값을 찾는다.

따라서, Female = 58.9%, Male = 56.6%이
된다.

R에서 생존율 추정과 로그-순위 검정

```
## 변수 정리
require(tidyverse)
require(survival)
wd <- mydata %>% transmute(
  time = dfs_mo,   status = (relapse == 1),   y = Surv(time, status==1),
  group = gender
)

## 생존율 추정
fit <- survfit(y ~ group, wd)

## 생명표 출력
summary(fit)
summary(fit, time=60) #60개월 생존율
```

```
## 로그-순위검정
survdiff(y ~ group, wd)

## 생존곡선
fit <- survfit(y ~ group, wd)
require(survminer)
ggsurvplot(fit, pval=T, pval.method=T,
       legend=c(0.9, 0.2), legend.title="Gender",
       legend.lab=c("F","M"),
       ggtheme = theme_bw())
```

```
> wd
# A tibble: 201 x 4
   time status y[,"time"] [,"status"] group
   <dbl> <lgl>      <dbl>       <dbl> <chr>
1     47 FALSE         47           0 F
2     58 FALSE         58           0 F
3     45 FALSE         45           0 M
4     43 FALSE         43           0 F
5     60 FALSE         60           0 M
6     52 FALSE         52           0 M
7     51 FALSE         51           0 M
8     60 FALSE         60           0 M
9     18 TRUE          18           1 M
10    60 FALSE         60           0 M
# ... with 191 more rows

> summary(fit, time=60)
Call: survfit(formula = y ~ group, data = wd)

                group=F
       time   n.risk   n.event   survival   std.err   lower 95% CI   upper 95% CI
    60.0000  26.0000   39.0000     0.5889    0.0505         0.4977         0.6968

                group=M
       time   n.risk   n.event   survival   std.err   lower 95% CI   upper 95% CI
    60.0000  28.0000   46.0000     0.5660    0.0481         0.4791         0.6687
```

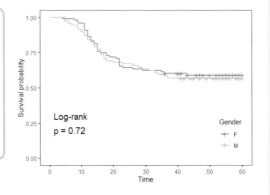

여성(F)의 5년 DFS는 58.9%이고, 남성(M)은 56.6%로 나타나 여성이 높지만 이는 통계적으로 유의한 차이가 아니다(log-rank p=0.720).

Table2, Figure1-2

TABLE 2. *Metastatic lymph node ratio categories*

Category	Stratification	HR	95% CI	*P* value
LNR (quartile)	.01–.11			
	.12–.16	2.24	.1864–.9772	.0439
	.17–.24	1.38	.3725–1.415	.3474
	.25–.92	2.66	.2109–.5998	.0001
LNR reclassification	.01–.11			
(cutoff)	.12–.24	2.73	.2273–.7441	.0033
	.25–.92	3.0	.1548–.4358	<.0001

HR, hazard ratio; 95% CI, 95% confidence interval; LNR, lymph node ratio.

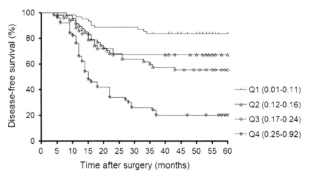

FIG. 1. Kaplan-Meier survival curves for 4 groups based on quartiles of distribution of metastatic lymph node ratio. Differences in 5-year disease-free survival between quartiles 1 and 2 and between quartiles 3 and 4 were statistically significant (*P* = .0033 and .0001, respectively). Q, quartile.

Results:

The median LNR in the present study was .16 (mean, .2; range, .01 – .92). Patients were stratified into four groups on the basis of quartiles of the LNR to explore if a specific cutoff could affect oncologic outcome. On the basis of Kaplan–Meier plots (Fig. 1), cutoff points of quartiles of the LNR considered the best indicator for separating patients with regards to 5–year DFS were between quartiles 1 and 2 (95% CI, .2273 – .7441; P = .0033), and between quartiles 3 and 4 (95% CI, .2109 – .5998; P = .0001); they were restaged into 3 subgroups (pNr1, 2, and 3; Table 2). The 5–year DFS according to this LNR based staging was 83.6%, 61.1%, and 20% for pNr1, pNr2, and pNr3, respectively (P < .0001; Fig. 2).

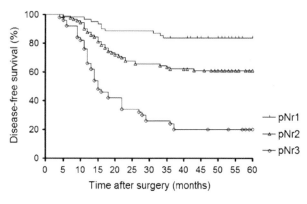

FIG. 2. Kaplan-Meier survival curves for ratio-based staging. Five-year disease-free survival was 83.6%, 61.1%, and 20% for pNr1, pNr2, and pNr3, respectively (*P* < .0001). pNr, ratio-based nodal staging.

⊙ 통계방법

1) 생존율의 추정:
카플란–마이어 추정법(Kaplan–Meier method) 이용
2) 생존율의 비교:
로그–순위 검정(log-rank test) 실시
3) 위험비(HR; hazard ratio)의 추정:
칵스의 비례위험모형(Cox proportional hazards regression model) 이용

생존자료에서의 최적절단점(optimal cut-off value):

- 로그–순위 통계량을 최대로 하는 지점을 찾는다.
- The optimal cutoff point is defined as the one with the most significant (log-rank test) split.
- SPSS에서는 기능이 제공되지 않으므로 수작업으로 적절한 지점을 찾는다.
- R의 maxstat 패키지를 활용하면 로그–순위 통계량을 최대로 하는 최적절단점을 쉽게 찾을 수 있다.

🩺 사분위수로 구간 나누기

[변환]-[시각적 구간화]

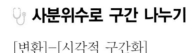

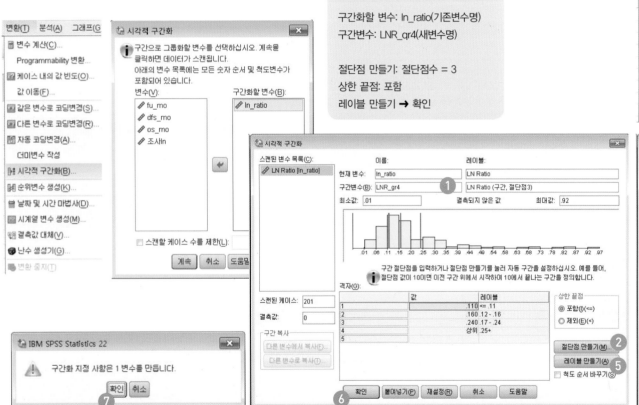

사분위수로 구간 나누기:
[변환]-[시각적 구간화]

구간화할 변수: ln_ratio(기존변수명)
구간변수: LNR_qr4(새변수명)

절단점 만들기: 절단점수 = 3
상한 끝점: 포함
레이블 만들기 ➡ 확인

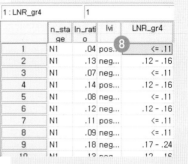

절단점수=3(너비 25%)
절단점수=2(너비 50%)

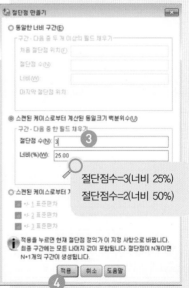

	n_sta ge	ln_rati o	lvi	LNR_gr4
1	N1	.04	pos.	<= .11
2	N1	.13	neg.	.12 - .16
3	N1	.07	neg.	<= .11
4	N1	.14	pos.	.12 - .16
5	N1	.08	neg.	<= .11
6	N1	.12	neg.	.12 - .16
7	N1	.11	neg.	<= .11
8	N1	.09	neg.	<= .11
9	N1	.18	neg.	.17 - .24

1 : LNR_gr4　　　1

생존곡선 그리기

[분석]-[생존분석]-[Kaplan-Meier]

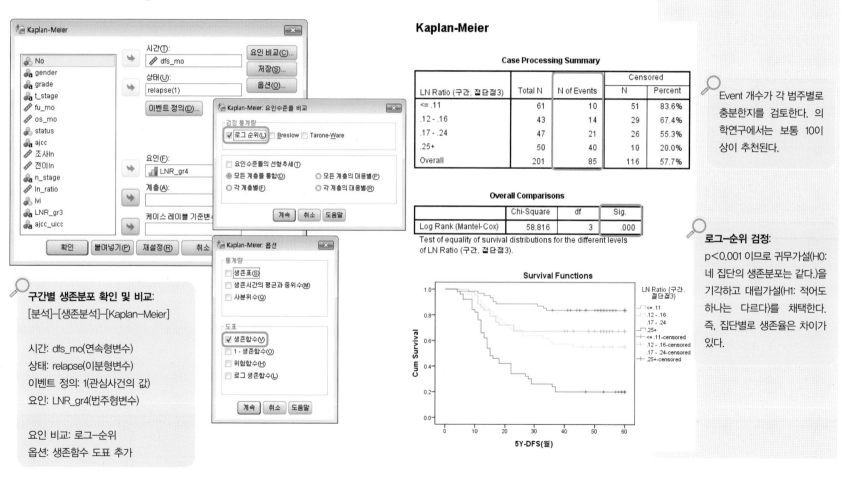

Kaplan-Meier

Case Processing Summary

LN Ratio (구간, 절단점3)	Total N	N of Events	Censored	
			N	Percent
<= .11	61	10	51	83.6%
.12 - .16	43	14	29	67.4%
.17 - .24	47	21	26	55.3%
.25+	50	40	10	20.0%
Overall	201	85	116	57.7%

Event 개수가 각 범주별로 충분한지를 검토한다. 의학연구에서는 보통 10이 상이 추천된다.

Overall Comparisons

	Chi-Square	df	Sig.
Log Rank (Mantel-Cox)	58.816	3	.000

Test of equality of survival distributions for the different levels of LN Ratio (구간, 절단점3).

로그-순위 검정:
p<0.001 이므로 귀무가설(H0: 네 집단의 생존분포는 같다.)을 기각하고 대립가설(H1: 적어도 하나는 다르다)를 채택한다. 즉, 집단별로 생존율은 차이가 있다.

구간별 생존분포 확인 및 비교:

[분석]-[생존분석]-[Kaplan-Meier]

시간: dfs_mo(연속형변수)
상태: relapse(이분형변수)
이벤트 정의: 1(관심사건의 값)
요인: LNR_gr4(범주형변수)

요인 비교: 로그-순위
옵션: 생존함수 도표 추가

생존분석에서 다중비교

[분석]−[생존분석]−[Kaplan−Meier]

생존분석에서 다중비교:

[분석]−[생존분석]−[Kaplan−Meier]

시간: dfs_mo(연속형변수)
상태: relapse(이분형변수)
이벤트 정의: 1(관심사건의 값)
요인: LNR_gr4(범주형변수)

요인 비교: 로그−순위, 모든 계층의 대응별

Kaplan-Meier

Case Processing Summary

LN Ratio (구간, 절단점3)	Total N	N of Events	Censored N	Censored Percent
<= .11	61	10	51	83.6%
.12 - .16	43	14	29	67.4%
.17 - .24	47	21	26	55.3%
.25+	50	40	10	20.0%
Overall	201	85	116	57.7%

Pairwise Comparisons

	LN Ratio (구간, 절단점3)	<= .11 Chi-Square	<= .11 Sig.	.12 - .16 Chi-Square	.12 - .16 Sig.	.17 - .24 Chi-Square	.17 - .24 Sig.	.25+ Chi-Square	.25+ Sig.
Log Rank (Mantel-Cox)	<= .11			4.059	.044	10.275	.001	51.618	.000
	.12 - .16	4.059	.044			.883	.347	19.682	.000
	.17 - .24	10.275	.001	.883	.347			15.025	.000
	.25+	51.618	.000	19.682	.000	15.025	.000		

다중비교:

구간2 vs. 구간3 (p=0.347)를 제외한 나머지 구간에서 유의한 차이를 보임

즉, 구간1 (83.6%) > 구간2 (67.4%) = 구간3 (55.3%) > 구간4 (20.0%)

생존분석에서 선형추세검정

[분석]-[생존분석]-[Kaplan-Meier]

Kaplan-Meier

Case Processing Summary

LN Ratio (구간, 절단점3)	Total N	N of Events	Censored	
			N	Percent
<= .11	61	10	51	83.6%
.12 - .16	43	14	29	67.4%
.17 - .24	47	21	26	55.3%
.25+	50	40	10	20.0%
Overall	201	85	116	57.7%

Overall Comparisons

	Chi-Square	df	Sig.
Log Rank (Mantel-Cox)	49.040	1	.000

The vector of trend weights is -3, -1, 1, 3. This is the default.

생존분석에서 선형추세검정:

[분석]-[생존분석]-[Kaplan-Meier]

시간: dfs_mo(연속형변수)
상태: relapse(이분형변수)
이벤트 정의: 1(관심사건의 값)
요인: LNR_gr4(범주형변수)

요인 비교: 로그-순위, 요인수준들의 선형추세

선형추세검정:

LN Ratio가 커질수록 생존율을 선형적으로 감소한다(log-rank test for trend, p<0.001).

위험비 (HR, hazard ratio)와 95% 신뢰구간 구하기

[분석]−[생존분석]−[Cox 회귀]

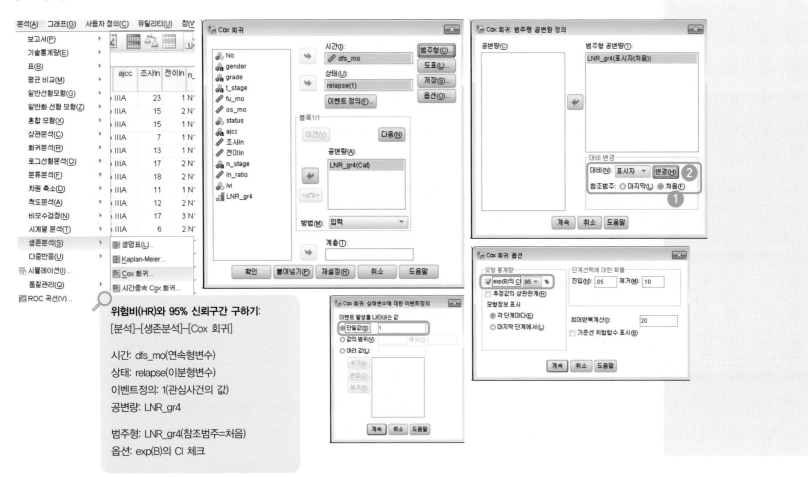

위험비(HR)와 95% 신뢰구간 구하기:

[분석]−[생존분석]−[Cox 회귀]

시간: dfs_mo(연속형변수)

상태: relapse(이분형변수)

이벤트정의: 1(관심사건의 값)

공변량: LNR_gr4

범주형: LNR_gr4(참조범주=처음)

옵션: exp(B)의 CI 체크

칵스 회귀분석 결과 (1)

Cox Regression

Case Processing Summary

		N	Percent
Cases available in analysis	Event[a]	85	42.3%
	Censored	116	57.7%
	Total	201	100.0%
Cases dropped	Cases with missing values	0	0.0%
	Cases with negative time	0	0.0%
	Censored cases before the earliest event in a stratum	0	0.0%
	Total	0	0.0%
Total		201	100.0%

a. Dependent Variable: 5Y-DFS(월)

자료의 개수가 맞는지 반드시 확인한다.

Categorical Variable Codings[a]

		Frequency	(1)	(2)	(3)
LNR_gr4[b]	1=<= .11	61	0	0	0
	2=.12 - .16	43	1	0	0
	3=.17 - .24	47	0	1	0
	4=.25+	50	0	0	1

a. Category variable: LNR_gr4 (LN Ratio (구간, 절단점3))

b. Indicator Parameter Coding

참조범주=처음으로 설정됨

범주형 변수는 가변수(dummy variable; 0 또는 1)로 변환이 필요함.
가변수의 개수=범주의 개수 – 1

LNR_gr4의 범주는 4개이므로 3개의 가변수로 변환됨

🩺 칵스 회귀분석 결과 (2)

Block 0: Beginning Block

Omnibus Tests of Model Coefficients
-2 Log Likelihood
861.223

Block 1: Method = Enter

Omnibus Tests of Model Coefficients[a]

-2 Log Likelihood	Overall (score)			Change From Previous Step			Change From Previous Block		
	Chi-square	df	Sig.	Chi-square	df	Sig.	Chi-square	df	Sig.
811.661	57.595	3	.000	49.562	3	.000	49.562	3	.000

a. Beginning Block Number 1. Method = Enter

Variables in the Equation

	B	SE	Wald	df	Sig.	Exp(B)	95.0% CI for Exp(B)	
							Lower	Upper
LNR_gr4			46.098	3	.000			
LNR_gr4(1)	.828	.414	3.995	1	.046	2.288	1.016	5.153
LNR_gr4(2)	1.154	.384	9.009	1	.003	3.170	1.492	6.735
LNR_gr4(3)	2.137	.356	36.049	1	.000	8.474	4.218	17.025

⊙ Cox 비례위험모형 (proportional hazard model)

$$h(t) = h_0(t) \exp(b_1 x_1 + \cdots + b_p x_p)$$

여기서
$h(t)$: 시간 t에서의 위험함수(hazard function)
$h_0(t)$: 시간 t에서 공변량 x=0일때의 기저위험함수(baseline hazard function)

추정된 회귀식:
$$h(t) = h_0(t) \exp(0.828 * LNR_2 + 1.154 * LNR_3 + 2.137 * LNR_4)$$

LNR_gr4(3)에서 HR=8.474의 의미:
구간4(25+)인 집단의 재발위험은 구간1(<=0.11)인 집단에 비해 exp(0.2137)=8.474배 높다. 즉,

$$\frac{\text{구간4에서의 재발위험: } h_0(t) \exp(0.828 * 0 + 1.154 * 0 + 2.137 * 1)}{\text{구간1에서의 재발위험: } h_0(t) \exp(0.828 * 0 + 1.154 * 0 + 2.137 * 0)} = \exp(2.137)$$

Crude (unadjusted) HR=8.474, 95% 신뢰구간=(4.218, 17.025), p<0.001

👂 구간 합치기

[변환]-[다른 변수로 코딩변경]

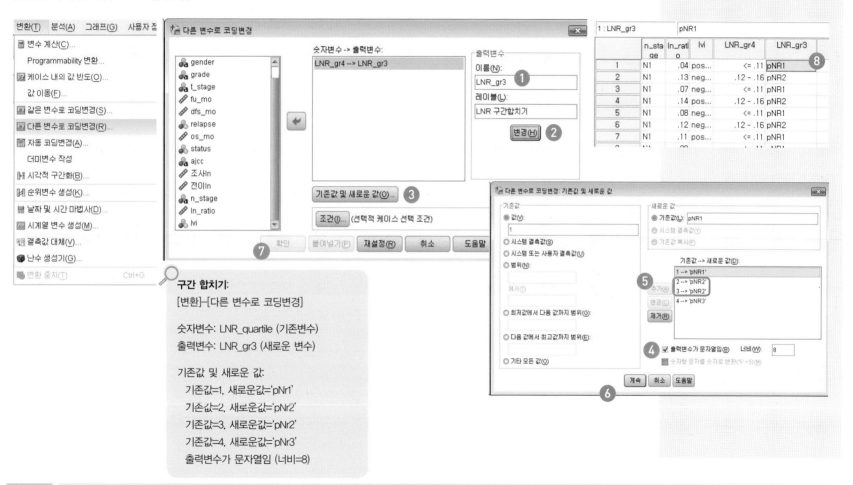

구간 합치기:

[변환]-[다른 변수로 코딩변경]

숫자변수: LNR_quartile (기존변수)
출력변수: LNR_gr3 (새로운 변수)

기존값 및 새로운 값:
　기존값=1, 새로운값='pNr1'
　기존값=2, 새로운값='pNr2'
　기존값=3, 새로운값='pNr2'
　기존값=4, 새로운값='pNr3'
　출력변수가 문자열임 (너비=8)

⚕️ 참조범주의 변경 (처음 → 마지막)

[분석]-[생존분석]-[Cox 회귀]

Categorical Variable Codings[a]

		Frequency	(1)	(2)
LNR_gr3[b]	pNR1	61	1	0
	pNR2	90	0	1
	pNR3	50	0	0

a. Category variable: LNR_gr3 (LNR 구간합치기)

b. Indicator Parameter Coding

🔍 참조범주=**처음(pNR1)**으로 설정됨

여기서 LNR_gr3(1)는 pNR2,
LNR_gr3(2)는 pNR3을 의미함

Categorical Variable Codings[a]

		Frequency	(1)	(2)
LNR_gr3[b]	pNR1	61	0	0
	pNR2	90	1	0
	pNR3	50	0	1

a. Category variable: LNR_gr3 (LNR 구간합치기)

b. Indicator Parameter Coding

🔍 참조범주=**마지막(pNR3)**으로 설정됨

여기서 LNR_gr3(1)는 pNR1,
LNR_gr3(2)는 pNR2를 의미함

Block 1: Method = Enter

Omnibus Tests of Model Coefficients[a]

-2 Log Likelihood	Overall (score)			Change From Previous Step			Change From Previous Block		
	Chi-square	df	Sig.	Chi-square	df	Sig.	Chi-square	df	Sig.
812.569	56.796	2	.000	48.654	2	.000	48.654	2	.000

a. Beginning Block Number 1. Method = Enter

Variables in the Equation

	B	SE	Wald	df	Sig.	Exp(B)	95.0% CI for Exp(B)	
							Lower	Upper
LNR_gr3			45.560	2	.000			
LNR_gr3(1)	1.010	.359	7.933	1	.005	2.747	1.360	5.548
LNR_gr3(2)	2.137	.356	36.038	1	.000	8.472	4.217	17.019

🔍 **HR=8.472의 의미:**
LNR_gr3(2)=pNr3인 집단은 pNr1인 집단에 비해
재발위험이 exp(2.137)=8.472배 높다.

Block 1: Method = Enter

Omnibus Tests of Model Coefficients[a]

-2 Log Likelihood	Overall (score)			Change From Previous Step			Change From Previous Block		
	Chi-square	df	Sig.	Chi-square	df	Sig.	Chi-square	df	Sig.
812.569	56.796	2	.000	48.654	2	.000	48.654	2	.000

a. Beginning Block Number 1. Method = Enter

Variables in the Equation

	B	SE	Wald	df	Sig.	Exp(B)	95.0% CI for Exp(B)	
							Lower	Upper
LNR_gr3			45.560	2	.000			
LNR_gr3(1)	-2.137	.356	36.038	1	.000	.118	.059	.237
LNR_gr3(2)	-1.126	.233	23.273	1	.000	.324	.205	.512

🔍 **HR=0.118의 의미:**
LNR_gr3(1)=pNr1인 집단은 pNr3(참조범주)인 집단에 비해
재발위험이 exp(-2.137)=0.118배, 88.2% 낮다.

즉, 8.472의 역수, 1/8.472=0.118

R에서 생존분석, 다중비교

```
## 변수정의
require(tidyverse)
require(survival)
wd <- mydata %>% transmute(
  time = dfs_mo,
  status = (relapse == 1),
  y = Surv(time, status==1),
  group = Hmisc::cut2(ln_ratio, g=4) #사분위수로 구간화
)

## 로그-순위 검정
f <- y ~ group
survdiff(f, wd)

## 다중비교
require(survminer)
pairwise_survdiff(f, wd, p.adj="none")
pairwise_survdiff(f, wd, p.adj="bonferroni")
pairwise_survdiff(f, wd, p.adj="fdr")
```

```
> wd
# A tibble: 201 x 4
    time status y[,"time"] [,"status"] group
   <dbl> <lgl>       <dbl>       <dbl> <fct>
 1     47 FALSE         47           0 [0.01,0.12)
 2     58 FALSE         58           0 [0.12,0.17)
 3     45 FALSE         45           0 [0.01,0.12)
 4     43 FALSE         43           0 [0.12,0.17)
 5     60 FALSE         60           0 [0.01,0.12)
 6     52 FALSE         52           0 [0.12,0.17)
 7     51 FALSE         51           0 [0.01,0.12)
 8     60 FALSE         60           0 [0.01,0.12)
 9     18 TRUE          18           1 [0.17,0.25)
10     60 FALSE         60           0 [0.17,0.25)
# ... with 191 more rows
```

```
> survdiff(f, wd)
Call:
survdiff(formula = f, data = wd)

                   N Observed Expected (O-E)^2/E (O-E)^2/V
group=[0.01,0.12) 61       10     30.6   13.8673   22.2481
group=[0.12,0.17) 43       14     18.9    1.2633    1.6574
group=[0.17,0.25) 47       21     20.5    0.0123    0.0166
group=[0.25,0.92] 50       40     15.0   41.5501   52.2757
```

```
> pairwise_survdiff(f, wd, p.adj="none")

        Pairwise comparisons using Log-Rank test

data:  wd and group

            [0.01,0.12) [0.12,0.17) [0.17,0.25)
[0.12,0.17) 0.04394     -           -
[0.17,0.25) 0.00135     0.34741     -
[0.25,0.92] 6.7e-13     9.1e-06     0.00011

P value adjustment method: none
```

R에서 칵스회귀분석, 참조범주의 변경

```
## Cox 회귀모형
fit <- coxph(f, data=wd, method="breslow")
summary(fit)

## HR 구하기
require(tableone)
ShowRegTable(fit, digits=3, pDigits=5, ciFun=confint.default, exp=T)
```

HR [95% CI]

```
> ShowRegTable(fit, digits=3, pDigits=5, ciFun=confint.default, exp=T)
                       exp(coef) [confint]        p
group[0.12,0.17) 2.288 [1.016,  5.153]    0.04563
group[0.17,0.25) 3.170 [1.492,  6.735]    0.00269
group[0.25,0.92) 8.474 [4.218, 17.025] <0.00001
```

```
## 구간 합치기
wd$group2 <- cut(mydata$ln_ratio, breaks=c(-Inf, 0.12, 0.25, Inf), right=F)

## Cox 회귀분석 (참조범주=처음)
fit <- coxph(y ~ group2, data=wd, method="breslow")
ShowRegTable(fit, digits=3, pDigits=5, ciFun=confint.default, exp=T)

## Cox 회귀분석 (참조범주=마지막)
wd$group2 <- relevel(wd$group2, "[0.25, Inf)")
fit <- coxph(y ~ group2, data=wd, method="breslow")
ShowRegTable(fit, digits=3, pDigits=5, ciFun=confint.default, exp=T)
```

참조범주=처음(기본값)

```
> ShowRegTable(fit, digits=3, pDigits=5, ciFun=confint.default, exp=T)
                       exp(coef) [confint]        p
group2[0.12,0.25) 2.747 [1.360,  5.548]    0.00486
group2[0.25, Inf) 8.472 [4.217, 17.019] <0.00001
```

참조범주=마지막

```
> ShowRegTable(fit, digits=3, pDigits=5, ciFun=confint.default, exp=T)
                        exp(coef) [confint]        p
group2[-Inf,0.12) 0.118 [0.059, 0.237] <0.00001
group2[0.12,0.25) 0.324 [0.205, 0.512] <0.00001
```

Table3

TABLE 3. *Five-year disease-free survival by lymph node ratio[a]*

Characteristic	Overall	pNr1[b]	pNr2[b]	pNr3[b]	Log rank test (P)
pN1[c]	63.9%	83.3% (60)	53.4% (58)	26.7% (15)	< .0001
pN2[c]	45.6%	100% (1)	75% (32)	17.1% (35)	< .0001
Log rank test (P)	.0065	.9138	.0631	.4938	–

[a] Values in parentheses are number of cases.
[b] Classification by lymph node ratio.
[c] Classification by the American Joint Committee on Cancer and the International Union Against Cancer system.

Results:

Table 3 shows that ratio-based staging (pNr) obviously discloses oncologically distinct subgroups within each AJCC/UICC pN1 and pN2 nodal category, and survival by each pNr category between pN1 and pN2 were not statistically different. Probability of stage migration in the AJCC/UICC nodal classification might be inferred from the finding that 5-year DFS of 26.7% for pN1 subgroup with pNr3 is significantly less favorable than that of 75% for pN2 subgroup with pNr2 (hazard ratio, 3.99; 95% CI, .0607 – .4940; P = .0010).

변수생성

[변환]-[다른 변수로 코딩변경]

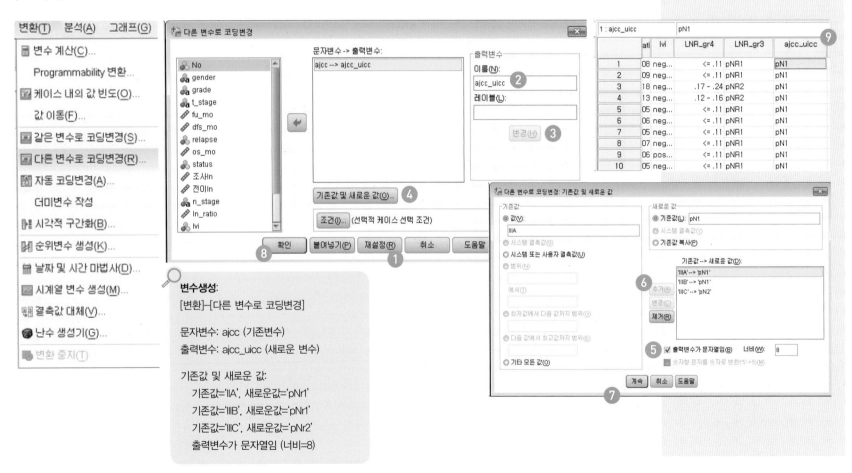

변수생성:

[변환]-[다른 변수로 코딩변경]

문자변수: ajcc (기존변수)

출력변수: ajcc_uicc (새로운 변수)

기존값 및 새로운 값:
  기존값='IIA', 새로운값='pNr1'
  기존값='IIIB', 새로운값='pNr1'
  기존값='IIIC', 새로운값='pNr2'
  출력변수가 문자열임 (너비=8)

계층별 생존율의 비교

[분석]-[생존분석]-[Kaplan-Meier]

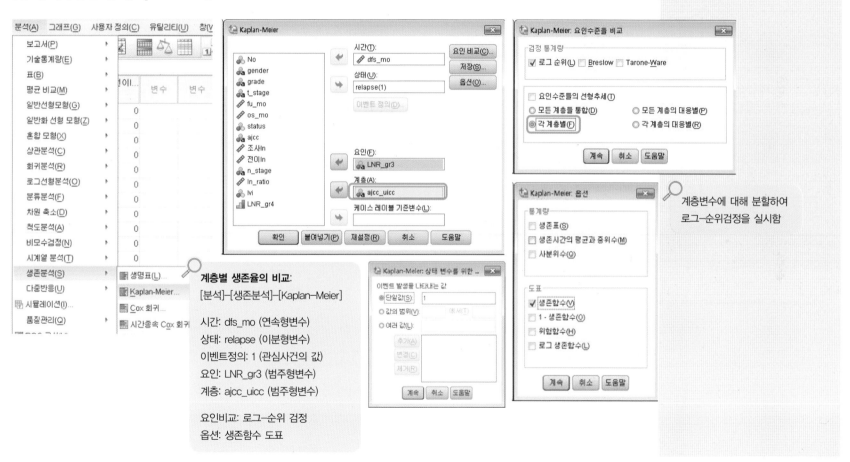

계층별 생존율의 비교:

[분석]-[생존분석]-[Kaplan-Meier]

시간: dfs_mo (연속형변수)

상태: relapse (이분형변수)

이벤트정의: 1 (관심사건의 값)

요인: LNR_gr3 (범주형변수)

계층: ajcc_uicc (범주형변수)

요인비교: 로그-순위 검정

옵션: 생존함수 도표

계층변수에 대해 분할하여
로그-순위검정을 실시함

🩺 생존율과 로그-순위 검정 결과

Case Processing Summary

마지막 시점(5-year)
에서의 생존율

ajcc_uicc	LNR 구간합치기	Total N	N of Events	Censored	
				N	Percent
pN1	pNR1	60	10	50	83.3%
	pNR2	58	27	31	53.4%
	pNR3	15	11	4	26.7%
	Overall	133	48	85	63.9%
pN2	pNR1	1	0	1	100.0%
	pNR2	32	8	24	75.0%
	pNR3	35	29	6	17.1%
	Overall	68	37	31	45.6%
Overall	Overall	201	85	116	57.7%

Stratum: ajcc_uicc = pN1

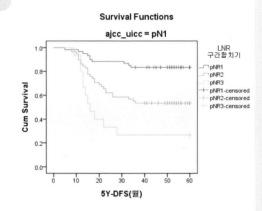

Overall Comparisons

ajcc_uicc		Chi-Square	df	Sig.
pN1	Log Rank (Mantel-Cox)	25.357	2	.000
pN2	Log Rank (Mantel-Cox)	23.592	2	.000

Test of equality of survival distributions for the different levels of LNR 구간합치기.

계층별로 각각 유의한
차이를 보인다.

Stratum: ajcc_uicc = pN2

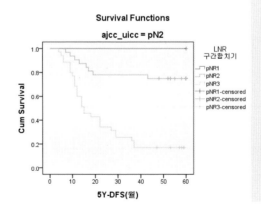

R에서 계층별 생존분석

```
## 변수정의
require(tidyverse)
wd <- mydata %>% transmute(
  time = dfs_mo,
  status = (relapse == 1),
  y = Surv(time, status==1),
  group1 = cut(ln_ratio, breaks=c(-Inf, 0.12, 0.25, Inf), right=F),
  group2 = factor(ifelse(ajcc %in% c("IIIA", "IIIB"), 'pN1', 'pN2'))
)
levels(wd$group1) <- paste0("pNR", 1:3)
summary(wd)
```

```
> summary(wd)
      time          status          y.time              y.status          group1       group2
 Min.   : 4.00   Mode :logical   Min.   : 4.00000   Min.   :0.0000000   pNR1:61    pN1:133
 1st Qu.:16.00   FALSE:116       1st Qu.:16.00000   1st Qu.:0.0000000   pNR2:90    pN2: 68
 Median :50.00   TRUE :85        Median :50.00000   Median :0.0000000   pNR3:50
 Mean   :39.38                   Mean   :39.38308   Mean   :0.4228856
 3rd Qu.:60.00                   3rd Qu.:60.00000   3rd Qu.:1.0000000
 Max.   :60.00                   Max.   :60.00000   Max.   :1.0000000
```

```
## 계층별 생명표
by(wd, wd$group2, function(x) summary(survfit(y ~ group1, data=x)))

## 계층별 로그-순위검정
by(wd, wd$group2, function(x) survdiff(y ~ group1, data=x))
```

```
> by(wd, wd$group2, function(x) survdiff(y ~ group1, data=x))
wd$group2: pN1
Call:
survdiff(formula = y ~ group1, data = x)

              N Observed Expected (O-E)^2/E (O-E)^2/V
group1=pNR1  60       10    24.45      8.54     17.82
group1=pNR2  58       27    19.72      2.69      4.64
group1=pNR3  15       11     3.83     13.42     14.97

 Chisq= 25.4  on 2 degrees of freedom, p= 3e-06
----------------------------------------------------------------
wd$group2: pN2
Call:
survdiff(formula = y ~ group1, data = x)

              N Observed Expected (O-E)^2/E (O-E)^2/V
group1=pNR1   1        0    0.767     0.767     0.805
group1=pNR2  32        8   21.279     8.287    20.599
group1=pNR3  35       29   14.954    13.193    23.477

 Chisq= 23.6  on 2 degrees of freedom, p= 8e-06
```

P=8*(0.1^6)=0.000008

Table4

TABLE 4. *Multivariate analysis of Cox proportional hazard model*

Factor	Category	χ^2	Relative risk	95% CI	P value
Age		.2557	1.005	.986–1.026	.6131
Gender		2.9011			.0885
	Female		1		
	Male		1.480	.940–2.331	
Tumor grade		5.7538			.0165
	G1		1		
	G2		1.482	.926–2.370	
	≥ G3		2.375	1.020–5.526	
pT stage[a]		2.8193			.0931
	PT2		1		
	PT3		1.485	.578–3.816	
	PT4		2.672	.802–8.901	
pN stage[a]		.8047			.3697
	PN1		1		
	PN2		.815	.493–1.347	
pNr[b]		30.7862			< .0001
	pNr1		1		
	pNr2		2.973	1.407–6.280	
	pNr3		8.362	3.739–18.704	
Lymphovascular invasion		10.4807			.006
	Negative		1		
	Positive		2.069	1.318–3.249	

95% CI, confidence interval; G1, well differentiated; G2, moderately differentiated; G3, poorly differentiated.
[a] Classification by the American Joint Committee on Cancer and the International Union Against Cancer system.
[b] Classification by lymph node ratio.

Results:

To determine independent prognostic covariates for 5–year DFS, a multivariate analysis by the Cox proportional hazard regression model was performed. Both pN and pNr categories were considered as factors related to nodal status in this model. As shown in Table 4, pNr was the strongest prognostic covariate (X2 = 30.7862; P < .0001), followed by lymphovascular invasion (X2 = 10.4807; P = .006) and tumor differentiation (X2 = 5.7538; P = .0165). In addition, evaluation of 95% CI for the relative risk (hazard ratio) at each covariate level also confirmed the strong predictive ability of the pNr: patients with pNr2 were three times at risk of experiencing relapse than patients with pNr1 (95% CI, 1.407 – 6.280) and pNr3, eight times at risk than patients with pNr1 (95% CI, 3.739 – 18.704). However, either of the AJCC/UICC pN or pT classification was not found to be an independent prognostic predictor in this model.

⊙ **통계방법**

다변량분석(multivariate analysis): 칵스의 비례위험모형(Cox proportional hazards model) 이용 (Adjusted p–value)

자주하는 질문)

상대위험(Relative risk, RR): 두 군의 위험비, RR = p1/p2

오즈비(Odds ratio, OR): 두 군의 오츠비, OR = odds1/odds2 여기서 odds = p/(1–p)

위험비(Hazard ratio, HR): 두 군의 위험비, HR = $h_1(t)$ / $h_2(t)$

여기서

$$h(t) = \lim_{\Delta t \to 0} \frac{P(t \le T < t + \Delta t \mid T > t)}{\Delta t}$$

$$= \frac{f(t)}{s(t)}, \quad h(t) > 0$$

칵스 회귀모형을 이용한 다변량분석

[분석]-[생존분석]-[Cox 회귀]

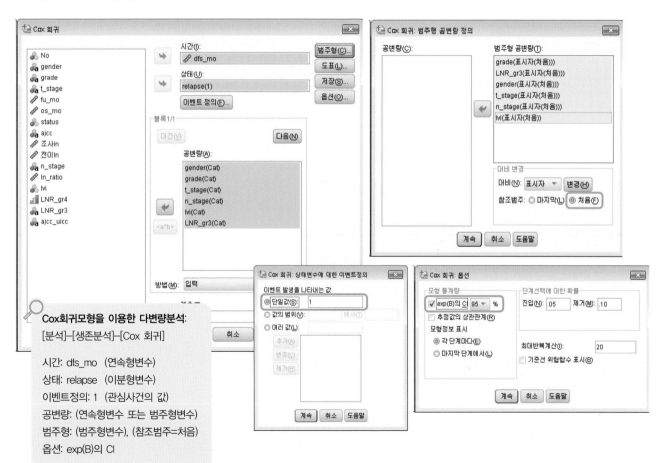

Cox회귀모형을 이용한 다변량분석:

[분석]-[생존분석]-[Cox 회귀]

시간: dfs_mo (연속형변수)

상태: relapse (이분형변수)

이벤트정의: 1 (관심사건의 값)

공변량: (연속형변수 또는 범주형변수)

범주형: (범주형변수), (참조범주=처음)

옵션: exp(B)의 CI

⊙ 다중회귀분석의 목적

목적1) 공변량의 상대적 영향력(adjusted effect of covariates)

다중회귀에서 회귀계수는 다른 변수들의 값을 고정했을 때 공변량 x의 변화가 반응변수 y에 주는 보정된 영향력을 의미함. 상대적인 중요도를 평가하거나 기저변수의 불균형이 존재할 때 활용

목적2) 예측(prediction)

예후 예측을 위해 설명력/적합도가 높은 모형을 선택함, 모형선택기준은 다양함 (AIC, BIC, Concordance 등)

⊙ 다중공선성과 변수선택

공변량들간에 강한 상관관계가 존재하는 경우 회귀계수의 분산을 증가시켜 회귀계수가 잘 못 추정될 수 있음(부호 반대, 유의성 등)

해결방법:

1) 동일한 개념의 변수는 하나만 선택하거나

2) 하나의 통합 지표로 변형한 후 모형에 추가할 것(가령, 키, 몸무게는 BMI 로 대신함)

🩺 칵스 회귀분석 결과 (참조범주=처음)

Cox Regression

Block 1: Method = Enter

Case Processing Summary

		N	Percent
Cases available in analysis	Event[a]	85	42.3%
	Censored	116	57.7%
	Total	201	100.0%
Cases dropped	Cases with missing values	0	0.0%
	Cases with negative time	0	0.0%
	Censored cases before the earliest event in a stratum	0	0.0%
	Total	0	0.0%
Total		201	100.0%

a. Dependent Variable: 5Y-DFS(월)

Omnibus Tests of Model Coefficients[a]

-2 Log Likelihood	Overall (score)			Change From Previous Step			Change From Previous Block		
	Chi-square	df	Sig.	Chi-square	df	Sig.	Chi-square	df	Sig.
790.514	82.804	9	.000	70.708	9	.000	70.708	9	.000

a. Beginning Block Number 1. Method = Enter

Variables in the Equation

	B	SE	Wald	df	Sig.	Exp(B)	95.0% CI for Exp(B)	
							Lower	Upper
gender	.375	.230	2.652	1	.103	1.455	.927	2.284
grade			5.042	2	.080			
grade(1)	-.837	.426	3.859	1	.049	.433	.188	.998
grade(2)	-.445	.420	1.126	1	.289	.641	.281	1.458
t_stage			2.778	2	.249			
t_stage(1)	.409	.481	.726	1	.394	1.506	.587	3.862
t_stage(2)	.982	.613	2.568	1	.109	2.669	.803	8.870
n_stage	-.229	.253	.823	1	.364	.795	.484	1.305
lvi	.734	.228	10.326	1	.001	2.082	1.331	3.258
LNR_gr3			32.189	2	.000			
LNR_gr3(1)	1.095	.381	8.268	1	.004	2.990	1.417	6.307
LNR_gr3(2)	2.147	.406	27.977	1	.000	8.558	3.863	18.961

Categorical Variable Codings[a,c,d,e,f,g]

		Frequency	(1)	(2)
gender[b]	F	95	0	
	M	106	1	
grade[b]	>G2	12	0	0
	G1	101	1	0
	G2	88	0	1
t_stage[b]	T2	23	0	0
	T3	167	1	0
	T4	11	0	1
n_stage[b]	N1	133	0	
	N2	68	1	
lvi[b]	0=negative	124	0	
	1=positive	77	1	
LNR_gr3[b]	pNR1	61	0	0
	pNR2	90	1	0
	pNR3	50	0	1

칵스 회귀분석 결과 (참조범주=마지막)

Cox Regression

Case Processing Summary

		N	Percent
Cases available in analysis	Event[a]	85	42.3%
	Censored	116	57.7%
	Total	201	100.0%
Cases dropped	Cases with missing values	0	0.0%
	Cases with negative time	0	0.0%
	Censored cases before the earliest event in a stratum	0	0.0%
	Total	0	0.0%
Total		201	100.0%

a. Dependent Variable: 5Y-DFS(월)

Categorical Variable Codings[a,c,d,e,f,h]

		Frequency	(1)[g]	(2)
gender[b]	F	95	1	
	M	106	0	
grade[b]	>G2	12	1	0
	G1	101	0	1
	G2	88	0	0
t_stage[b]	T2	23	1	0
	T3	167	0	1
	T4	11	0	0
n_stage[b]	N1	133	1	
	N2	68	0	
lvi[b]	0=negative	124	1	
	1=positive	77	0	
LNR_gr3[b]	pNR1	61	1	0
	pNR2	90	0	1
	pNR3	50	0	0

참조범주=마지막(pNR3)으로 설정됨

범주형 변수는 가변수(dummy variable; 0 또는 1)로 변환이 필요함.
가변수의 개수=범주의 개수 － 1

Block 1: Method = Enter

Omnibus Tests of Model Coefficients[a]

-2 Log Likelihood	Overall (score)			Change From Previous Step			Change From Previous Block		
	Chi-square	df	Sig.	Chi-square	df	Sig.	Chi-square	df	Sig.
790.514	82.804	9	.000	70.708	9	.000	70.708	9	.000

a. Beginning Block Number 1. Method = Enter

Variables in the Equation

	B	SE	Wald	df	Sig.	Exp(B)	95.0% CI for Exp(B)	
							Lower	Upper
gender	-.375	.230	2.652	1	.103	.687	.438	1.079
grade			5.042	2	.080			
grade(1)	.445	.420	1.126	1	.289	1.561	.686	3.555
grade(2)	-.392	.239	2.686	1	.101	.676	.423	1.080
t_stage			2.778	2	.249			
t_stage(1)	-.982	.613	2.568	1	.109	.375	.113	1.245
t_stage(2)	-.572	.422	1.844	1	.174	.564	.247	1.289
n_stage	.229	.253	.823	1	.364	1.258	.766	2.065
lvi	-.734	.228	10.326	1	.001	.480	.307	.751
LNR_gr3			32.189	2	.000			
LNR_gr3(1)	-2.147	.406	27.977	1	.000	.117	.053	.259
LNR_gr3(2)	-1.052	.259	16.433	1	.000	.349	.210	.581

HR=0.117의 의미:

다른 변수들의 값이 일정할 때
LNR_gr3(1)=pNr1인 집단의 보정된 재발위험은
pNr3(참조범주)인 집단에 비해
exp(-2.147)=0.117배, 88.3% 낮다.

(즉, 역수를 취한 값, 1/8.558=0.117)

변수선택방법

[분석]-[생존분석]-[Cox 회귀]

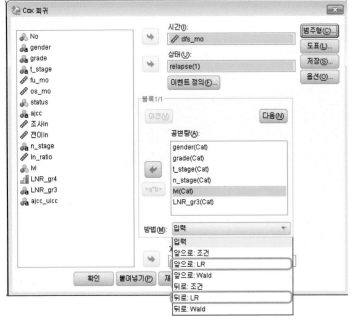

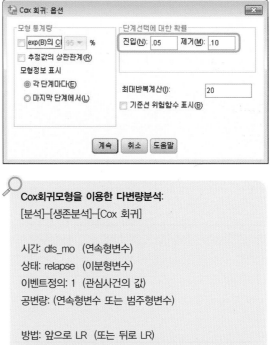

Cox회귀모형을 이용한 다변량분석:

[분석]-[생존분석]-[Cox 회귀]

시간: dfs_mo　(연속형변수)
상태: relapse　(이분형변수)
이벤트정의: 1　(관심사건의 값)
공변량: (연속형변수 또는 범주형변수)

방법: 앞으로 LR　(또는 뒤로 LR)
범주형: (범주형변수), (참조범주=처음)
옵션: 단계선택에 대한 확률 (기본값: 진입=0.05, 제거=0.1)

⊙ 회귀분석에서 변수선택법

1) 전진선택법(forward selection): 절편만 있는 모형에서 시작하여 진입 기준에 따라 영향력이 가장 큰 변수부터 하나씩 추가, 진입 기준을 만족하는 변수가 없으면 중단 / 단점: 한번 진입한 변수는 제거되지 않음

2) 후진제거법(backward elimination): 모든 변수가 포함된 모형에서 시작하여 제거 기준에 따라 영향력이 가장 적은 변수부터 하나씩 제거, 제거 기준을 만족하는 변수가 없으면 중단 / 단점: 한번 제거된 변수는 다시 진입되지 않음

3) 단계선택법(stepwise selection): 전진선택법과 후진제거법의 단점을 보완한 방법, 절편만 있는 모형에서 시작하여 변수를 하나씩 추가하면서 진입기준과 제거기준에 따라 추가, 제거를 반복한다. (SPSS Cox 회귀에서는 해당 기능을 제공하지 않음)

🩺 앞으로 LR 결과

Block 1: Method = Forward Stepwise (Likelihood Ratio)

Omnibus Tests of Model Coefficients[d]

Step	-2 Log Likelihood	Overall (score)			Change From Previous Step			Change From Previous Block		
		Chi-square	df	Sig.	Chi-square	df	Sig.	Chi-square	df	Sig.
1[a]	812.569	56.796	2	.000	48.654	2	.000	48.654	2	.000
2[b]	804.282	65.535	3	.000	8.287	1	.004	56.940	3	.000
3[c]	796.141	74.754	5	.000	8.141	2	.017	65.081	5	.000

a. Variable(s) Entered at Step Number 1: LNR_gr3

b. Variable(s) Entered at Step Number 2: lvi

c. Variable(s) Entered at Step Number 3: grade

d. Beginning Block Number 1. Method = Forward Stepwise (Likelihood Ratio)

🔍 전진선택법(진입=0.05, 제거=0.1 기준)
Null 모형에서 시작하여 우도비검정에 근거하여 LNR_gr3, lvi, grade 순으로 유의한 변수들을 하나씩 추가함, Step3에서 멈춤

Variables in the Equation

		B	SE	Wald	df	Sig.	Exp(B)
Step 1	LNR_gr3			45.560	2	.000	
	LNR_gr3(1)	-2.137	.356	36.038	1	.000	.118
	LNR_gr3(2)	-1.126	.233	23.273	1	.000	.324
Step 2	lvi	.639	.222	8.318	1	.004	1.894
	LNR_gr3			39.477	2	.000	
	LNR_gr3(1)	-2.055	.357	33.069	1	.000	.128
	LNR_gr3(2)	-1.012	.237	18.190	1	.000	.363
Step 3	grade			8.842	2	.012	
	grade(1)	.615	.375	2.689	1	.101	1.849
	grade(2)	-.452	.235	3.692	1	.055	.637
	lvi	.741	.227	10.685	1	.001	2.099
	LNR_gr3			37.682	2	.000	
	LNR_gr3(1)	-1.985	.359	30.508	1	.000	.137
	LNR_gr3(2)	-1.034	.240	18.494	1	.000	.356

🔍 최종 모형

뒤로 LR 결과

Block 1: Method = Backward Stepwise (Likelihood Ratio)

Omnibus Tests of Model Coefficients[e]

Step	-2 Log Likelihood	Overall (score)			Change From Previous Step			Change From Previous Block		
		Chi-square	df	Sig.	Chi-square	df	Sig.	Chi-square	df	Sig.
1[a]	790.514	82.804	9	.000	70.708	9	.000	70.708	9	.000
2[b]	791.336	81.816	8	.000	.822	1	.365	69.886	8	.000
3[c]	793.786	76.921	6	.000	2.450	2	.294	67.436	6	.000
4[d]	796.141	74.754	5	.000	2.355	1	.125	65.081	5	.000

a. Variable(s) Entered at Step Number 1: gender grade t_stage n_stage lvi LNR_gr3

b. Variable Removed at Step Number 2: n_stage

c. Variable Removed at Step Number 3: t_stage

d. Variable Removed at Step Number 4: gender

e. Beginning Block Number 1. Method = Backward Stepwise (Likelihood Ratio)

후진제거 (진입=0.05, 제거=0.1 기준):
Full 모형에서 시작하여 우도비 검정에 근거하여 n_stage, t_stage, gender 순으로 유의하지 않은 변수를 하나씩 제거함, Step4에서 멈춤

Variables in the Equation

		B	SE	Wald	df	Sig.	Exp(B)
Step 1	gender	-.375	.230	2.652	1	.103	.687
	grade			5.042	2	.080	
	grade(1)	.445	.420	1.126	1	.289	1.561
	grade(2)	-.392	.239	2.686	1	.101	.676
	t_stage			2.778	2	.249	
	t_stage(1)	-.982	.613	2.568	1	.109	.375
	t_stage(2)	-.572	.422	1.844	1	.174	.564
	n_stage	.229	.253	.823	1	.364	1.258
	lvi	.734	.228	10.326	1	.001	2.082
	LNR_gr3			32.189	2	.000	
	LNR_gr3(1)	-2.147	.406	27.977	1	.000	.117
	LNR_gr3(2)	-1.052	.259	16.433	1	.000	.349

		B	SE	Wald	df	Sig.	Exp(B)
Step 3	gender	-.344	.225	2.340	1	.126	.709
	grade			8.633	2	.013	
	grade(1)	.688	.379	3.301	1	.069	1.990
	grade(2)	-.398	.238	2.807	1	.094	.671
	lvi	.751	.228	10.888	1	.001	2.119
	LNR_gr3			39.471	2	.000	
	LNR_gr3(1)	-2.065	.364	32.269	1	.000	.127
	LNR_gr3(2)	-1.082	.244	19.617	1	.000	.339
Step 4	grade			8.842	2	.012	
	grade(1)	.615	.375	2.689	1	.101	1.849
	grade(2)	-.452	.235	3.692	1	.055	.637
	lvi	.741	.227	10.685	1	.001	2.099
	LNR_gr3			37.682	2	.000	
	LNR_gr3(1)	-1.985	.359	30.508	1	.000	.137
	LNR_gr3(2)	-1.034	.240	18.494	1	.000	.356

최종 모형

☺ R에서 칵스 회귀모형을 이용한 다변량회귀분석

```
## 변수정의
require(tidyverse)
wd <- mydata %>% mutate(
  time = dfs_mo, status = (relapse == 1),
  LNR_re = ifelse(ln_ratio <0.12, "pNR1",
            ifelse(ln_ratio <0.25, "pNR2", "pNR3"))
)
xvars <- c("gender", "grade", "t_stage", "n_stage", "LNR_re", "lvi")
f <- as.formula(paste("Surv(time, status==1) ~ ",
            paste(xvars, collapse = " + ")))
```

```
> f
Surv(time, status == 1) ~ gender + grade + t_stage + n_stage +
    LNR_re + lvi
```

```
## Cox 회귀모형
require(survival)
fit <- coxph(f, data=wd, method="breslow"); summary(fit)

## HR 구하기
require(tableone)
ShowRegTable(fit, digits=3, pDigits=5, ciFun=confint.default, exp=T)
```

```
> ## HR 구하기
> require(tableone)
> ShowRegTable(fit, digits=3, pDigits=5, ciFun=confint.default, exp=T)
            exp(coef) [confint]      p
genderM     1.455 [0.927, 2.284]    0.10342
gradeG1     0.433 [0.188, 0.998]    0.04949
gradeG2     0.641 [0.281, 1.458]    0.28860
t_stageT3   1.506 [0.587, 3.862]    0.39433
t_stageT4   2.669 [0.803, 8.870]    0.10907
n_stageN2   0.795 [0.484, 1.305]    0.36423
LNR_repNR2  2.990 [1.417, 6.307]    0.00404
LNR_repNR3  8.558 [3.863, 18.961]  <0.00001
lvi         2.082 [1.331, 3.258]    0.00131
```

R에서 칵스 회귀모형에서 변수선택방법 (AIC 기준)

```
## 모형정의
null <- coxph(Surv(time, status==1) ~ 1, data=wd)
full <- fit

#전진선택법
forward = step(null, direction="forward",
          scope=list(upper=formula(full)), trace=T)

#후진제거법
backward = step(full, trace=T)

#단계선택법
bothway = step(null, direction="both",
          scope=list(upper=formula(full)), trace=T)

summary(bothway)
```

Null model에서 출발하여 AIC 기준 유의한 변수들을 하나씩 추가해 감, AIC는 낮을수록 좋음

전진선택법

```
Start:  AIC=859.52
Surv(time, status == 1) ~ 1

           Df    AIC
+ LNR_re    2 813.60
+ lvi       1 848.08
+ t_stage   2 853.11
+ n_stage   1 854.60
+ grade     2 855.46
<none>        859.52
+ gender    1 861.40

Step:  AIC=813.6
Surv(time, status == 1) ~ LNR_re

           Df    AIC
+ lvi       1 807.01
+ grade     2 811.49
+ t_stage   2 812.27
+ gender    1 813.07
<none>        813.60
+ n_stage   1 814.85

Step:  AIC=807.01
Surv(time, status == 1) ~ LNR_re + lvi

           Df    AIC
+ grade     2 802.36
+ t_stage   2 805.63
+ gender    1 806.15
<none>        807.01
+ n_stage   1 808.37

Step:  AIC=802.36
Surv(time, status == 1) ~ LNR_re + lvi + grade

           Df    AIC
+ gender    1 801.92
<none>        802.36
+ t_stage   1 803.91
+ n_stage   1 804.08

Step:  AIC=801.92
Surv(time, status == 1) ~ LNR_re + lvi + grade + gender

           Df    AIC
<none>        801.92
+ n_stage   1 803.32
+ t_stage   2 803.58
```

후진제거법

```
Start:  AIC=808.51
Surv(time, status == 1) ~ gender + grade + t_stage + n_stage +
    LNR_re + lvi

           Df    AIC
- t_stage   2 807.18
- n_stage   1 807.34
<none>        808.51
- gender    1 809.18
- grade     2 809.40
- lvi       1 816.76
- LNR_re    2 838.27

Step:  AIC=807.18
Surv(time, status == 1) ~ gender + grade + n_stage + LNR_re +
    lvi

           Df    AIC
- n_stage   1 805.79
<none>        807.18
- gender    1 807.86
- grade     2 810.50
- lvi       1 815.86
- LNR_re    2 839.81

Step:  AIC=805.79
Surv(time, status == 1) ~ gender + grade + LNR_re + lvi

           Df    AIC
<none>        805.79
- gender    1 806.14
- grade     2 809.51
- lvi       1 814.63
- LNR_re    2 844.42
```

Full model에서 출발하여 AIC 기준 유의하지 않은 변수들을 하나씩 제거해 감

결론

Table1	요인별 생존율 비교 Tumor grade, Lymphovascular invasion, pT stage, pN stage에서 유의한 차이를 보였다.
Table2 **Figure1-2**	LNR (lymph node ratio)에 따른 생존율 비교 pNr1(0.11-), pNr2(0.12-0.24), pNr3(0.25+)에 따라 유의한 차이를 보였다(p<0.001)
Table3	AJCC/UICC pN1 and pN2 nodal category와 ratio-based staging (pNr)에 따른 생존율 비교 1) pN1: pNr에 따라 유의한 차이를 보였다(p<0.001). 2) pN2: pNr에 따라 유의한 차이를 보였다(p<0.001).
Table4	공변량 보정 후 pNr에 따른 생존율 비교 공변량 보정 후에도 유의하였다(adjusted p<0.001).

예제 3

Anorectal manometry

자료설명

연구목적

- 이 연구의 목적은 방사선치료가 대장항문 기능 변화에 미치는 영향과 방사선 독성에 대해 분석하였다.

대상

- 2007년에서 2010년 S병원에서 방사선치료를 받은 전립선암(prostate cancer) 환자 54명을 후향적으로 조사하였다.

통계분석

- 방사선치료 전과 후의 대장항문 기능 비교를 위해 대응표본 t−검정을 실시하였고, 독성과 관련 있는 인자를 찾기 위해 로지스틱 회귀분석을 실시하였다.

- 통계 처리는 SPSS22를 이용하여 시행되었으며 p−값이 0.05 미만인 경우를 통계학적으로 유의성이 있는 것으로 간주하였다.

관련논문

- CHOI Y, PARK W, RHEE PL. Can Anorectal Manometry Findings Predict Subsequent Late Gastrointestinal Radiation Toxicity in Prostate Cancer Patients?. *Cancer research and treatment: official journal of Korean Cancer Association*, 2016, 48.1: 297.

분석절차

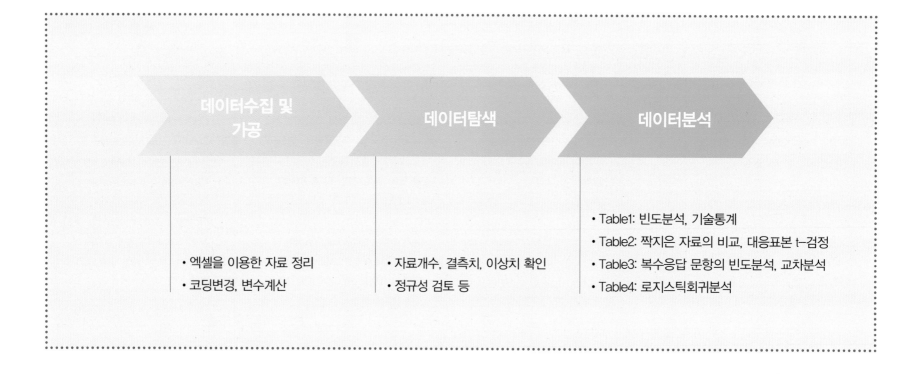

데이터수집 및 가공

- 엑셀을 이용한 자료 정리
- 코딩변경, 변수계산

데이터탐색

- 자료개수, 결측치, 이상치 확인
- 정규성 검토 등

데이터분석

- Table1: 빈도분석, 기술통계
- Table2: 짝지은 자료의 비교, 대응표본 t-검정
- Table3: 복수응답 문항의 빈도분석, 교차분석
- Table4: 로지스틱회귀분석

🩺 엑셀에서 자료정리 (Anorectal manometry.xlsx)

	A	B	C	D	E	F	G	H	I	J	K	L	M	N	O	P	Q	R	S
	환자번호	hormone therapy 시행 여부		ECOG performance status	T stage 3 or 4 여부	(pelvic) lymph node positive 여부	Treatment technique	Gleason score 합	initial PSA level	Late toxicity (RT 후 6개월 뒤 증상) 발생 여부	Late toxicity (RT 후 6개월 뒤 증상) 중 CTCAE기준 grade 2 이상 독성 발생여부	첫 anorectal manometry 의 anal spinchter pressure의 최 대값	첫 측정시 external anal spinchter pressure의 최 대값	첫 측정시 urge to defecate volume	두번째 anorectal manometry 의 anal spinchter pressure의 최 대값		재 측정시 external anal spinchter pressure 의 최 대값	재 측정시 urge to defec t volu
1																			
2	No	HT	Age_yr	ECOG	Tstage_34	LN_positive	RT	GS_sum	iPSA	LATEtoxicity	After6moG2	preASPmax	preLENGmax	preEASmax	preSENmax	postASPmax	postLENGmax x	postEASmax	postSENmax
36	33	1	72					8	44.4	0	0	321.5	3.2	236.2	140	168.5	2.9	194.3	170
37	34	1	74	1	1	0	1	9	41.3	0	0	196	4.8	205.7	120	135.5	4.2	154.3	140
38	35	1	82	0	0	0	1	8	8.3	0	0	152	4.2	125.7	140	133	3.7	289.5	180
39	36	1	66	1	1	0	1	7	50	0	0	254	3.5	167.6	140	184	3.9	205.7	160
40	37	0	78	1	0	0	1	6	7.8	0	0	134	3	163.8	160	166.5	3	99	190
41	38	1	75	1	1	0	1	9	28.2	0	0	134.5	3.9	179	200	71.5	3.6	247.5	260
42	39	1	65	1	0	1		7	6.2	0	0	230.5	2.6	300.9	140	253.5	2.9	167.6	220
43	40	1	65	1	1	1	0	7	32.9	1	1	55	4.1	106.6	110	73.5	4	85.7	140
44	41	1	76	1	1	1	0	9	137	0	0	176	2.8	194.3	280	209.5	3.8	140.9	180
45	42	0	73	1	1	0	0	6	7.9	0	0	156.5	3.8	119.2	90	131.2	3.6	125.7	130
46	43	0	78	0	0	0	1		5.87	0	0	94.5	3.6	186.6	300	145.5	3.9	251.4	300
47	44	0	65	0	1	0	1	8	139	0	0	133	4.1	175.2	160	193	3.6	188.4	160
48	45	0	79	0	1	0	1	7	13.6	0	0	107.5	2.9	78.1	260	124.5	2.8	182.8	140
49	46	1	60	1	1	0	1	7	173	0	0	296	4.9	159.6	180	208	4.1	171.4	160
50	47	1	74	0	1	0	1	9	24.4	0	0	119.5	2.8	236.2	180	158	3.1	198.1	190
51	48	1	65	1	1	0	1	9	13.1	0	0	53.5	3.6	270.5	200	90	3.6	150.5	190
52	49	0	78	1	0	0	1	6	12.8	0	0	407	4.1	190.5	300	258	3.9	157.7	220
53	50	0	75	1	0	0	1	6	11.8	1	1	164	3.2	190.5	300	132	4.4	150	280
54	51	1	71	1	1	0	1	9	33.8	1	1	252.5	4.2	118.1	190	163.5	4.2	180.6	180
55	52	1	71	1	1	0	1	8	23	1	1	179.5	4.2	163.8	240	117	3.5	137.1	300
56	53	1	49	1	1	0		8	29.6	1	0	144.5	4	167.6	300	118.5	4.1	186.6	240
57	54	1	76	1	0	0	1	7	13.6	0	0	212.5	4.2	167.6	230	158	3.6	140.9	120

변수이름

🔍 자료구조:
변수는 열단위에, 관측값은 행단위에 배치한다. 즉 행번호는 환자수, 열번호는 조사된 항목수와 일치

변수이름:
첫 줄에 변수이름을 넣는다. 단, 중복 안됨, 특수문자 사용 금지("_" 제외), 띄어쓰기 금지, 간략하게 (8자 미만 추천)

변수/변수값 설명:
방법1) 연구데이터 공유를 위해 별도 시트를 만들어 변수설명서, 즉 코드북(codebook)을 관리하라.
방법2) 간단히 메모하는 경우 변수이름 위쪽으로 설명을 추가한다. (여러 줄 삽입 가능), 메모기능 가급적 자제

⊙ 변수이름 규칙

- 한글, 영문, 숫자, "_" 조합 가능
- 단, 숫자로 시작하지 말 것, 띄어쓰기 금지, 특수문자("-", 괄호, 줄바꿈 등) 사용 금지
- 변수이름은 중복해서 사용 안됨
- 통계프로그램에 따라 대소문자를 구분 함 (가령, a와 A는 다름)

⚕ SPSS로 데이터 불러오기

엑셀파일 종료 ➔ SPSS메뉴: [파일]–[열기]–[데이터]–[Anorectal manometry.xlsx] 또는 [엑셀파일을 드래그
해서 던져 넣기]

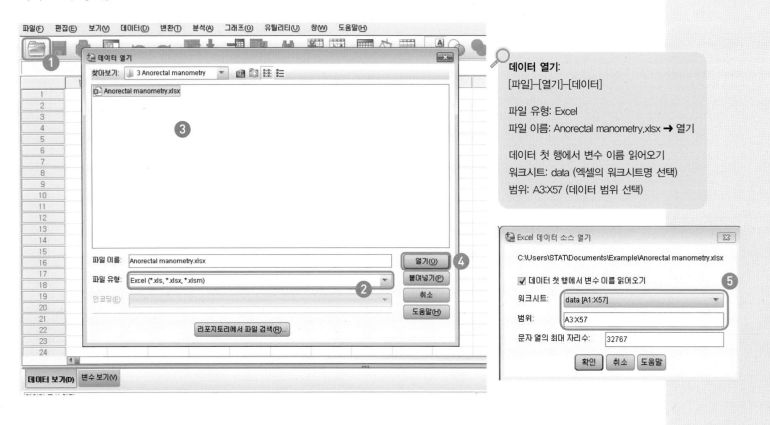

데이터 열기:

[파일]–[열기]–[데이터]

파일 유형: Excel
파일 이름: Anorectal manometry.xlsx ➔ 열기

데이터 첫 행에서 변수 이름 읽어오기
워크시트: data (엑셀의 워크시트명 선택)
범위: A3:X57 (데이터 범위 선택)

데이터 보기 (n=54)

	No	HT	Age_yr	ECOG	Tstage_34	LN_positive	RT	GS_sum	iPSA	LATEtoxicity	After6moG2
32	32.0	1.0	74.0	.0	1.0	.0	1.0	8.0	34.60	.0	.0
33	33.0	1.0	72.0	.0	1.0	.0	1.0	8.0	44.40	1.0	1.0
34	34.0	1.0	74.0	1.0	1.0	.0	.0	9.0	41.30	.0	.0
35	35.0	1.0	82.0	.0	.0	.0	1.0	9.0	8.30	.0	.0
36	36.0	1.0	66.0	1.0	1.0	.0	.0	7.0	50.00	.0	.0
37	37.0	.0	78.0	1.0	.0	.0	1.0	6.0	7.80	.0	.0
38	38.0	1.0	75.0	1.0	.0	.0	1.0	9.0	28.20	.0	.0
39	39.0	1.0	65.0	1.0	.0	.0	1.0	7.0	6.20	.0	.0
40	40.0	1.0	65.0	1.0	1.0	1.0	.0	7.0	32.90	1.0	1.0
41	41.0	1.0	76.0	1.0	1.0	1.0	.0	9.0	137.00	.0	.0
42	42.0	.0	73.0	1.0	1.0	.0	.0	6.0	7.90	.0	.0
43	43.0	.0	78.0	.0	.0	.0	1.0	6.0	5.87	.0	.0
44	44.0	.0	65.0	.0	1.0	.0	1.0	8.0	139.00	.0	.0
45	45.0	.0	79.0	.0	1.0	.0	1.0	7.0	13.60	.0	.0
46	46.0	.0	60.0	1.0	1.0	.0	1.0	7.0	173.00	.0	.0
47	47.0	1.0	74.0	1.0	1.0	1.0	.0	9.0	24.40	.0	.0
48	48.0	1.0	65.0	1.0	1.0	1.0	.0	9.0	13.10	.0	.0
49	49.0	.0	78.0	1.0	.0	.0	1.0	6.0	12.80	.0	.0
50	50.0	.0	75.0	1.0	.0	.0	1.0	6.0	11.80	1.0	1.0
51	51.0	1.0	72.0	1.0	1.0	1.0	1.0	9.0	33.80	1.0	.0
52	52.0	1.0	71.0	1.0	1.0	.0	.0	8.0	23.00	1.0	1.0
53	53.0	1.0	49.0	1.0	1.0	1.0	.0	8.0	29.60	1.0	.0
54	54.0	.0	76.0	1.0	.0	.0	1.0	7.0	13.60	.0	.0
55											

데이터 보기(D)   변수 보기(V)

변수이름과 데이터개수, 데이터 유형 등을 확인한다.
(숫자: 오른쪽 정렬, 문자: 왼쪽 정렬 됨)

변수 보기 (소수점, 레이블, 값, 측도 등 수정)

	이름	유형	너비	소수점이...	레이블	값	결측값	열	맞춤	측도	역할
1	No	숫자	12	1	환자번호	없음	없음	12	≡ 오른쪽	♣ 명목형	＼ 입력
2	HT	숫자	12	1	hormone ther...	{0, No}...	없음	12	≡ 오른쪽	♣ 명목형	＼ 입력
3	Age_yr	숫자	12	1		없음	없음	12	≡ 오른쪽	✏ 척도	＼ 입력
4	ECOG	숫자	12	1	ECOG perform...	{0, No}...	없음	12	≡ 오른쪽	♣ 명목형	＼ 입력
5	Tstage_34	숫자	12	1	T stage 3 or 4 ...	{0, No}...	없음	12	≡ 오른쪽	♣ 명목형	＼ 입력
6	LN_positive	숫자	12	1	(pelvic) lymph ...	{0, No}...	없음	12	≡ 오른쪽	♣ 명목형	＼ 입력
7	RT	숫자	12	1	Treatment tec...	{0, No}...	없음	12	≡ 오른쪽	♣ 명목형	＼ 입력
8	GS_sum	숫자	12	1	Gleason scor...	없음	없음	12	≡ 오른쪽	✏ 척도	＼ 입력
9	iPSA	숫자	12	1	initial PSA level	없음	없음	12	≡ 오른쪽	✏ 척도	＼ 입력
10	LATEtoxicity	숫자	12	1	Late toxicity (R...	없음	없음	12	≡ 오른쪽	♣ 명목형	＼ 입력
11	After6moG2	숫자	12	1	Late toxicity (R...	{0, No}...	없음	12	≡ 오른쪽	♣ 명목형	＼ 입력
12	preASPmax	숫자	12	1	첫 anorectal m...	없음	없음	12	≡ 오른쪽	✏ 척도	＼ 입력
13	preLENGmax	숫자	12	1		없음	없음	12	≡ 오른쪽	✏ 척도	＼ 입력
14	preEASmax	숫자	12	1	첫 측정시 exter...	없음	없음	12	≡ 오른쪽	✏ 척도	＼ 입력
15	preSENmax	숫자	12	1	첫 측정시 urge...	없음	없음	12	≡ 오른쪽	✏ 척도	＼ 입력
16	postASPmax	숫자	12	1	두번째 anorect...	없음	없음	12	≡ 오른쪽	✏ 척도	＼ 입력
17	postLENG...	숫자	12	1		없음	없음	12	≡ 오른쪽	✏ 척도	＼ 입력
18	postEASmax	숫자	12	1	재 측정시 exter...	없음	없음	12	≡ 오른쪽	✏ 척도	＼ 입력
19	postSENmax	숫자	12	1	재 측정시 urge...	없음	없음	12	≡ 오른쪽	✏ 척도	＼ 입력
20	pRTGIblee...	숫자	8	0	RT 후 증상 분...	{0, No}...	없음	8	≡ 오른쪽	♣ 명목형	＼ 입력
21	pGIdiarrhea	숫자	8	0	RT 후 증상 분...	{0, No}...	없음	8	≡ 오른쪽	♣ 명목형	＼ 입력
22	pRTGIurge...	숫자	8	0	RT 후 증상 분...	{0, No}...	없음	8	≡ 오른쪽	♣ 명목형	＼ 입력
23	pRTGIcons...	숫자	8	0	RT 후 증상 분...	{0, No}...	없음	8	≡ 오른쪽		
24	pRTGIinco...	숫자	8	0	RT 후 증상 분...	{0, No}...	없음	8	≡ 오른쪽		

- **이름**: 변수이름은 한글, 영문, 숫자, "_" 조합 가능 (단, 숫자로 시작할 수 없음), 띄어쓰기 및 특수문자("–", 괄호, 줄바꿈 등) 사용 안됨, 중복 사용 안됨
- **유형**: 숫자, 문자, 날짜 등 선택 가능
- **레이블**: 변수 설명 넣기, 특수문자 사용가능, 출력결과에 반영됨
- **값**: 변수값 설명
- **결측값**: 사용자정의 결측값 설정 (빈칸은 자동으로 시스템 결측값으로 인식함)
- **열**: 데이터보기의 열 너비 설정
- **맞춤**: 문자는 오른쪽 정렬, 숫자는 왼쪽 정렬이 기본값
- **측도**: 분석결과에 영향을 주지 않으나 변수 구분용으로 설정해 두면 분석 시 편리함

⊙ **명령문으로 변수 값 넣기**

명령문을 이용하면 값 확인 및 수정이 편리함

[파일]–[새파일]–[명령문]

Value labels
변수이름1 값 '설명' /
변수이름2 값 '설명' /
변수이름3 값 '설명' .

[Syntax Editor 메뉴]–[실행]–[모두]

Anorectal manometry.sps - IBM SPSS Statistics Syntax Editor

파일(F) 편집(E) 보기(V) 데이터(D) 변환(T) 분석(A) 그래프(G) 유틸리티(U) 실행(R) 도구(S) 창(W) 도움말(H)

► 모두(A)
► 선택영역(S)   Ctrl+R
► 끝까지(T)
통과 단계(P) ►
● 계속(U)   Ctrl+F3
활성 데이터 세트(D) ►

VALUE LABELS

```
1  ▶ VALUE LABELS
2    HT 1 'Yes' 0 'No' /
3    ECOG 1 'Yes' 0 'No' /
4    Tstage_34 1 'Yes' 0 'No' /
5    LN_positive 1 'Yes' 0 'No' /
6    RT 1 'Yes' 0 'No' /
7    LATEtoxicity 1 'Yes' 0 'No' /
8    After6moG2 1 'Yes' 0 'No' .
9
10
```

모두(A)   IBM SPSS Statistics 프로세서 준비 완료   Unicode:ON In 1 Col 0   NUM

R에서 데이터 불러오기

```
## 엑셀파일 불러오기
require(readxl)
mydata <- read_excel("Anorectal manometry.xlsx", sheet="data",
range="a3:x57")
```

```
> mydata
# A tibble: 54 x 24
      NO    HT Age_yr  ECOG Tstage_34 LN_positive     RT GS_sum  iPSA LATEtoxicity After6moG2 preASPmax preLENGmax preEASmax preSENmax
   <dbl> <dbl>  <dbl> <dbl>     <dbl>       <dbl>  <dbl>  <dbl> <dbl>        <dbl>      <dbl>     <dbl>      <dbl>     <dbl>     <dbl>
 1     1     1     65     1         1           0      0     10  21.9            0          0      328.        3.5      251.       170
 2     2     0     70     1         0           0      0      6   4.3            0          0      146         4.5      152.       190
 3     3     0     72     0         0           0      0      7  10.6            0          0      104         3.4      503.       170
 4     4     1     60     0         0           1      0      8  27.3            0          0      250.        4.2      366.       170
 5     5     0     75     0         0           0      0      4   4.2            0          0      203         4.8      198.       210
 6     6     1     52     1         1           1      0      8  15.3            1          1      139         3.5      198.       270
 7     7     1     60     1         1           1      0      9  17.5            1          1      247.        4.1      137.       230
 8     8     0     74     1         0           0      0      6  11.8            0          0      157         4.3      206.       150
 9     9     1     67     1         0           0      0      8  76.1            0          0      188         4.8      465.       220
10    10     1     76     0         1           0      0      7  62.4            0          0       74.5       4.3       43.4      150
# ... with 44 more rows, and 9 more variables: postASPmax <dbl>, postLENGmax <dbl>, postEASmax <dbl>, postSENmax <dbl>,
#   pRTGIbleeding <dbl>, pGIdiarrhea <dbl>, pRTGIurgency <dbl>, pRTGIconstipation <dbl>, pRTGIincontinece <dbl>
```

```
## SPSS 데이터파일
require(haven)
mydata2 <- read_sav("Anorectal manometry.sav")
```

```
> mydata2
# A tibble: 54 x 24
      NO        HT Age_yr    ECOG Tstage_34 LN_positive       RT GS_sum  iPSA LATEtoxicity After6moG2 preASPmax preLENGmax preEASmax
   <dbl> <dbl+l>  <dbl> <dbl+l>  <dbl+lbl>    <dbl+lbl> <dbl+>  <dbl> <dbl>    <dbl+lbl>  <dbl+lbl>     <dbl>      <dbl>     <dbl>
 1     1 1 [Yes]     65 1 [Yes]  1 [Yes]      0 [No]  0 [No]     10  21.9    0 [No]     0 [No]      328.        3.5      251.
 2     2 0 [No]      70 1 [Yes]  0 [No]       0 [No]  0 [No]      6   4.3    0 [No]     0 [No]      146         4.5      152.
 3     3 0 [No]      72 0 [No]   0 [No]       0 [No]  0 [No]      7  10.6    0 [No]     0 [No]      104         3.4      503.
 4     4 1 [Yes]     60 0 [No]   0 [No]       1 [Yes] 0 [No]      8  27.3    0 [No]     0 [No]      250.        4.2      366.
 5     5 0 [No]      75 0 [No]   0 [No]       0 [No]  0 [No]      4   4.2    0 [No]     0 [No]      203         4.8      198.
 6     6 1 [Yes]     52 1 [Yes]  1 [Yes]      1 [Yes] 0 [No]      8  15.3    1 [Yes]    1 [Yes]     139         3.5      198.
 7     7 1 [Yes]     60 1 [Yes]  1 [Yes]      1 [Yes] 0 [No]      9  17.5    1 [Yes]    1 [Yes]     247.        4.1      137.
 8     8 0 [No]      74 1 [Yes]  0 [No]       0 [No]  0 [No]      6  11.8    0 [No]     0 [No]      157         4.3      206.
 9     9 1 [Yes]     67 1 [Yes]  0 [No]       0 [No]  0 [No]      8  76.1    0 [No]     0 [No]      188         4.8      465.
10    10 1 [Yes]     76 0 [No]   1 [Yes]      0 [No]  0 [No]      7  62.4    0 [No]     0 [No]       74.5       4.3       43.4
# ... with 44 more rows, and 10 more variables: preSENmax <dbl>, postASPmax <dbl>, postLENGmax <dbl>, postEASmax <dbl>,
#   postSENmax <dbl>, pRTGIbleeding <dbl+lbl>, pGIdiarrhea <dbl+lbl>, pRTGIurgency <dbl+lbl>, pRTGIconstipation <dbl+lbl>,
#   pRTGIincontinece <dbl+lbl>
```

⊙ R에서 데이터 불러오기

패키지명 :: 함수명

#엑셀 파일 불러오기
readxl :: read_excel("myfile.xlsx",
sheet="워크시트명", range="데이터범위")

#SPSS 데이터파일 불러오기
haven :: read_sav("myfile.sav")

#텍스트 파일 불러오기
read.table("myfile.txt", header=T)

#CSV 파일 불러오기
read.csv("myfile.csv")
read.table("myfile.csv", header=T,
sep="\t")

⚕ Table1

Table 1. Patient and treatment characteristics (n=54)

Variable	No. (%)
Median (range, yr)	72 (49-82)
ECOG performance status	
0	23 (42.6)
1	31 (57.4)
T stage	
T1c	1 (1.9)
T2	20 (37.0)
T3a	15 (27.8)
T3b	16 (29.6)
T4	2 (3.7)
N stage	
N0	38 (70.4)
N1	16 (29.6)
Gleason score	7 (6-10)
Median initial PSA (range, ng/mL)	16.1 (4.2-322.0)
Hormone therapy	
Yes	19 (35.2)
No	35 (64.8)
Radiotherapy	
Median dose (range, Gy)	70 (66.0-74.0)
RT volume	
Whole pelvis	16 (29.6)
Prostate±SV	38 (70.4)
Treatment technique	
3D-CRT	40 (74.1)
IMRT	14 (25.9)

Patients:

Fifty-four patients with prostate cancer were treated with definitive RT at Samsung Medical Center between 2007 and 2010. After approval by the Institutional Review Board (IRB File No. 2013-11-022), the medical and RT records of patients were retrospectively reviewed. All patients underwent ARM within 1 month before RT (pre-RT) and 4-6 months after RT (post-RT). The patients' characteristics are summarized in Table 1. The median age of patients was 72 years (range, 49 to 82 years). Suspected pelvic lymph node metastasis was noted in 16 patients (29.6%). Nineteen patients (35.2%) underwent hormone therapy with RT.

⊙ 기술통계에서 유의사항

정규성 가정이 타당한 경우 평균(mean)과 표준편차(SD, standard deviation)를 제시하고, 순위자료(ordinal data)이거나 치우친 자료는 중앙값(median)과 범위(range) 또는 사분위수범위(interquartile range)를 제시하라.

데이터탐색 (결측치 개수, 이상치, 정규성 검토)

[분석]–[기술통계량]–[데이터탐색]

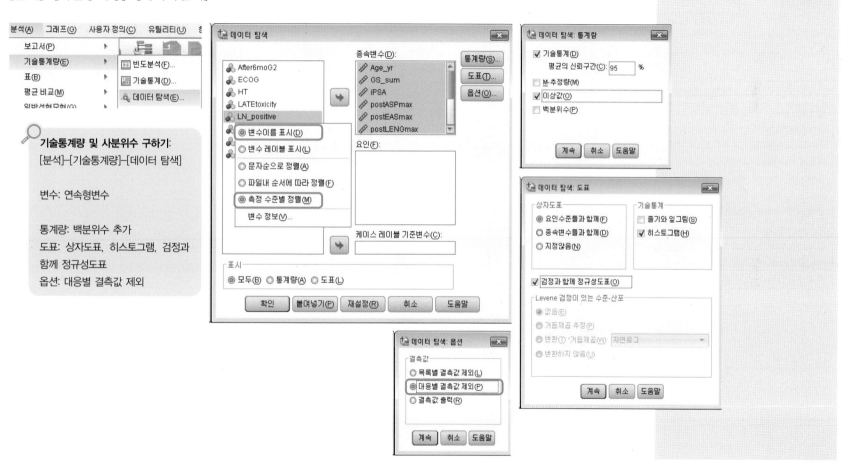

기술통계량 및 사분위수 구하기:
[분석]–[기술통계량]–[데이터 탐색]

변수: 연속형변수

통계량: 백분위수 추가
도표: 상자도표, 히스토그램, 검정과
함께 정규성도표
옵션: 대응별 결측값 제외

자료개수 및 결측치 개수 확인

Explore

Case Processing Summary

	Cases					
	Valid		Missing		Total	
	N	Percent	N	Percent	N	Percent
Age_yr	54	100.0%	0	0.0%	54	100.0%
Gleason score 합	53	98.1%	1	1.9%	54	100.0%
initial PSA level	54	100.0%	0	0.0%	54	100.0%
두번째 anorectal manometry 의 anal spinchter pressure의 최대값	54	100.0%	0	0.0%	54	100.0%
재 측정시 external anal spinchter pressure 의 최대값	54	100.0%	0	0.0%	54	100.0%
postLENGmax	54	100.0%	0	0.0%	54	100.0%
재 측정시 urge to defecate volume	54	100.0%	0	0.0%	54	100.0%
첫 anorectal manometry 의 anal spinchter pressure의 최대값	54	100.0%	0	0.0%	54	100.0%
첫 측정시 external anal spinchter pressure 의 최대값	54	100.0%	0	0.0%	54	100.0%
preLENGmax	54	100.0%	0	0.0%	54	100.0%
첫 측정시 urge to defecate volume	54	100.0%	0	0.0%	54	100.0%

자료개수 및 결측치 개수를 반드시 확인해야 한다.
결측치가 너무 많은 변수는 주요분석, 특히 다변량분석에서 제외해야 함

결측치 처리방법:
완전한 자료만 이용하거나
결측치 보간법을 이용하여 결측치를 대체한다. (결측치가 적은 경우만 추천함)

⊙ **결측치(missing value):**

· 결측치는 '0' 또는 '특성 없음'과 구분되어야 한다.

· 결측치 대체(imputation)방법: 매우 다양하나 공통적으로 권장되는 방법은 없다.

· 임상시험에서 결측치는 비뚤림을 발생시키는 잠재적인 원인이 된다. 따라서 최소화시키기 위한 노력이 필요하다.

이상치 및 분포모양 확인

Descriptives

			Statistic	Std. Error
Age_yr	Mean		70.611	.9208
	95% Confidence Interval for Mean	Lower Bound	68.764	
		Upper Bound	72.458	
	5% Trimmed Mean		71.051	
	Median		72.500	
	Variance		45.789	
	Std. Deviation		6.7668	
	Minimum		49.0	
	Maximum		82.0	
	Range		33.0	
	Interquartile Range		9.0	
	Skewness		-1.104	.325
	Kurtosis		1.442	.639
initial PSA level	Mean		35.403	7.1713
	95% Confidence Interval for Mean	Lower Bound	21.019	
		Upper Bound	49.787	
	5% Trimmed Mean		26.911	
	Median		16.800	
	Variance		2777.118	
	Std. Deviation		52.6984	
	Minimum		4.2	
	Maximum		322.0	
	Range		317.8	
	Interquartile Range		24.8	
	Skewness		3.746	.325
	Kurtosis		16.951	.639

Extreme Values

			Case Number	Value
Age_yr	Highest	1	35	82.0
		2	16	81.0
		3	45	79.0
		4	37	78.0
		5	43	78.0[a]
	Lowest	1	53	49.0
		2	6	52.0
		3	22	58.0
		4	46	60.0
		5	7	60.0[b]
initial PSA level	Highest	1	15	322.0
		2	46	173.0
		3	44	139.0
		4	41	137.0
		5	9	76.1
	Lowest	1	5	4.2
		2	2	4.3
		3	17	4.4
		4	19	4.8
		5	20	5.2

입력오류
인지 확인
한다.

왜도(skewness)
• 비대칭정도, 치우침 정도
• 0이면 좌우대칭 종모양
• 음수이면 왼쪽 긴꼬리 분포
• 양수이면 오른쪽 긴꼬리 분포

첨도(kurtosis)
• 자료가 평균을 중심으로 모여있는
• 정도, 정규분포의 첨도는 0
• 음수일 경우 정규분포보다 자료가
  더 퍼져있음
• 양수일 경우 정규분포보다 자료가
  더 모여있음

이상치 및 분포모양 확인용:
| 왜도 | > 2, 첨도 > 7 이면 심각한 이상치 존재, 즉, 입력오류 의심

이상치 처리방법:
입력오류라면 차트를 확인 하여 수정하고, 매우 특이한 값이라면 삭제하
기보다는 선정, 제외 기준이 타당한지를 검토하는 것이 바람직하다.

정규성검토

Tests of Normality

	Kolmogorov-Smirnov[a]			Shapiro-Wilk		
	Statistic	df	Sig.	Statistic	df	Sig.
Age_yr	.173	54	.000	.916	54	.001
Gleason score 합	.162	53	.001	.916	53	.001
initial PSA level	.279	54	.000	.558	54	.000
두번째 anorectal manometry 의 anal spinchter pressure의 최대값	.090	54	.200*	.938	54	.008
재 측정시 external anal spinchter pressure 의 최대값	.148	54	.005	.917	54	.001
postLENGmax	.105	54	.200*	.960	54	.067
재 측정시 urge to defecate volume	.138	54	.012	.942	54	.012
첫 anorectal manometry 의 anal spinchter pressure의 최대값	.158	54	.002	.931	54	.004
첫 측정시 external anal spinchter pressure 의 최대값	.152	54	.003	.929	54	.003
preLENGmax	.083	54	.200*	.983	54	.643
첫 측정시 urge to defecate volume	.093	54	.200*	.956	54	.047

*. This is a lower bound of the true significance.

a. Lilliefors Significance Correction

정규성검정:
Shapiro-Wilk p<0.001이므로 귀무가설(H0: 정규분포를 따른다)을 기각한다. 즉 정규성 가정이 타당하지 않다.

⊙ 정규성 가정이 타당하지 않은 경우

방법1) 정규분포가 되도록 적절히 변수변환(가령, 로그변환)
방법2) 범주화
방법3) 비모수검정

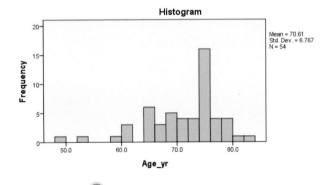

히스토그램:
이상치 유무 및 좌우대칭 종모양인지를 확인한다.

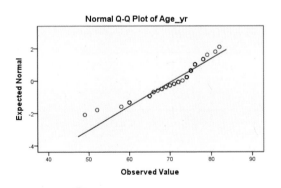

정규확률그림:
점들이 직선에서 크게 벗어나면 정규성 가정을 의심 해 볼 수 있다.

🩺 상자그림

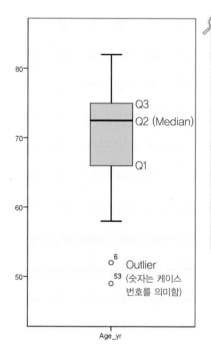

🔍 **상자그림(boxplot):**

5가지 요약 수치(최소값, 사분위수, 최대값)를 이용해 그린 그림, 상자의 양쪽 끝에서 상자길이(IQR)의 1.5배 영역(울타리)을 벗어난 값들은 이상치(outlier)로 표시하고, 울타리 내 최소값과 최대값까지 선으로 연결

사분위수(quartile):

제25백분위수 (P25) = 제1사분위수 (Q1)

제50백분위수 (P50) = 제2사분위수 (Q2) = 중앙값 (Median)

제75백분위수 (P75) = 제3사분위수 (Q3)

사분위수범위 (IQR, interquartile range) = Q3 − Q1

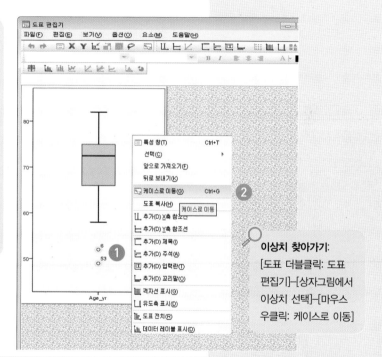

🔍 **이상치 찾아가기:**

[도표 더블클릭: 도표 편집기]–[상자그림에서 이상치 선택]–[마우스 우클릭: 케이스로 이동]

⚕ R에서 데이터 탐색 (1)

```
require(tidyverse)
wd = mydata %>% select(-No) ##변수선택

summary(tableone :: CreateTableOne(data=wd)) ##데이터탐색
Hmisc :: describe(wd) ##데이터탐색
psych :: describe(wd) ##데이터탐색
```

```
> summary(tableone :: CreateTableOne(data=wd)) ##데이터탐색

    ### Summary of continuous variables ###

strata: Overall
              n miss p.miss  mean   sd median  p25   p75 min max  skew  kurt
HT           54    0      0   0.6  0.5      1    0   1.0   0   1 -0.64 -1.66
Age_yr       54    0      0  70.6  6.8     72   66  75.0  49  82 -1.10  1.44
ECOG         54    0      0   0.6  0.5      1    0   1.0   0   1 -0.31 -1.98
Tstage_34    54    0      0   0.6  0.5      1    0   1.0   0   1 -0.47 -1.85
LN_positive  54    0      0   0.3  0.5      0    0   1.0   0   1  0.92 -1.20
RT           54    0      0   0.3  0.4      0    0   0.8   0   1  1.13 -0.75
GS_sum       54    1      2   7.4  1.2      7    6   8.0   4  10 -0.08 -0.33
iPSA         54    0      0  35.4 52.7     17   11  34.7   4 322  3.75 16.95

> Hmisc :: describe(wd) ##데이터탐색
wd

 18  variables     54  Observations
-----------------------------------------------------------------------------
HT
       n  missing distinct    Info     Sum     Mean      Gmd
      54        0        2   0.684      35   0.6481   0.4647

-----------------------------------------------------------------------------
Age_yr
       n  missing distinct    Info    Mean      Gmd     .05     .10     .25     .50     .75     .90     .95
      54        0       20   0.991   70.61    7.313   59.30   61.50   66.25   72.50   75.00   77.40   78.35

lowest : 49 52 58 60 65, highest: 76 78 79 81 82

value        49    52    58    60    65    66    67    68    69    70    71    72    73    74    75    76    78    79    81    82
Frequency     1     1     1     3     6     2     1     3     2     2     2     3     1     8     8     4     3     1     1     1
Proportion 0.019 0.019 0.019 0.056 0.111 0.037 0.019 0.056 0.037 0.037 0.037 0.056 0.019 0.148 0.148 0.074 0.056 0.019 0.019 0.019
-----------------------------------------------------------------------------
```

R에서 데이터 탐색 (2)

wd = mydata %>% select(Age_yr, iPSA, preEASmax) ##변수선택

psych :: pairs.panels(wd, method="spearman", stars=T) ##행렬산점도
lapply(wd, shapiro.test) ##정규성검정

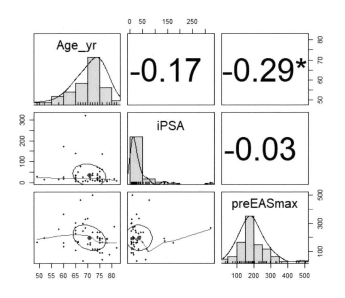

```
> lapply(wd, shapiro.test) ##정규성검정
$Age_yr

        Shapiro-Wilk normality test

data:  x[[i]]
W = 0.91648, p-value = 0.001103


$iPSA

        Shapiro-Wilk normality test

data:  x[[i]]
W = 0.5584, p-value = 1.692e-11


$preEASmax

        Shapiro-Wilk normality test

data:  x[[i]]
W = 0.9289, p-value = 0.003302
```

R에서 데이터 탐색 (3)

```
require(ggplot2)
require(GGally)
wd = mydata %>% select(Age_yr, iPSA, preEASmax, ECOG) %>%
mutate_at(vars(ECOG), as.factor) ##변수선택

ggpairs(wd, aes(colour=ECOG),
     upper=list(continuous="cor"),
     lower=list(continuous='smooth'),
     diag=list(continuous='densityDiag'))
```

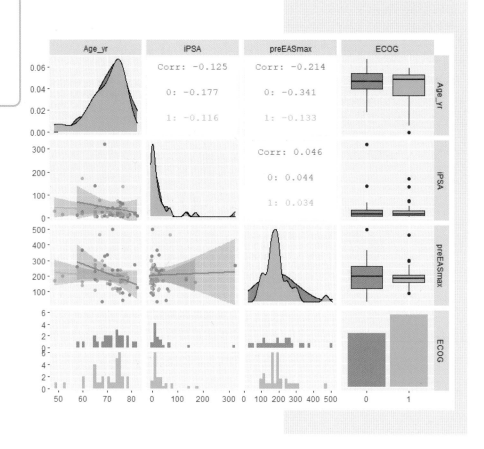

🩺 기술통계량 (연속형변수)

[분석]−[기술통계량]−[빈도분석] 또는 [분석]−[기술통계량]−[데이터 탐색]

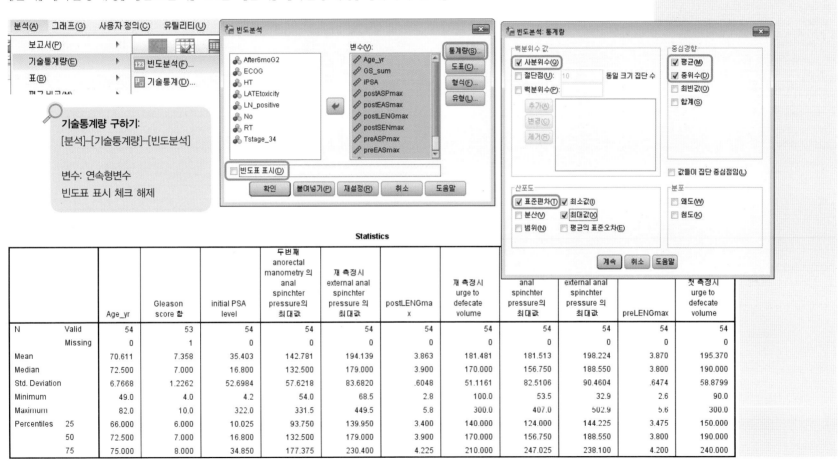

		Age_yr	Gleason score 합	initial PSA level	두번째 anorectal manometry 의 anal spinchter pressure의 최대값	재 측정시 external anal spinchter pressure 의 최대값	postLENGmax	재 측정시 urge to defecate volume	anal spinchter pressure의 최대값	external anal spinchter pressure 의 최대값	preLENGmax	첫 측정시 urge to defecate volume
N	Valid	54	53	54	54	54	54	54	54	54	54	54
	Missing	0	1	0	0	0	0	0	0	0	0	0
Mean		70.611	7.358	35.403	142.781	194.139	3.863	181.481	181.513	198.224	3.870	195.370
Median		72.500	7.000	16.800	132.500	179.000	3.900	170.000	156.750	188.550	3.800	190.000
Std. Deviation		6.7668	1.2262	52.6984	57.6218	83.6820	.6048	51.1161	82.5106	90.4604	.6474	58.8799
Minimum		49.0	4.0	4.2	54.0	68.5	2.8	100.0	53.5	32.9	2.6	90.0
Maximum		82.0	10.0	322.0	331.5	449.5	5.8	300.0	407.0	502.9	5.6	300.0
Percentiles	25	66.000	6.000	10.025	93.750	139.950	3.400	140.000	124.000	144.225	3.475	150.000
	50	72.500	7.000	16.800	132.500	179.000	3.900	170.000	156.750	188.550	3.800	190.000
	75	75.000	8.000	34.850	177.375	230.400	4.225	210.000	247.025	238.100	4.200	240.000

기술통계량 (범주형변수)

[분석]-[기술통계량]-[빈도분석]

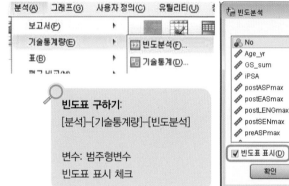

빈도표 구하기:
[분석]-[기술통계량]-[빈도분석]

변수: 범주형변수
빈도표 표시 체크

Frequency Table

Late toxicity (RT 후 6개월 뒤 증상) 중 CTCAE기준 grade 2 이상 독성 발생여부

		Frequency	Percent	Valid Percent	Cumulative Percent
Valid	No	45	83.3	83.3	83.3
	Yes	9	16.7	16.7	100.0
	Total	54	100.0	100.0	

ECOG performance status

		Frequency	Percent	Valid Percent	Cumulative Percent
Valid	No	23	42.6	42.6	42.6
	Yes	31	57.4	57.4	100.0
	Total	54	100.0	100.0	

hormone therapy 시행 여부

		Frequency	Percent	Valid Percent	Cumulative Percent
Valid	No	16	29.6	32.7	32.7
	Yes	33	61.1	67.3	100.0
	Total	49	90.7	100.0	
Missing	System	5	9.3		
Total		54	100.0		

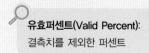

유효퍼센트(Valid Percent):
결측치를 제외한 퍼센트

R에서 기술통계 및 빈도분석 (tableone 패키지)

```
require(tableone)

vars <- c("Age_yr", "ECOG", "Tstage_34", "LN_positive", "GS_sum")
fvars <- c("ECOG", "Tstage_34", "LN_positive")

require(tableone)
T1 <- CreateTableOne(data=mydata,
              vars=vars,
              factorVars=fvars,
              includeNA=F, smd=F)

## 데이터탐색
sink("summary_T1.txt")
  summary(T1)
sink()


pT1 <- print(T1, showAllLevels=T, noSpaces=T,
        nonnormal="GS_sum", minMax=T)


write.csv(pT1, "T1.csv")
```

```
> pT1 <- print(T1, showAllLevels=T, noSpaces=T,
+             nonnormal="GS_sum", minMax=T)

                         level Overall
n                              54
Age_yr (mean (SD))             70.61 (6.77)
ECOG (%)                 0     23 (42.6)
                         1     31 (57.4)
Tstage_34 (%)            0     21 (38.9)
                         1     33 (61.1)
LN_positive (%)          0     38 (70.4)
                         1     16 (29.6)
GS_sum (median [range])        7.00 [4.00, 10.00]
```

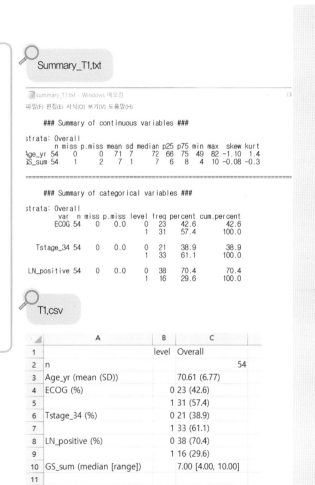

Summary_T1.txt

```
summary_T1.txt - Windows 메모장
파일(F) 편집(E) 서식(O) 보기(V) 도움말(H)

    ### Summary of continuous variables ###

strata: Overall
         n miss p.miss mean sd median p25 p75 min max  skew kurt
Age_yr  54    0      0   71  7     72  66  75  49  82 -1.10  1.4
GS_sum  54    1      2    7  1      7   6   8   4  10 -0.08 -0.3


    ### Summary of categorical variables ###

strata: Overall
       var  n miss p.miss level freq percent cum.percent
      ECOG 54    0    0.0     0   23    42.6        42.6
                                 1   31    57.4       100.0

 Tstage_34 54    0    0.0     0   21    38.9        38.9
                                 1   33    61.1       100.0

LN_positive 54    0    0.0     0   38    70.4        70.4
                                 1   16    29.6       100.0
```

T1.csv

	A	B	C
1		level	Overall
2	n		54
3	Age_yr (mean (SD))		70.61 (6.77)
4	ECOG (%)	0 23 (42.6)	
5		1 31 (57.4)	
6	Tstage_34 (%)	0 21 (38.9)	
7		1 33 (61.1)	
8	LN_positive (%)	0 38 (70.4)	
9		1 16 (29.6)	
10	GS_sum (median [range])		7.00 [4.00, 10.00]
11			

T1

Table2

Table 2. Changes in the parameters of anorectal manometry in patients before and after radiotherapy evaluated with a paired t test

Variable	Pre-RT	Post-RT	Pre-RT–Post-RT (Δmean)	p-value
Resting anal pressure (mm Hg)	104.0±61.0	82.2±41.1	21.8	0.001
Squeeze anal pressure (mm Hg)	181.5±82.5	142.8±57.6	38.7	< 0.001
Perception threshold volume (mL)	24.4±9.6	23.7±10.3	0.7	0.376
Urge to defecate volume (mL)	195.4±58.9	181.5±51.1	13.9	0.025
Anal canal length (cm)	3.6±0.6	3.6±0.6	0	0.411
IASP (mm Hg)[a]	54.3±18.2	53.9±18.2	0.4	0.939
Resting EASP (mm Hg)	88.8±35.6	87.6±39.4	1.2	0.824
Maximum EASP (mm Hg)	198.2±90.4	194.1±83.7	4.1	0.619

Values are presented as mean±standard deviation. RT, radiotherapy; IASP, internal anal sphincter pressure; EASP, external anal sphincter pressure. [a]Evaluation was performed only in 38 patients due to missing values.

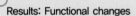

Results: Functional changes

Anal pressures at rest and in response to squeezing were significantly decreased after RT (p=0.001 and p < 0.001, respectively) (Table 2). The volumes at perception of rectal distention were not changed after RT. However, an urge to defecate volumes was significantly reduced after RT (p=0.025). The IASP and EASP were not significantly changed according to the implementation of RT.

⊙ **통계방법**

방사선(RT) 치료 전과 후의 대장항문기능 비교:
대응표본 t-검정(paired t-test) 또는 윌콕슨 부호-순위 검정(Wilcoxon signed-rank test)를 실시함

🩺 짝지은 자료의 비교 – 모수적방법

[분석]–[평균비교]–[대응표본 T검정]

짝지은 자료에서 두 집단의 평균 비교:
두 집단의 차이(difference)가 정규분포를 따른다고 가정함.

[분석]–[평균비교]–[대응표본 T검정]

대응 변수: 변수1=pre, 변수2=post (둘다 연속형변수)

🩺 대응표본 t-검정 결과

T-Test

Paired Samples Statistics

		Mean	N	Std. Deviation	Std. Error Mean
Pair 1	첫 anorectal manometry 의 anal spinchter pressure의 최대값	181.513	54	82.5106	11.2283
	두번째 anorectal manometry 의 anal spinchter pressure의 최대값	142.781	54	57.6218	7.8413

Paired Samples Correlations

		N	Correlation	Sig.
Pair 1	첫 anorectal manometry 의 anal spinchter pressure의 최대값 & 두번째 anorectal manometry 의 anal spinchter pressure의 최대값	54	.525	.000

Paired Samples Test

		Paired Differences					t	df	Sig. (2-tailed)
		Mean	Std. Deviation	Std. Error Mean	95% Confidence Interval of the Difference				
					Lower	Upper			
Pair 1	첫 anorectal manometry 의 anal spinchter pressure의 최대값 - 두번째 anorectal manometry 의 anal spinchter pressure의 최대값	38.7315	71.6555	9.7511	19.1733	58.2897	3.972	53	.000

🔍 **대응표본 t-검정:**
p<0.001이므로 귀무가설(H0: 평균차이 = 0)을 기각한다. 즉, 수술전(181.51)과 수술후(142.78)은 통계적으로 매우 큰 차이이다.

짝지은 자료의 비교 – 비모수적방법

[분석]-[비모수검정]-[레거시 대화상자]-[2-대응표본]

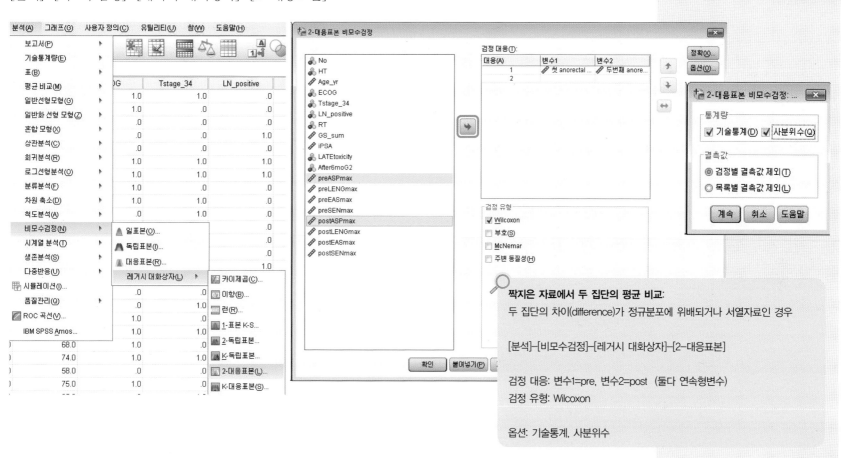

짝지은 자료에서 두 집단의 평균 비교:
두 집단의 차이(difference)가 정규분포에 위배되거나 서열자료인 경우

[분석]-[비모수검정]-[레거시 대화상자]-[2-대응표본]

검정 대응: 변수1=pre, 변수2=post (둘다 연속형변수)
검정 유형: Wilcoxon

옵션: 기술통계, 사분위수

윌콕슨 부호–순위 검정 결과

NPar Tests

Descriptive Statistics

	N	Mean	Std. Deviation	Minimum	Maximum	Percentiles 25th	Percentiles 50th (Median)	Percentiles 75th
첫 anorectal manometry 의 anal spinchter pressure의 최대값	54	181.513	82.5106	53.5	407.0	124.000	156.750	247.025
두번째 anorectal manometry 의 anal spinchter pressure의 최대값	54	142.781	57.6218	54.0	331.5	93.750	132.500	177.375

Wilcoxon Signed Ranks Test

Ranks

		N	Mean Rank	Sum of Ranks
두번째 anorectal manometry 의 anal spinchter pressure의 최대값 - 첫 anorectal manometry 의 anal spinchter pressure의 최대값	Negative Ranks	36[a]	32.50	1170.00
	Positive Ranks	18[b]	17.50	315.00
	Ties	0[c]		
	Total	54		

a. 두번째 anorectal manometry 의 anal spinchter pressure의 최대값 < 첫 anorectal manometry 의 anal spinchter pressure의 최대값

b. 두번째 anorectal manometry 의 anal spinchter pressure의 최대값 > 첫 anorectal manometry 의 anal spinchter pressure의 최대값

c. 두번째 anorectal manometry 의 anal spinchter pressure의 최대값 = 첫 anorectal manometry 의 anal spinchter pressure의 최대값

Test Statistics[a]

	두번째 anorectal manometry 의 anal spinchter pressure의 최대값 - 첫 anorectal manometry 의 anal spinchter pressure의 최대값
Z	-3.681[b]
Asymp. Sig. (2-tailed)	.000

a. Wilcoxon Signed Ranks Test

b. Based on positive ranks.

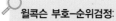

윌콕슨 부호–순위검정:
$p < 0.001$이므로 귀무가설(H0: 평균차이 = 0)을 기각한다. 즉, 수술전(156.75)과 수술후(132.5)는 통계적으로 매우 큰 차이이다.

R에서 짝지은 자료의 비교

```
## 변수정의
var <- c("ASPmax", "LENGmax", "EASmax", "SENmax")
pre <- mydata[paste0("pre",var)]
post <- mydata[paste0("post",var)]

## 치료전과 후의 차이값 구하기
diff <- pre - post
names(diff) <- paste0("diff_",var)

## 대응표본 t-검정 (모수적 방법)
apply(diff, 2, t.test)

## 윌콕슨 부호-순위검정 (비모수적 방법)
apply(diff, 2, wilcox.test)

require(DescTools)
apply(diff, 2, MeanCI) #95% CI
```

```
> apply(diff, 2, MeanCI)  #95% CI
        diff_ASPmax diff_LENGmax diff_EASmax diff_SENmax
mean       38.73148   0.007407407    4.085185   13.888889
lwr.ci     19.17331  -0.170974544  -12.299851    1.839744
upr.ci     58.28966   0.185789358   20.470221   25.938034
```

```
> apply(diff, 2, t.test)
$diff_ASPmax

        One Sample t-test

data:  newX[, i]
t = 3.972, df = 53, p-value = 0.0002163
alternative hypothesis: true mean is not equal to 0
95 percent confidence interval:
 19.17331 58.28966
sample estimates:
mean of x
 38.73148


$diff_LENGmax

        One Sample t-test

data:  newX[, i]
t = 0.08329, df = 53, p-value = 0.9339
alternative hypothesis: true mean is not equal to 0
95 percent confidence interval:
 -0.1709745  0.1857894
sample estimates:
  mean of x
0.007407407
```

```
> apply(diff, 2, wilcox.test)
$diff_ASPmax

        Wilcoxon signed rank test with continuity correction

data:  newX[, i]
V = 1170, p-value = 0.0002364
alternative hypothesis: true location is not equal to 0


$diff_LENGmax

        Wilcoxon signed rank test with continuity correction

data:  newX[, i]
V = 634.5, p-value = 0.9807
alternative hypothesis: true location is not equal to 0
```

Table3

Table 3. Gastrointestinal toxicities after radiotherapy

Symptom	Acute toxicities (≤ 6 mo)	Late toxicities (> 6 mo)	Grade ≥ 2 late toxicities[a]
Rectal bleeding	1 (1.9)	5 (9.3)	4 (7.4)
Proctitis	1 (1.9)	1 (1.9)	0
Stool frequency	1 (1.9)	1 (1.9)	0
Sphincter control	5 (9.3)	5 (9.3)	3 (5.6)
Loose stools	1 (1.9)	1 (1.9)	1 (1.9)
Rectal urgency	3 (5.6)	5 (9.3)	3 (5.6)
Total patients	8 (14.8)	14 (25.9)	9 (16.7)

Values are presented as number (%). [a]Using late radiation morbidity scoring schema reported by Gulliford et al. [13]. Multiple checking of clinical symptoms was allowed in evaluation.

Results: GI symptoms after RT

The median follow–up period was 60 months (range, 7 to 73 months). Fourteen patients (25.9%) showed late GI symptoms towards the end of RT (Table 3). Among them, sphincter control problems (including problems with subjective sphincter control and management sphincter control, n=5), and rectal urgency (n=5) were common late toxicities (Table 3). Grade ≥ 2 late GI toxicities were present in nine patients (16.7%).

⊙ **통계방법**

복수응답 문항에 대한 빈도분석 및 교차분석

이상반응 총 개수 구하기 (1단계)

[변환]−[변수계산]

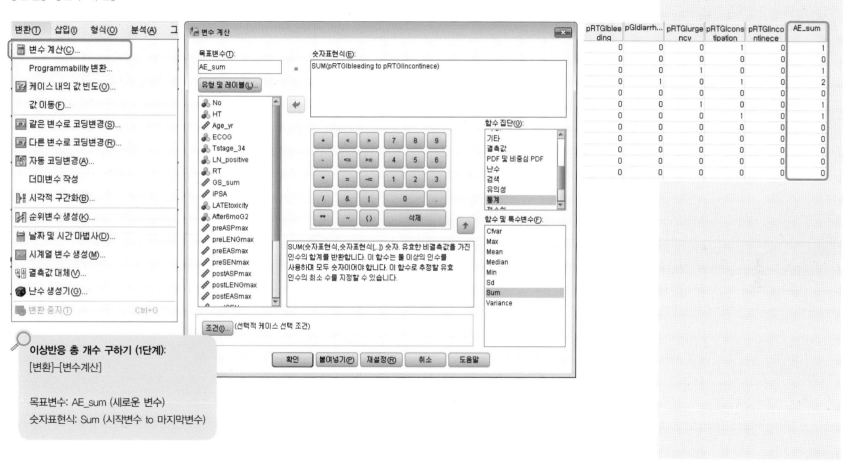

이상반응 총 개수 구하기 (1단계):
[변환]−[변수계산]

목표변수: AE_sum (새로운 변수)

숫자표현식: Sum (시작변수 to 마지막변수)

🩺 이상반응 총 개수 구하기 (2단계)

[변환]-[다른 변수로 코딩변경]

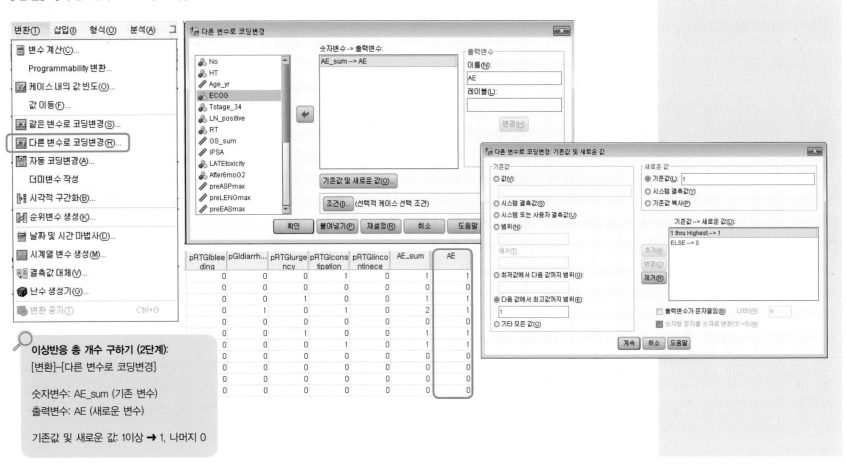

이상반응 총 개수 구하기 (2단계):

[변환]-[다른 변수로 코딩변경]

숫자변수: AE_sum (기존 변수)

출력변수: AE (새로운 변수)

기존값 및 새로운 값: 1이상 ➜ 1, 나머지 0

이상반응 총 개수 구하기 (3단계)

[분석]-[기술통계량]-[빈도분석]

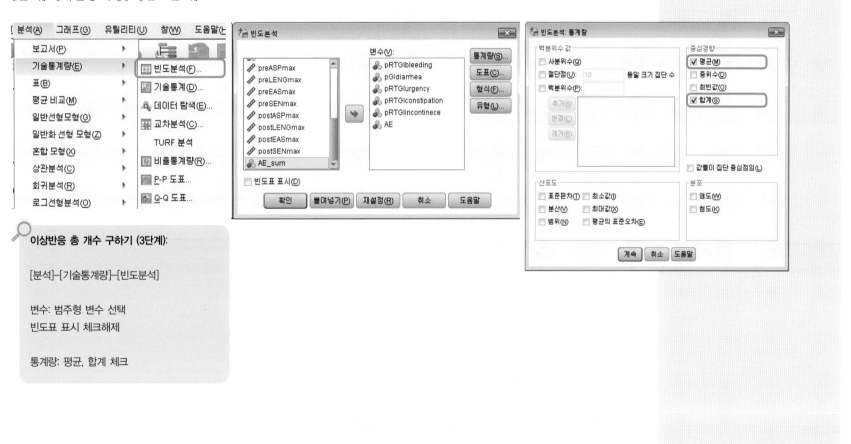

이상반응 총 개수 구하기 (3단계):

[분석]-[기술통계량]-[빈도분석]

변수: 범주형 변수 선택

빈도표 표시 체크해제

통계량: 평균, 합계 체크

이상반응 총 개수와 빈도분석 결과

Statistics

		RT 후 증상 분류: gastrointestinal bleeding	RT 후 증상 분류: diarrhea	RT 후 증상 분류: stool urgency	RT 후 증상 분류: constipation	RT 후 증상 분류: incontinence	AE
N	Valid	54	54	54	54	54	54
	Missing	0	0	0	0	0	0
Mean		.0926	.0370	.0926	.1111	.0185	.2778
Sum		5	2	5	6	1	15

54명 중 15명(27.8%)에서
이상반응을 보임

소수점 자리수 변경: 테이블 더블클릭 ➜ 영역 선택 ➜ 마우스 우클릭 ➜ 셀 특성 (형식 값)

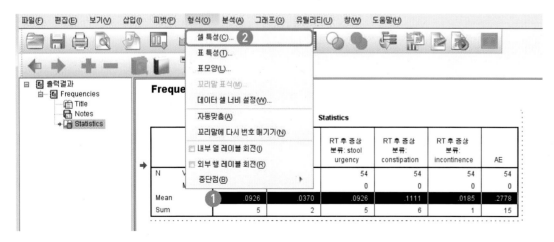

R에서 이상반응 총 개수와 빈도분석

```
require(tidyverse)
wd <- mydata %>%
  select(pRTGIbleeding : pRTGIincontinece) %>%
  mutate(
    AE_sum = rowSums( . ),
    AE_yn = (AE_sum >0)
) %>% summarise_all( list(sum, mean) ) %>%
  as.matrix(., nrow=2)
```

```
> wd
     pRTGIbleeding_fn1 pGIdiarrhea_fn1 pRTGIurgency_fn1 pRTGIconstipation_fn1 pRTGIincontinece_fn1 AE_sum_fn1 AE_yn_fn1
[1,]                 5               2                5                     6                    1         19        15
     pRTGIbleeding_fn2 pGIdiarrhea_fn2 pRTGIurgency_fn2 pRTGIconstipation_fn2 pRTGIincontinece_fn2 AE_sum_fn2 AE_yn_fn2
[1,]        0.09259259      0.03703704       0.09259259             0.1111111           0.01851852  0.3518519 0.2777778
```

Table4

Table 4. Statistical correlations between late gastrointestinal toxicities (n=14) and anorectal manometric findings using binary logistic regression

Variable	p-value		
	Pre-RT	Post-RT	Pre-RT-Post-RT
Resting anal pressure	0.039	0.826	0.795
Squeeze anal pressure	0.039	0.826	0.398
Perception threshold volume	> 0.999	> 0.999	0.807
Urge to defecate volume	0.051	0.029	0.753
Mean anal canal length	0.728	0.164	0.505
IASP[a]	0.937	0.221	0.614
Resting EASP	0.099	0.842	0.195
Maximum EASP	0.104	0.380	0.518

RT, radiotherapy; IASP, internal anal sphincter pressure; EASP, external anal sphincter pressure. [a]Evaluation was performed only in 38 patients due to missing values.

Results: Correlation between late GI toxicities and anorectal manometric findings

Elevated pre–RT resting and squeezing ASP was associated with the occurrence of late GI toxicities (p=0.039 and p=0.039, respectively) (Table 4). The mean pre–RT resting and squeezing ASP of patients who experienced late GI toxicities were 122.0 mm Hg (range, 26.0 to 234.0 mm Hg) and 206.2 mm Hg (range, 55.0 to 352.0 mm Hg), respectively. In contrast, the mean pre–RT resting and squeezing ASP of patients who did not experience late GI toxicities were 97.8 mm Hg (range, 18.5 to 282.5 mm Hg) and 172.9 mm Hg (range, 53.5 to 407.0 mm Hg), respectively. In addition, the pre–RT urge to defecate volume tended to be associated with late GI toxicities (p=0.051). Larger post–RT urge to defecate volumes were related to the occurrence of late GI toxicities (p=0.029) (Table 4). The mean post–RT urge to defecate volume of patients with late toxicities was 202.9 mm Hg (range, 110.0 to 300.0 mm Hg). On the contrary, the mean post–RT urge to defecate volume of patients without late toxicities was 174.0 mm Hg (range, 100.0 to 300.0 mm Hg). However, the differences between pre–RT ARM findings and post–RT ARM findings were not associated with late toxicities. Also, there was no specific correlation between grade ≥ 2 late GI toxicities and ARM findings.

⊙ **통계방법**

독성발생과 관련된 인자탐색:

로지스틱 회귀분석(logistic regression analysis) 실시

🩺 로지스틱 회귀분석 (일변량분석)

[분석]–[회귀분석]–[이분형 로지스틱] 또는 [분석]–[회귀분석]–[다항 로지스틱]

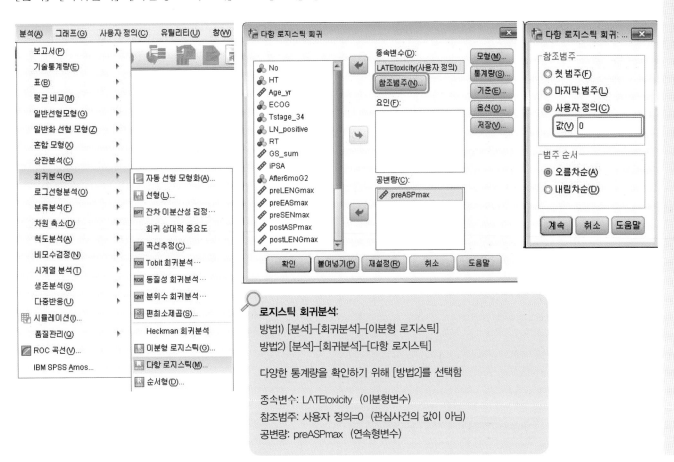

로지스틱 회귀분석:

방법1) [분석]–[회귀분석]–[이분형 로지스틱]
방법2) [분석]–[회귀분석]–[다항 로지스틱]

다양한 통계량을 확인하기 위해 [방법2]를 선택함

종속변수: LATEtoxicity (이분형변수)
참조범주: 사용자 정의=0 (관심사건의 값이 아님)
공변량: preASPmax (연속형변수)

🩺 로지스틱 회귀분석 결과

Nominal Regression

Case Processing Summary

		N	Marginal Percentage
Late toxicity (RT 후 6개월 뒤 증상) 발생여부	No	40	74.1%
	Yes	14	25.9%
Valid		54	100.0%
Missing		0	
Total		54	
Subpopulation		53[a]	

a. The dependent variable has only one value observed in 53 (100.0%) subpopulations.

Likelihood Ratio Tests

	Model Fitting Criteria	Likelihood Ratio Tests		
Effect	-2 Log Likelihood of Reduced Model	Chi-Square	df	Sig.
Intercept	66.924	6.781	1	.009
preASPmax	61.806	1.663	1	.197

The chi-square statistic is the difference in -2 log-likelihoods between the final model and a reduced model. The reduced model is formed by omitting an effect from the final model. The null hypothesis is that all parameters of that effect are 0.

Model Fitting Information

	Model Fitting Criteria	Likelihood Ratio Tests		
Model	-2 Log Likelihood	Chi-Square	df	Sig.
Intercept Only	61.806			
Final	60.143	1.663	1	.197

Parameter Estimates

Late toxicity (RT 후 6개월 뒤 증상) 발생여부[a]		B	Std. Error	Wald	df	Sig.	Exp(B)	95% Confidence Interval for Exp(B)	
								Lower Bound	Upper Bound
Yes	Intercept	-1.951	.790	6.104	1	.013			
	preASPmax	.005	.004	1.659	1	.198	1.005	.998	1.012

a. The reference category is: No.

Pseudo R-Square

Cox and Snell	.030
Nagelkerke	.044
McFadden	.027

🔍 자료의 개수가 맞는지 확인한다. 또한 Event 개수가 각 범주별로 충분한지를 검토한다. 의학연구에서는 보통 10이상이 추천된다.

🔍 **왈드검정:**

Wald=1.659, df=1, p=0.198 > 0.05 이므로
귀무가설(H0: 회귀계수=0)을 기각하지 않는다.
즉 preASPmax가 toxicity 발생여부에 유의한 인자라 볼 수 없다.

Crude OR = 1.005, 95% CI = (0.998, 1.012)

🩺 로지스틱 회귀모형의 평가

[분석]-[회귀분석]-[다항 로지스틱]

🔍 **로지스틱 회귀모형의 평가:**
[분석]-[회귀분석]-[다항 로지스틱]

종속변수: LATEtoxicity (이분형변수)
참조범주: 사용자 정의=0 (관심사건의 값이 아님)
공변량: preASPmax (연속형변수)

통계량: 정보기준, 단조성 측도 추가

Model Fitting Information

Model	Model Fitting Criteria			Likelihood Ratio Tests		
	AIC	BIC	-2 Log Likelihood	Chi-Square	df	Sig.
Intercept Only	63.806	65.795	61.806			
Final	64.143	68.121	60.143	1.663	1	.197

Measures of Monotone Association

Pairs	Concordant	N	365
		Percentage	65.2%
	Discordant	N	193
		Percentage	34.5%
	Tied	N	2
		Percentage	0.4%
	Total	N	560
		Percentage	100.0%
Measures	Somers' D		.307
	Coodman and Kruskal's Gamma		.308
	Kendall's Tau-a		.120
	Concordance Index C		.654

🔍 **모형선택시**
AIC, BIC는 작고
AUC (=Concordance index C)
는 높은 모형을 선택한다.

⊙ **모형선택기준**

AIC와 BIC는 작을수록, AUC는 클수록 모형의 적합도가 높음을 의미함

AIC (Akaike information criterion)
$AIC = 2k - 2\ln L$

BIC (Bayesian information criterion)
$BIC = \ln(n)k - 2\ln L$

where
$\ln L$ = log likelihood
k = size of variables
n = size of sample

AUC (Area under the ROC curve):
ROC곡선의 아래 면적으로 1에 가까울수록 분류예측력(discrimination)이 높음

Rule of thumb

Size of AUC	Interpretation
0.9~1	Outstanding
0.8~0.9	Excellent
0.7~0.8	Acceptable
0.6~0.7	Poor
0.5~0.6	No discrimination

🩺 R에서 로지스틱 회귀분석

```
y = (mydata$LATEtoxicity == 1)
x = mydata$preASPmax

## 로지스틱회귀모형
fit <- glm(y ~ x, family = binomial)
summary(fit)

## OR 구하기
require(tableone)
ShowRegTable(fit, digits=3, pDigits=5, ciFun=confint.default, exp=T)
```

```
> ShowRegTable(fit, digits=3, pDigits=5, ciFun=confint.default, exp=T)
            exp(coef) [confint]  p
(Intercept) 0.142 [0.030, 0.668]  0.01349
x           1.005 [0.998, 1.012]  0.19767
```

```
## 모형평가 (AUROC)
require(pROC)
rocobj <- roc(y ~ x, ci=T)
plot(rocobj, print.thres=T, print.auc=T,
    print.auc.x=0.7, print.auc.y=0.1, auc.polygon=T)

## 최적절단점: Youden index 최대값
coords(rocobj, "best", transpose = T)
```

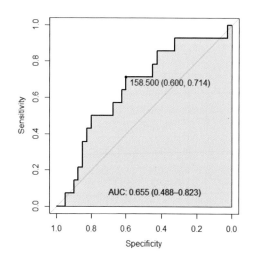

결론

Table2

방사선 치료 전과 후의 대장항문 기능 비교
Resting anal pressure, squeeze anal pressure, urge to defecate volume에서 유의한 차이를 보였다.

Table4

방사선 치료 후 독성(late gastrointestinal toxicities)에 영향을 주는 인자
유의한 변수는 없었다.

예제 4

Meningioma

자료설명

연구목적

- This study was performed to determine the clinical significance of the Ki-67 labeling index (LI) for local control (LC) in patients with World Health Organization (WHO) grade II meningioma. We also tried to discern the effect of postoperative radiotherapy (PORT) on LC depending upon the Ki-67 LI value.

대상

- The medical records and values of Ki-67 Lis were retrospectively reviewed for 50 patients who underwent surgical resection of intracranial WHO grade II meningiomas at Samsung Medical Center from May 2001 to December 2012. Forty-three patients (86%) were treated with immediate PORT. The median total radiation dose was 60 Gy (range, 54 to 60 Gy).

통계분석

- Ki-67 labeling index가 local failure 에 대해 유의한 예측인자인지를 확인하기 위해 생존분석을 실시하였고, ROC분석을 통하여 민감도와 특이도를 최대로 하는 시점을 최적절단점으로 제안하였다. 일변량분석으로 로그-순위검정을, 다변량분석으로 Cox회귀모형을 이용하였다.

- 통계 처리는 SPSS22를 이용하여 시행되었으며 p-값이 0.05 미만인 경우를 통계학적으로 유의성이 있는 것으로 간주하였다.

관련논문

- Choi Y, Lim DH, Yu JI, et al. Prognostic value of ki-67 labeling index and postoperative radiotherapy in WHO grade II meningioma. *American journal of clinical oncology*, 2018, 41.1: 18-23.

분석절차

데이터수집 및 가공

데이터탐색

데이터분석

- 엑셀을 이용한 자료 정리
- 코딩변경, 변수계산

- 자료개수, 결측치, 이상치 확인
- 정규성 검토 등

- Table1: 빈도분석 및 기술통계
- Figure1: 최적절단점 찾기 (ROC분석)
- Table2: 독립인 두 집단 비교
- Table3: 로그순위검정, Cox 회귀분석
- Figure2-4: 계층별 생존분석

🩺 엑셀에서 자료정리 (Meningioma.xlsx)

	A	B	C	D	E	F	G	H	I	J	K	L	M
1		성별	나이	WHO grade 및 pathologic subtype classification: atypical 32/chordoid 23	종양 크기 3cm 이상		simpson grade 1,2와 3,4 를 나누어서 봄	postoperative radiotherapy 여부	local failure				ki-67 level(mitotic index)
2		F / M			1=Yes/0=No	1=Convexity/ 4=Others	1=Yes/0=No	1=Yes/0=No	1=Yes/0=No			1=Yes/0=No	변수이름
3	No	성별	나이	SubPath	Tsize3cm	site2	S12vsS34	PORT1	LF	LocalCont	Osmonth	생존여부01	Ki67
39	36 F	70	21	0	1	0	0	0	31	31	0	8.25
40	37 F	53	21	1	4	0	1	0	13	13	0	9.77
41	38 F	61	21	1	1	1	1	0	16	16	0	10
42	39 M	78	21	1	1	0	1	0	11	11	0	9.41
43	40 F	55	21	1	1	0	1	0	9	9	0	30.22
44	41 F	59	21	1	1	1	1	0	11	11	0	26.66
45	42 M	63	21	1	1	0	1	0	7	7	0	8.62
46	43 F	54	21	1	1	0	1	0	4	4	0	4.08
47	44 M	50	21	0	1	0	1	0	45	45	0	7.6
48	45 M	62	21	1	1	0	0	1	19	36	1	4.8
49	46 M	63	21	1	1	0	0	0	105	105	0	4.8
50	47 F	27	21	0	1	0	1	0	34	34	0	9.8
51	48 M	45	21	1	1	0	0	0	117	117	0	1
52	49 M	39	23	1	4	1	0	1	4	19	1	26.6
53	50 F	43	21	1	1	0	1	0	10	27	0	6.85

🔍 **자료구조:**
변수는 열단위에, 관측값은 행단위에 배치한다. 즉 행번호는 환자수, 열번호는 조사된 항목수와 일치

변수이름:
첫 줄에 변수이름을 넣는다. 단, 중복 안됨, 특수문자 사용 금지("_" 제외), 띄어쓰기 금지, 간략하게 (8자 미만 추천)

변수/변수값 설명:
방법1) 연구데이터 공유를 위해 별도 시트를 만들어 변수설명서, 즉 코드북(codebook)을 관리하라.
방법2) 간단히 메모하는 경우 변수이름 위쪽으로 설명을 추가한다. (여러 줄 삽입 가능), 메모기능 가급적 자제

⊙ **변수이름 규칙**

- 한글, 영문, 숫자, "_" 조합 가능
- 단, 숫자로 시작하지 말 것, 띄어쓰기 금지, 특수문자("−", 괄호, 줄바꿈 등) 사용 금지
- 변수이름은 중복해서 사용 안됨
- 통계프로그램에 따라 대소문자를 구분 함(가령, a와 A는 다름)

SPSS로 데이터 불러오기

엑셀파일 종료 ➡ SPSS메뉴: [파일]–[열기]–[데이터]–[Meningioma.xlsx] 또는 [엑셀파일을 드래그해서 던져 넣기]

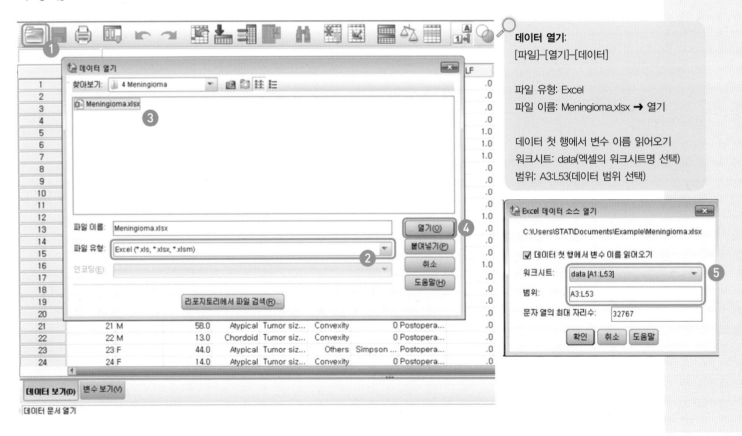

데이터 열기:

[파일]–[열기]–[데이터]

파일 유형: Excel
파일 이름: Meningioma.xlsx ➡ 열기

데이터 첫 행에서 변수 이름 읽어오기
워크시트: data(엑셀의 워크시트명 선택)
범위: A3:L53(데이터 범위 선택)

🩺 데이터 보기 (n=50)

	No	성별	나이	SubPath	Tsize3cm	site2	S12vsS34	PORT1	LF	LocalContr ol	Osmonth	생존여부01	Ki67
36	36	F	70.0	21	0	1	0	0	.0	31.0	31	.0	8.25
37	37	F	53.0	21	1	4	0	1	.0	13.0	13	.0	9.77
38	38	F	61.0	21	1	1	1	1	.0	16.0	16	.0	10.00
39	39	M	78.0	21	1	1	0	1	.0	11.0	11	.0	9.41
40	40	F	55.0	21	1	1	0	1	.0	9.0	9	.0	30.22
41	41	F	59.0	21	1	1	1	1	.0	11.0	11	.0	26.66
42	42	M	63.0	21	1	1	0	1	.0	7.0	7	.0	8.62
43	43	F	54.0	21	1	1	0	1	.0	4.0	4	.0	4.08
44	44	M	50.0	21	0	1	0	1	.0	45.0	45	.0	7.60
45	45	M	62.0	21	1	1	0	1	1.0	19.0	36	1.0	1.00
46	46	M	63.0	21	1	1	0	0	.0	105.0	105	.0	4.80
47	47	F	27.0	21	0	1	0	1	.0	34.0	34	.0	9.80
48	48	M	45.0	21	1	1	0	0	.0	117.0	117	.0	1.00
49	49	M	39.0	23	0	4	1	0	1.0	4.0	19	1.0	26.60
50	50	F	43.0	21	1	1	0	0	1.0	10.0	27	.0	6.85
51													
52													
53													
54													
55													

데이터 보기(D) 변수 보기(V)

🔍 변수이름과 데이터개수, 데이터 유형 등을 확인한다.
(숫자: 오른쪽 정렬, 문자: 왼쪽 정렬 됨)

🩺 변수 보기 (측도 구분)

	이름	유형	너비	소수점이...	레이블	값	결측값	열	맞춤	측도	역할
1	No	숫자	12	0		없음	없음	8	▦ 오른쪽	♣ 명목형	↘ 입력
2	성별	문자	1	0		없음	없음	8	▤ 왼쪽	♣ 명목형	↘ 입력
3	나이	숫자	12	1		없음	없음	8	▦ 오른쪽	✐ 척도	↘ 입력
4	SubPath	숫자	12	0		{21, Atypic...	없음	8	▦ 오른쪽	♣ 명목형	↘ 입력
5	Tsize3cm	숫자	12	0		{0, Tumor ...	없음	8	▦ 오른쪽	♣ 명목형	↘ 입력
6	site2	숫자	8	0		{1, Convexi...	없음	8	▦ 오른쪽	♣ 명목형	↘ 입력
7	S12vsS34	숫자	12	0		{1, Simpso...	없음	8	▦ 오른쪽	♣ 명목형	↘ 입력
8	PORT1	숫자	12	0		{0, No RT}...	없음	8	▦ 오른쪽	♣ 명목형	↘ 입력
9	LF	숫자	12	1		없음	없음	8	▦ 오른쪽	♣ 명목형	↘ 입력
10	LocalControl	숫자	12	1		없음	없음	8	▦ 오른쪽	✐ 척도	↘ 입력
11	Osmonth	숫자	18	0		없음	없음	8	▦ 오른쪽	✐ 척도	↘ 입력
12	생존여부01	숫자	12	1		없음	없음	8	▦ 오른쪽	♣ 명목형	↘ 입력
13	Ki67	숫자	12	2		없음	없음	8	▦ 오른쪽	✐ 척도	↘ 입력
14											
15											
16											
17											
18											
19											
20											
21											
22											

데이터 보기(D) | 변수 보기(V)

🔍
- **이름**: 변수이름은 한글, 영문, 숫자, "_" 조합 가능(단, 숫자로 시작할 수 없음), 띄어쓰기 및 특수문자("-", 괄호, 줄바꿈 등) 사용 안됨, 중복 사용 안됨
- **유형**: 숫자, 문자, 날짜 등 선택 가능
- **레이블**: 변수 설명 넣기, 특수문자 사용가능, 출력결과에 반영됨
- **값**: 변수값 설명
- **결측값**: 사용자정의 결측값 설정(빈칸은 자동으로 시스템 결측값으로 인식함)
- **열**: 데이터보기의 열 너비 설정
- **맞춤**: 문자는 오른쪽 정렬, 숫자는 왼쪽 정렬이 기본값
- **측도**: 분석결과에 영향을 주지 않으나 변수 구분용으로 설정해 두면 분석 시 편리함

R에서 데이터 불러오기

```
## 엑셀파일 불러오기
require(readxl)
mydata <- read_excel("Meningioma.xlsx", sheet="data", range="a3:m53")
```

```
> mydata
# A tibble: 50 x 13
      No 성별   나이 SubPath Tsize3cm site2 S12vsS34 PORT1    LF LocalControl Osmonth 생존여부01  Ki67
   <dbl> <chr> <dbl>   <dbl>    <dbl> <dbl>    <dbl> <dbl> <dbl>        <dbl>   <dbl>       <dbl> <dbl>
1      1 F        39      21        1     1        0     1     0           92      92           0 13
2      2 M        55      21        1     4        0     1     0           67      67           0  2.2
3      3 M        71      21        1     1        0     1     0           63      63           0  1.06
4      4 F        39      21        0     1        1     1     0          144     144           0 26.6
5      5 F        57      21        0     1        0     1     1           41      59           0 14.3
6      6 M        32      21        1     1        0     0     1           35      87           0 25
7      7 M        67      21        1     1        0     1     1           34      69           1  5
8      8 F        39      21        0     4        1     1     0           43      43           0 47.2
9      9 F        55      21        0     1        0     1     0          138     138           0 25
10    10 M        52      21        1     1        0     1     0           26      26           1 11.9
# ... with 40 more rows
```

```
## SPSS 데이터파일
require(haven)
mydata2 <- read_sav("Meningioma.sav")
```

```
> mydata2
# A tibble: 50 x 13
      No 성별   나이 SubPath      Tsize3cm    site2       S12vsS34     PORT1        LF LocalControl Osmonth 생존여부01  Ki67
   <dbl> <chr> <dbl> <dbl+lbl>   <dbl+lbl>   <dbl+lbl>   <dbl+lbl>    <dbl+lbl> <dbl>        <dbl>   <dbl>       <dbl> <dbl>
1      1 F        39 21 [Atypi~ 1 [Tumor si~ 1 [Conve~ 0              1 [Postope~     0           92    91.8           0 13
2      2 M        55 21 [Atypi~ 1 [Tumor si~ 4 [Other~ 0              1 [Postope~     0           67    67.2           0  2.2
3      3 M        71 21 [Atypi~ 1 [Tumor si~ 1 [Conve~ 0              1 [Postope~     0           63    63.0           0  1.06
4      4 F        39 21 [Atypi~ 0 [Tumor si~ 1 [Conve~ 1 [Simpson ~   1 [Postope~     0          144   144.           0 26.6
5      5 F        57 21 [Atypi~ 0 [Tumor si~ 1 [Conve~ 0              1 [Postope~     1           41    58.5           0 14.3
6      6 M        32 21 [Atypi~ 1 [Tumor si~ 1 [Conve~ 0              0 [No RT]       1           35    86.7           0 25
7      7 M        67 21 [Atypi~ 1 [Tumor si~ 1 [Conve~ 0              1 [Postope~     1           34    69.2           1  5
8      8 F        39 21 [Atypi~ 0 [Tumor si~ 4 [Other~ 1 [Simpson ~   1 [Postope~     0           43    43.4           0 47.2
9      9 F        55 21 [Atypi~ 0 [Tumor si~ 1 [Conve~ 0              1 [Postope~     0          138   138.           0 25
10    10 M        52 21 [Atypi~ 1 [Tumor si~ 1 [Conve~ 0              1 [Postope~     0           26    26.3           1 11.9
# ... with 40 more rows
```

⊙ R에서 데이터 불러오기

패키지명 :: 함수명

#엑셀 파일 불러오기
readxl :: read_excel("myfile.xlsx",
sheet="워크시트명", range="데이
터범위")

#SPSS 데이터파일 불러오기
haven :: read_sav("myfile.sav")

#텍스트 파일 불러오기
read.table("myfile.txt", header=T)

#CSV 파일 불러오기
read.csv("myfile.csv")
read.table("myfile.csv", header=T,
sep="\t")

⚕ Table1

TABLE 1. Patient Characteristics

Characteristics	Value	n (%)
Age at diagnosis, median (y)	53 (13-78)	
Sex		
Men	26	(52.0)
Women	24	(48.0)
Pathology		
Atypical	45	(90.0)
Chordoid	5	(10.0)
Ki-67 labeling index, mean (%, range)	13 (1-47)	
Tumor location		
Convexity	40	(80.0)
Orbit	3	(6.0)
Sphenoid ridge	3	(6.0)
Falx	3	(6.0)
Ventricle	1	(2.0)
Tumor size (cm)		
≤3	12	(24.0)
>3	38	(76.0)
Extent of resection (Simpson grading system)		
Grade I	16	(32.0)
Grade II	23	(46.0)
Grade III	5	(10.0)
Grade IV	6	(12.0)
Postoperative radiotherapy		
Yes	43	(86.0)
No	7	(14.0)

Results: Patients and Treatment

Table 1 lists the characteristics of the 50 patients enrolled in this study. Median age at diagnosis was 53 years (range, 13 to 78 y). Twenty-six patients were men and 24 patients were women. Mean Ki-67 LI was 13%. Most tumors (n = 40, 80%) were located in convexity. Thirty-eight (76%) patients had tumors >3 cm in diameter. Simpson grade I, II, III, and IV resections were performed on 16 (32%), 23 (46%), 5 (10%), and 6 (12%) patients, respectively (Table 1). Forty-three patients (86%) were treated with PORT. Median follow-up was 47.4 months (range, 4 to 144 mo).

⊙ 기술통계에서 유의사항

정규성 가정이 타당한 경우 평균(mean)과 표준편차(SD, standard deviation)를 제시하고, 순위자료(ordinal data)이거나 치우친 자료는 중앙값(median)과 범위(range) 또는 사분위수범위(interquartile range)를 제시하라.

🩺 기술통계량 (연속형변수)

[분석]-[기술통계량]-[빈도분석] 또는 [분석]-[기술통계량]-[데이터 탐색]

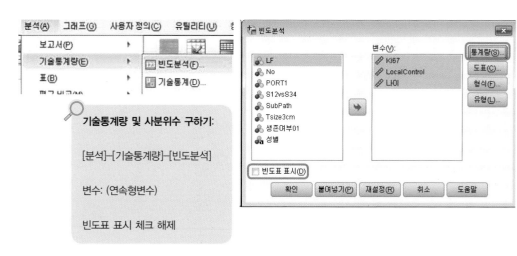

기술통계량 및 사분위수 구하기:

[분석]-[기술통계량]-[빈도분석]

변수: (연속형변수)

빈도표 표시 체크 해제

기술통계량 및 사분위수 출력

Frequencies

Statistics		Ki67	LocalControl	나이
N	Valid	50	50	50
	Missing	0	0	0
Mean		12.9842	46.060	49.320
Median		10.0000	43.000	52.500
Std. Deviation		10.48219	34.5858	15.2093
Minimum		1.00	4.0	13.0
Maximum		47.40	144.0	78.0
Percentiles	25	5.9975	16.000	39.000
	50	10.0000	43.000	52.500
	75	16.7200	63.250	61.000

잘라내기
복사
선택하여 복사...
뒤에 붙여넣기
자동 스크립트 작성/편집...
유형 출력(F)...
내보내기...
내용 편집(O) ▶   뷰어에서(V)
    별도의 창에서(W)

피벗 메뉴를 이용하여
표의 형태를 자유롭게 변형

기술통계량 (범주형변수)

[분석]−[기술통계량]−[빈도분석]

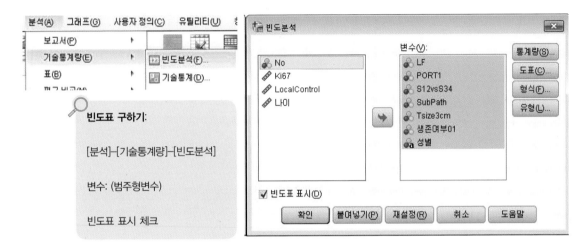

빈도표 구하기:

[분석]−[기술통계량]−[빈도분석]

변수: (범주형변수)

빈도표 표시 체크

🩺 빈도표 출력

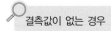 결측값이 없는 경우

성별

		Frequency	Percent	Valid Percent	Cumulative Percent
Valid	F	24	48.0	48.0	48.0
	M	26	52.0	52.0	100.0
	Total	50	100.0	100.0	

결측값 **정의 방법**: [변수보기]–[결측값]–[이산형 결측값]

	이름	유형	너비	소수점이...	레이블	값	결측값	열
1	No	숫자	12	1		없음	없음	8
2	성별	문자	1	0		없음		8
3	나이	숫자	12	1		없음	없음	8

결측값이 있는 경우

성별

		Frequency	Percent	Valid Percent	Cumulative Percent
Valid	F	20	40.0	47.6	47.6
	M	22	44.0	52.4	100.0
	Total	42	84.0	100.0	
Missing		8	16.0		
Total		50	100.0		

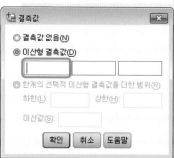

R에서 데이터 탐색 및 Table1 만들기 (tableone 패키지)

```
vars <- c("나이", "성별", "SubPath", "Ki67")
fvars <- c("성별", "SubPath")

require(tableone)

## 데이터탐색
#sink("summary.txt")
summary(CreateTableOne(data=mydata, vars=vars))
#sink()

T1 <- CreateTableOne(data=mydata, vars=vars, factorVars=fvars,
          includeNA=F, smd=F)

pT1 <- print(T1, showAllLevels=T, noSpaces=T,
          nonnormal="Ki67", minMax=T)

## 논문용 테이블
write.csv(pT1, "T1.csv")
```

```
> T1
                Overall
n                    50
나이 (mean (SD)) 49.32 (15.21)
성별 = M (%)        26 (52.0)
SubPath = 23 (%)     5 (10.0)
Ki67 (mean (SD)) 12.98 (10.48)
```

데이터탐색

```
> summary(CreateTableOne(data=mydata, vars=vars))

    ### Summary of continuous variables ###

strata: Overall
          n miss p.miss mean   sd median p25 p75 min max skew kurt
나이      50    0      0   49 15.2     52  39  61   1  78 -0.5 -0.2
SubPath   50    0      0   21  0.6     21  21  21  21  23  2.7  5.8
Ki67      50    0      0   13 10.5     10   6  16   1  47  1.6  2.9

===============================================================

    ### Summary of categorical variables ###

strata: Overall
    var   n miss p.miss level freq percent cum.percent
    성별 50    0    0.0     F   24    48.0        48.0
                              M   26    52.0       100.0
```

 T1.csv

	A	B	C
1		level	Overall
2	n		50
3	나이 (mean (SD))		49.32 (15.21)
4	성별 (%)	F	24 (48.0)
5		M	26 (52.0)
6	SubPath (%)	21	45 (90.0)
7		23	5 (10.0)
8	Ki67 (median [range])		10.00 [1.00, 47.40]

Figure1

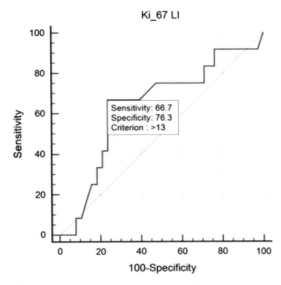

FIGURE 1. Receiver-operating characteristic curve analysis: Ki-67 labeling index and local failure.

Results: Factors Related to the Value of the Ki-67 LI

The mean Ki-67 LI was 15% in patients with local failure (n = 12) and 12% in patients without local failure (n = 38). The relationship between Ki-67 LI and local failure was evaluated, and the cut-off value (Ki-67 LI > 13%) was obtained by the Youden index (AUC = 0.638; sensitivity 66.7%; specificity 76.3%; 95% confidence interval, 0.490–0.769; Fig. 1).

⊙ **통계방법**

국소제어실패(LF) 예측을 위한 Ki-67 labeling index의 유용성평가: ROC 분석 (Receiver-Operating Characteristic analysis)을 실시함

1) AUC (area under curve): ROC 곡선의 아래 면적으로, 1에 가까울수록 유용한 검사임을 의미한다.

2) 최적절단점(optimal cut-off value): Youden index에 근거하여 민감도 (sensitivity)와 특이도(specificity)를 최대로 하는 지점을 선택한다. The "optimal" cutoff value was defined by the highest Youden index value (sensitivity + specificity – 1).

⊙ **최적절단점에 대한 유의사항**

생존분석에서의 최적절단점은 주로 로그-순위 검정결과에 근거하여 결정한다.
ROC곡선에서 찾은 최적절단점이 생존분석에서 생존율의 차이가 가장 큰 최적절단점이 아닐 수 있다.

ROC 곡선

[분석]−[ROC곡선]

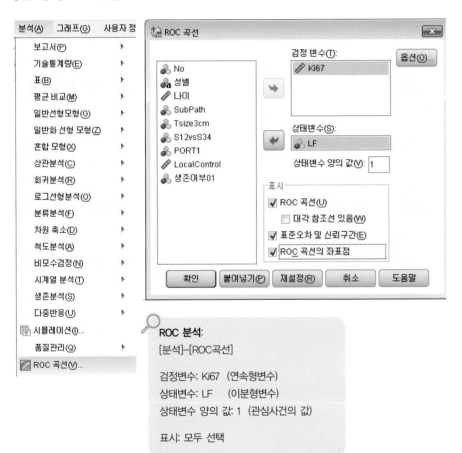

ROC 분석:

[분석]−[ROC곡선]

검정변수: Ki67　(연속형변수)

상태변수: LF　　(이분형변수)

상태변수 양의 값: 1　(관심사건의 값)

표시: 모두 선택

ROC 분석 결과

ROC Curve

**Case Processing
Summary**

LF[a]	Valid N (listwise)
Positive[b]	12
Negative	38

Larger values of the test result variable(s) indicate stronger evidence for a positive actual state.

a. The test result variable(s): Ki67 has at least one tie between the positive actual state group and the negative actual state group.

b. The positive actual state is 1.0.

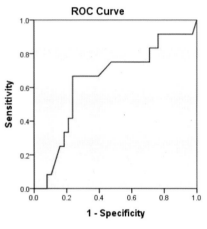

ROC Curve

Sensitivity / 1 - Specificity

Diagonal segments are produced by ties.

Area Under the Curve

Test Result Variable(s): Ki67

Area	Std. Error[a]	Asymptotic Sig.[b]	Asymptotic 95% Confidence Interval	
			Lower Bound	Upper Bound
.638	.095	.152	.451	.825

The test result variable(s): Ki67 has at least one tie between the positive actual state group and the negative actual state group. Statistics may be biased.

a. Under the nonparametric assumption

b. Null hypothesis: true area = 0.5

AUC 검정:
p=0.152 > 0.05이므로 귀무가설(H0: AUC=0.5)를 기각하지 못한다. 즉, Ki67은 LF를 예측하는 데 유의한 마커라고 볼 수 없다.

AUC=0.638, 95% CI=(0.451, 0.825)

ROC 곡선:
임의의 절단점을 기준으로 민감도와 특이도를 계산하여 (1−특이도, 민감도)를 이차원 평면상에 표현한 그림

⊙ **모형선택기준**

AUC (Area under the ROC curve): ROC곡선의 아래 면적으로 1에 가까울수록 분류예측력(discrimination)이 높은 모형

Rule of thumb

Size of AUC	Interpretation
0.9~1	Outstanding
0.8~0.9	Excellent
0.7~0.8	Acceptable
0.6~0.7	Poor
0.5~0.6	No discrimination

Youden index 계산하기 (1단계)

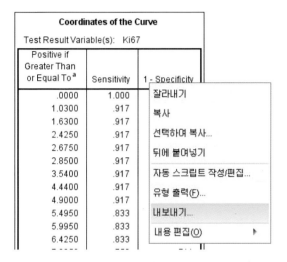

Coordinates of the Curve

Test Result Variable(s): Ki67

Positive if Greater Than or Equal To[a]	Sensitivity	1 - Specificity
.0000	1.000	
1.0300	.917	
1.6300	.917	
2.4250	.917	
2.6750	.917	
2.8500	.917	
3.5400	.917	
4.4400	.917	
4.9000	.917	
5.4950	.833	
5.9950	.833	
6.4250	.833	

잘라내기
복사
선택하여 복사...
뒤에 붙여넣기
자동 스크립트 작성/편집...
유형 출력(F)...
내보내기...
내용 편집(O)　▶

최적절단점 찾기:
유덴지수(Youden index)를 이용하여 민감도와 특이도를
최대로 하는 절단점을 찾는다.

결과 내보내기:
방법1) [마우스 우클릭]–[복사] 후 엑셀에 [붙여넣기]
방법2) [마우스 우클릭]–[내보내기]: 내보낼 개체=선택,
문서유형=엑셀, 파일이름=경로 및 파일이름

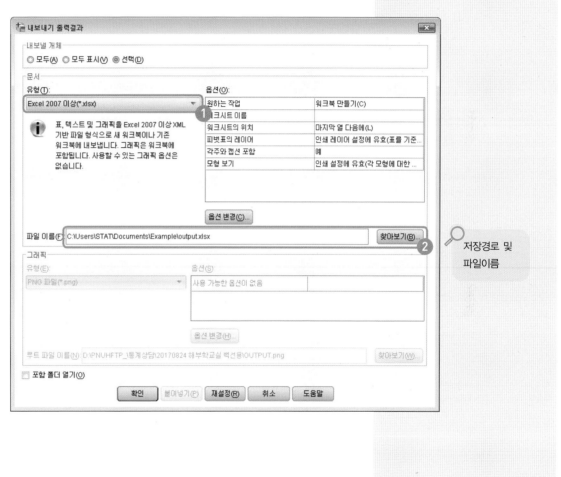

저장경로 및
파일이름

Youden index 계산하기 (2단계)

E31		▼ : ✕ ✓ f_x	=RANK(D31,D:D,0)

	A	B	C	D	E
1	**Coordinates of the Curve**				
2	Test Result Variable(s):	Ki67			
3	Positive if Greater Than or Equal To[a]	Sensitivity	1 – Specificity	Youden index	Rank
25	10.0500	.667	.395	0.272	9
26	10.1500	.667	.368	0.298	7
27	10.6000	.667	.342	0.325	6
28	11.3050	.667	.316	0.351	4
29	11.7550	.667	.289	0.377	3
30	12.4500	.667	.263	0.404	2
31	13.6200	.667	.237	0.430	1
32	14.2550	.583	.237	0.346	5
33	14.6350	.500	.237	0.263	10
34	15.6000	.417	.237	0.180	15
35	16.2800	.417	.211	0.206	13
36	17.0800	.333	.211	0.123	21
37	18.6350	.333	.184	0.149	18
38	19.9100	.250	.184	0.066	29
39	22.6750	.250	.158	0.092	26
40	25.8000	.167	.132	0.035	32
41	26.6300	.083	.105	-0.022	38

Youden index
= 민감도 + 특이도 − 1
= B열 + (1−C열) − 1

최적절단값: Youden index가 최대인 지점. 즉,
Youden index=0.430일때가 가장 크므로
Ki67의 최적절단값은 13.62가 됨

	Cutoff value	Sensitivity	Specificity	Youden index
Ki67	≥13.62	66.7%	76.3%	0.430

The "optimal" cutoff value was defined by the highest Youden index value (sensitivity + specificity − 1).

R에서 ROC 분석, 최적절단점 찾기

```
x = mydata$Ki67
y = mydata$LF

require(pROC)
rocobj <- roc(y ~ x, ci=T)
plot(rocobj, print.thres=T, print.auc=T,
    print.auc.x=0.7, print.auc.y=0.1, auc.polygon=T)

## 최적절단점: Youden index 최대값
coords(rocobj, "best", transpose = T)

## 신뢰구간 구하기
ret = c("specificity","sensitivity", "accuracy", "npv", "ppv")
out = ci.coords(rocobj, x=13.62, input="threshold", ret=ret)

out2 = matrix(as.data.frame(out), 5, byrow=T)
rownames(out2) <- ret
colnames(out2) <- c("low", "estimate", "high")
```

```
> out
95% CI (2000 stratified bootstrap replicates):
      threshold specificity.low specificity.median specificity.high sensitivity.low sensitivity.median sensitivity.high
13.62     13.62           0.6316             0.7632           0.8947          0.4167             0.6667           0.9167
      accuracy.low accuracy.median accuracy.high npv.low npv.median npv.high ppv.low ppv.median ppv.high
13.62         0.62            0.74           0.86  0.7895     0.8788   0.9677  0.3077     0.4706   0.6667


> out2
            low        estimate  high
specificity 0.6315789  0.7631579 0.8947368
sensitivity 0.4166667  0.6666667 0.9166667
accuracy    0.62       0.74      0.86
npv         0.7894737  0.8787879 0.9677419
ppv         0.3076923  0.4705882 0.6666667
```

R에서 생존분석, 최적절단점 찾기

```
y = mydata$LF
x = mydata$Ki67
time = mydata$LocalControl

require(survival)
wd <- data.frame(time, y, x)
f <- Surv(time, y==1) ~ x


## 최적절단점 찾기
require(maxstat)
maxs <- maxstat.test(f, data=wd, smethod="LogRank"); maxs

plot(maxs, xlab="Ki67")
cutval <- maxs$estimate
mtext(paste0("Optimal cut-off value=", sprintf("%.1f", cutval)),
    side=3, adj=0, line=1, cex=0.8)


## 최적절단점에서 유의성 확인하기
group = factor(ifelse(x <=13, 1, 2))
wd <- data.frame(time, y, group)
survdiff(Surv(time, y) ~ group, data=wd)

require(survminer)
fit <- survfit(Surv(time, y) ~ group, data=wd)
ggsurvplot(fit, pval = TRUE, legend.labs=c("Ki67 ≤13","Ki67 >13"))
```

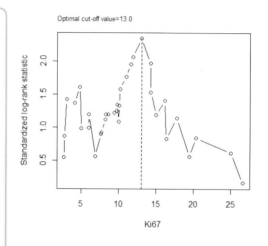

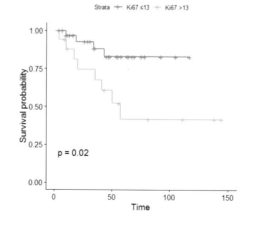

⊙ 생존분석에서의 최적절단점

- 생존분석에서의 최적절단점은 모든 시점의 생존율의 차이를 반영하여 생존분포의 차이를 최대로 하는 지점을 선택

- ROC분석에서의 최적절단점은 마지막 시점에서 민감도, 특이도를 최대로 하는 지점을 선택

🩺 Figure2

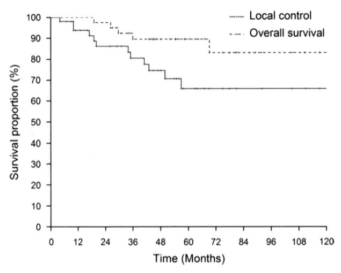

FIGURE 2. Local control and overall survival.

> **Results: LC and Survival**
>
> The 3- and 5-year actuarial LCs were 80.5% and 65.9%, respectively. The 3- and 5-year OSs were 89.5% and 89.5%, respectively (Fig. 2).

⊙ **통계방법**

생존율의 추정:
카플란-마이어 추정법(Kaplan-Meier method) 이용

🩺 생존율 구하기

[분석]–[생존분석]–[Kaplan–Meier]

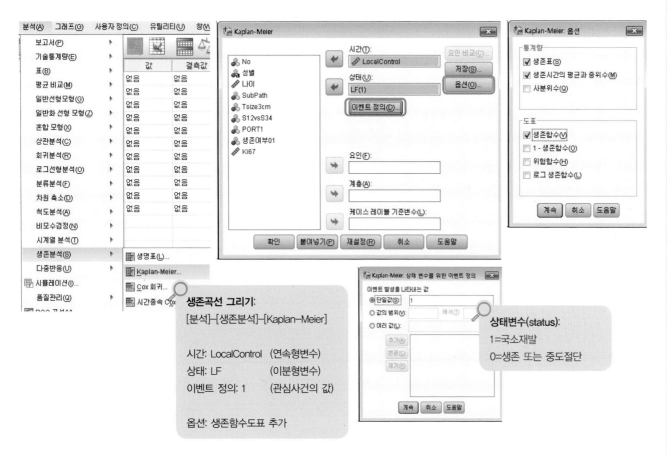

생존곡선 그리기:

[분석]–[생존분석]–[Kaplan–Meier]

시간: LocalControl   (연속형변수)
상태: LF   (이분형변수)
이벤트 정의: 1   (관심사건의 값)

옵션: 생존함수도표 추가

상태변수(status):
1=국소재발
0=생존 또는 중도절단

⊙ **생존분석의 특징**

• 생존시간은 대부분 비정규분포이다.
• 중도절단을 포함한다.

중도절단:
• loss to follow up(추적관찰이 불가능한 경우)
• drop out(환자의 치료 거부 및 중단)
• termination of study(연구 종료)
• death from unrelated cause(관련 없는 사망)

생존표에서 생존율 찾기

Survival Table

	Time	Status	Cumulative Proportion Surviving at the Time		N of Cumulative Events	N of Remaining Cases
			Estimate	Std. Error		
1	4.000	1.0	.980	.020	1	49
2	4.000	.0	.	.	1	48
3	7.000	.0	.	.	1	47
4	9.000	.0	.	.	1	46
5	10.000	1.0	.	.	2	45
6	10.000	1.0	.937	.035	3	44
7	10.000	.0	.	.	3	43
8	11.000	.0	.	.	3	42
9	11.000	.0	.	.	3	41
10	13.000	.0	.	.	3	40

1년(12개월)
생존율=93.7%

Survival Table

	Time	Status	Cumulative Proportion Surviving at the Time		N of Cumulative Events	N of Remaining Cases
			Estimate	Std. Error		
17	26.000	.0	.	.	6	33
18	29.000	.0	.	.	6	32
19	31.000	.0	.	.	6	31
20	34.000	1.0	.834	.058	7	30
21	34.000	.0	.	.	7	29
22	35.000	1.0	.805	.063	8	28
23	35.000	.0	.	.	8	27
24	41.000	1.0	.775	.	9	26
25	43.000	1.0	.745	.	10	25
26	43.000	.0	.	.	10	24

3년(36개월)
생존율=80.5%

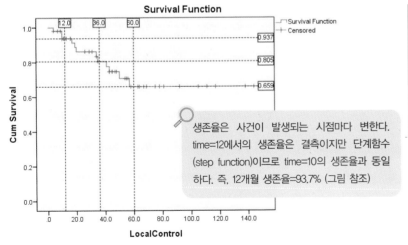

Survival Function

생존율은 사건이 발생되는 시점마다 변한다. time=12에서의 생존율은 결측이지만 단계함수 (step function)이므로 time=10의 생존율과 동일하다. 즉, 12개월 생존율=93.7% (그림 참조)

	Time	Status	Cumulative Proportion Surviving at the Time		N of Cumulative Events	N of Remaining Cases
			Estimate	Std. Error		
31	48.000	.0	.	.	10	19
32	50.000	1.0	.706	.077	11	18
33	54.000	.0	.	.	11	17
34	55.000	.0	.	.	11	16
35	56.000	.0	.	.	11	15
36	57.000	1.0	.659	.085	12	14
37	58.000	.0	.	.	12	13
38	63.000	.0	.	.	12	12
39	64.000	.0	.	.	12	11

5년(60개월)
생존율=65.9%

생존곡선 겹쳐 그리기 (1)

1단계) 생존율 저장하기: [분석]−[생존분석]−[Kaplan−Meier]

2단계) 데이터 추가하기: t=0, S(t)=1

	S12vsS34	PORT1	LF	LocalControl	Osmonth	생존여부01	Ki67	SUR_1	SUR_2
45	0	1	1.0	19.0	36	1.0	1.00	.88672	.89475
46	0	0	.0	105.0	105	.0	4.80	.	.
47	0	1	.0	34.0	34	.0	9.80	.	.
48	0	0	.0	117.0	117	.0	1.00	.	.
49	1	0	1.0	4.0	19	1.0	26.60	.98000	.97500
50	0	0	1.0	10.0	27	.0	6.85	.93739	.
51	.	.	.	.0	0	.	.	1.00000	1.00000

생존함수 곡선이 Time=0에서
생존확률=1 되도록 값을 입력함

생존곡선 겹쳐 그리기 (2)

3단계) 산점도 그리기: [그래프]–[레거시 대화상자]–[산점도/점도표]–[겹쳐그리기 산점도]

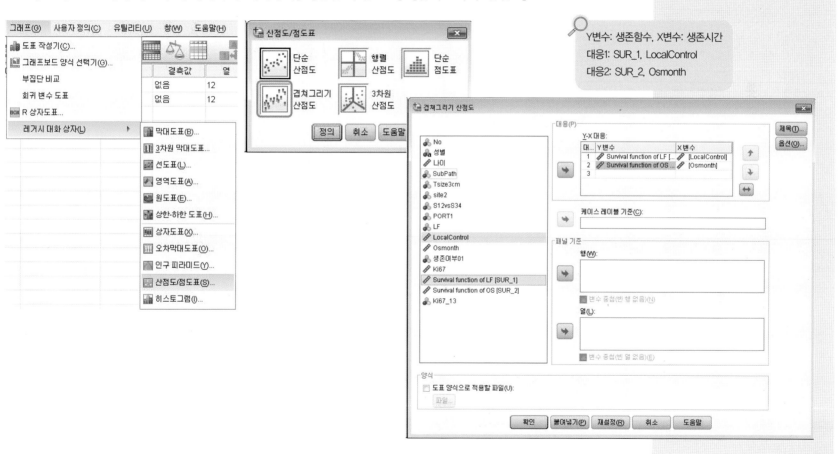

Y변수: 생존함수, X변수: 생존시간
대응1: SUR_1, LocalControl
대응2: SUR_2, Osmonth

🩺 생존곡선 겹쳐 그리기 (3)

4단계) 그래프 편집하기: [도표 더블클릭]−[도표 편집기 창]−[요소]−[보간선]

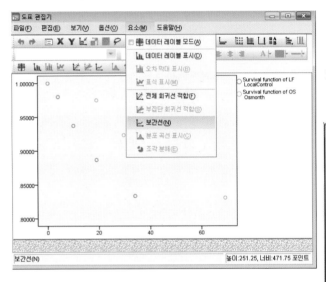

5단계) 선모양 변경하기: [특성 창]−[보간선 탭]−
　　　　[계단(왼쪽) 선택]

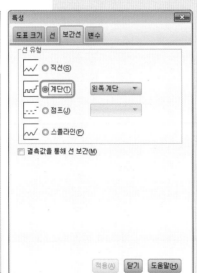

🔍 필요에 따라 y축 범위(0, 1), 소수점 자리수,
　　선색, 배경색, 테두리 등 다양하게 변경 가능

생존곡선의 특징:

1) 계단함수(step function) 형태
2) t=0 일 때 S(t) = 1

R에서 생존곡선 겹쳐 그리기

```
require(survival)
fit1 <- survfit(Surv(LocalControl, LF==1) ~ 1, data=mydata)
fit2 <- survfit(Surv(Osmonth, 생존여부01==1) ~ 1, data=mydata)

par(bty="l")
plot(fit1, xlab="Time (months)", ylab="survival probability", conf.int=F)
lines(fit2, col=2, lty=2, conf.int=F)
legend("bottomleft", c("Local Control", "Overall survival"),
    bty="n", lty=1:2, col=1:2, text.col=1:2)
grid()
```

```
## 생존율 구하기 (1, 3, 6년)
summary(fit1, times=c(1,3,6)*12)
summary(fit2, times=c(1,3,6)*12)
```

```
>   summary(fit1, times=c(1,3,6)*12)
Call: survfit(formula = Surv(LocalControl, LF == 1) ~ 1, data = mydata)

 time n.risk n.event survival std.err lower 95% CI upper 95% CI
   12     41       3    0.937  0.0350        0.871        1.000
   36     27       5    0.805  0.0628        0.691        0.938
   72      9       4    0.659  0.0852        0.511        0.849
>   summary(fit2, times=c(1,3,6)*12)
Call: survfit(formula = Surv(Osmonth, 생존여부01 == 1) ~ 1, data = mydata)

 time n.risk n.event survival std.err lower 95% CI upper 95% CI
   12     44       0    1.000  0.0000        1.000        1.000
   36     32       4    0.895  0.0500        0.802        0.998
   72     12       1    0.831  0.0771        0.693        0.997
```

Table2

TABLE 2. Comparison of Clinical Factors According to Level of Ki-67 LI

Variables	n (%) Ki-67 LI ≤ 13% (n = 33)	n (%) Ki-67 LI > 13% (n = 17)	P
Median age (y)	53	48	—
Sex (male)	20 (60.6)	6 (35.3)	0.136
Tumor size (>3 cm)	26 (78.8)	12 (70.6)	0.728
Surgical extent (SG III-IV)	4 (12.1)	7 (41.2)	0.030
Adjuvant treatment (PORT)	29 (87.9)	14 (82.4)	0.677
Local failure	4 (12.1)	8 (47.1)	0.012

LI indicates labeling index; PORT indicates postoperative radiotherapy; SG, Simpson grade.

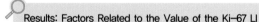

Results: Factors Related to the Value of the Ki-67 LI

Table 2 shows the comparison of clinical factors according to the value of Ki-67 LI (> 13%, r13%). A higher Ki-67 level (> 13%) was significantly associated with incomplete resection (Simpson grade III-IV, P = 0.030) and local failure (P = 0.012).

⊙ **통계방법**

1) 연속형변수(age, recovered nodes)
 · 정규성 가정이 타당한 경우: 평균(mean)과 표준편차(SD; standard deviation)를 표기하고, 독립표본 t-검정(Independent t-test)을 실시
 · 정규성 가정이 타당하지 않은 경우: 중앙값(median)과 범위(range) 또는 사분위수범위(IQR; interquartile range)를 표기하고, 윌콕슨 순위합 검정(Wilcoxon rank-sum test)을 실시

2) 범주형변수(gender, tumor location 등)
 카이제곱검정(Chi-square test)을 실시, 단, 각 칸의 기대빈도가 5미만인 경우 피셔정확검정 (Fisher's exact test)을 실시

🩺 코딩변경

[변환]–[다른 변수로 코딩변경]

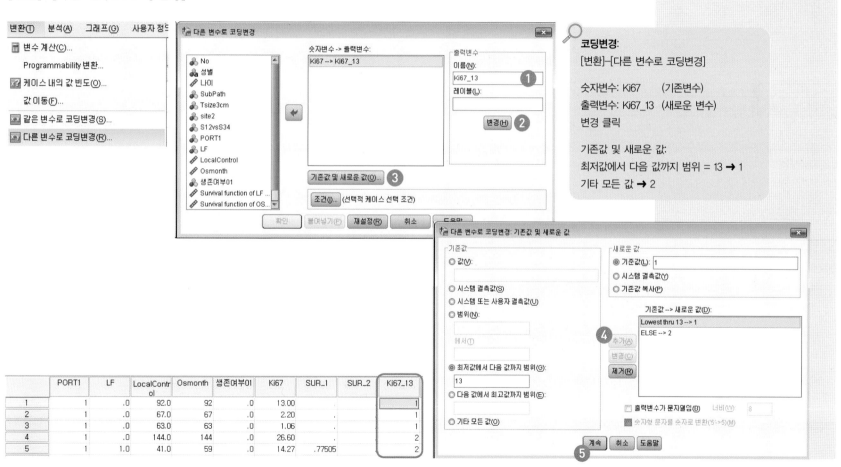

코딩변경:
[변환]–[다른 변수로 코딩변경]

숫자변수: Ki67　　(기존변수)
출력변수: Ki67_13　(새로운 변수)
변경 클릭

기존값 및 새로운 값:
최저값에서 다음 값까지 범위 = 13 ➜ 1
기타 모든 값 ➜ 2

독립인 두 집단의 비교 (연속형변수) – 모수적 방법

[분석]–[평균비교]–[독립표본 T검정]

독립인 두 집단의 평균비교:
각 집단의 분포가 정규분포를 따른다고 가정한다.

[분석]–[평균비교]–[독립표본T검정]

검정변수: 나이(연속형변수)
집단변수: Ki67_13
집단정의: 1, 2

🩺 독립표본 t-검정 결과

T-Test

Group Statistics

	Ki67_13	N	Mean	Std. Deviation	Std. Error Mean
나이	Ki67 ≤13	33	49.818	17.3790	3.0253
	Ki67 >13	17	48.353	10.1424	2.4599

🔍 **1단계) 등분산검정(Levene's Test for Equality of Variances):**
p=0.0499 < α=0.05 이므로 귀무가설(H0: 두 집단의 분산이 같다)을 기각한다. 즉, 등분산이라 가정할 수 없다.

2단계) 독립표본 t-검정(T-test for Equality of Means):
분산이 다르다는 가정하에서의 t=0.376, df=47.11, p=0.709 > α=0.05 이므로 귀무가설(H0: 두 집단의 평균은 같다)을 기각하지 않는다. 즉, 두 집단의 평균이 다르다고 볼 수 없다.

⊙ **등분산 가정이 만족되지 않는 경우**

방법1) 등분산 가정안됨(Equal variances not assumed)의 t-검정을 선택하거나(독립표본 T-검정 메뉴)

방법2) 비모수검정 한다.

Independent Samples Test

		Levene's Test for Equality of Variances ❶		t-test for Equality of Means					95% Confidence Interval of the Difference	
		F	Sig.	t	df	Sig. (2-tailed)	Mean Difference	Std. Error Difference	Lower	Upper
나이	Equal variances assumed	4.046	.050	.320	48	.751 ❷	1.4652	4.5828	-7.7491	10.6795
	Equal variances not assumed			.376	47.113	.709	1.4652	3.8992	-6.3784	9.3088

피벗표 Independent Samples Test

파일(F)　편집(E)　보기(V)　삽입(I)　피벗(P)　형식(O)　도움

P-value=0.050 일때는 소수점 넷째자리까지 확인 후 가설기각 여부를 판단함(더블클릭)

		Levene's Test for Equality of Variances		t-test for Equality of Means					95% Confidence Interval of the Difference	
		F	Sig.	t	df	Sig. (2-tailed)	Mean Difference	Std. Error Difference	Lower	Upper
나이	Equal variances assumed	4.046	0.049912	.320	48	.751	1.4652	4.5828	-7.7491	10.6795
	Equal variances not assumed			.376	47.113	.709	1.4652	3.8992	-6.3784	9.3088

독립인 두 집단의 비교 (연속형변수) - 비모수적방법

[분석]-[비모수검정]-[독립표본] 또는 [분석]-[비모수검정]-[레거시 대화상자]-[2-독립표본]

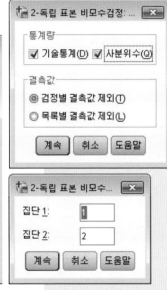

독립인 두 집단의 평균(중앙값) 비교:

순위자료(ordinal data)이거나 치우친 자료인 경우 맨-휘트니검정(Mann-Whitney test) 또는 윌콕슨 순위합 검정(Wilcoxon rank-sum test)을 실시한다.

[분석]-[비모수검정]-[레거시 대화상자]-[2-독립표본]

검정 변수: 나이(연속형변수)
집단 변수: Ki67_13(법주형변수)
집단 정의: 1, 2
검정 유형: Mann-Whitney의 U 선택

🩺 맨–휘트니 검정 결과

NPar Tests

Descriptive Statistics

	N	Mean	Std. Deviation	Minimum	Maximum	Percentiles		
						25th	50th (Median)	75th
나이	50	49.320	15.2093	13.0	78.0	39.000	52.500	61.000
Ki67_13	51	1.35	.483	1	2	1.00	1.00	2.00

Mann-Whitney Test

Ranks

	Ki67_13	N	Mean Rank	Sum of Ranks
나이	Ki67 ≤13	33	26.45	873.00
	Ki67 >13	17	23.65	402.00
	Total	50		

Test Statistics[a]

	나이
Mann-Whitney U	249.000
Wilcoxon W	402.000
Z	-.646
Asymp. Sig. (2-tailed)	.518

a. Grouping Variable: Ki67_13

🔍 **맨–휘트니 검정:**
p=0.518 > α=0.050이므로 귀무가설(H0: 두 집단의 평균은 같다)을 기각하지 않는다. 즉, 두 집단의 평균나이가 통계적으로 유의하게 다르다고 볼 수 없다.

독립인 두 집단의 비교 (범주형변수)

[분석]-[기술통계량]-[교차분석]

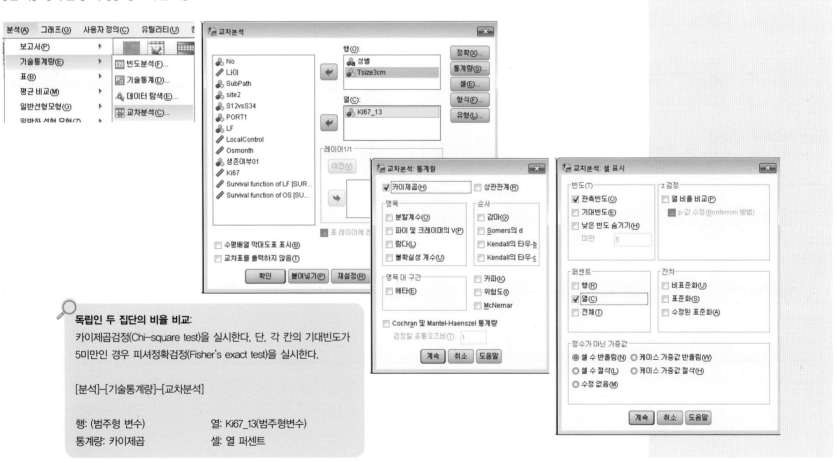

독립인 두 집단의 비율 비교:
카이제곱검정(Chi-square test)을 실시한다. 단, 각 칸의 기대빈도가
5미만인 경우 피셔정확검정(Fisher's exact test)을 실시한다.

[분석]-[기술통계량]-[교차분석]

행: (범주형 변수)   열: Ki67_13(범주형변수)
통계량: 카이제곱   셀: 열 퍼센트

교차분석 결과

성별 * Ki67_13

Crosstab

			Ki67_13		Total
			Ki67 ≤13	Ki67 >13	
성별	F	Count	13	11	24
		% within Ki67_13	39.4%	64.7%	48.0%
	M	Count	20	6	26
		% within Ki67_13	60.6%	35.3%	52.0%
Total		Count	33	17	50
		% within Ki67_13	100.0%	100.0%	100.0%

Chi-Square Tests

	Value	df	Asymp. Sig. (2-sided)	Exact Sig. (2-sided)	Exact Sig. (1-sided)
Pearson Chi-Square	2.880[a]	1	.090		
Continuity Correction[b]	1.955	1	.162		
Likelihood Ratio	2.909	1	.088		
Fisher's Exact Test				.136	.081
N of Valid Cases	50				

a. 0 cells (0.0%) have expected count less than 5. The minimum expected count is 8.16.

b. Computed only for a 2x2 table

카이제곱검정:

p=0.090 > α=0.05이므로 귀무가설(H0: 두 집단의 비율은 같다)을 기각하지 않는다. 즉, 두 집단의 성별분포가 통계적으로 다르다고 볼 수 없다.

Tsize3cm * Ki67_13

Crosstab

			Ki67_13		Total
			Ki67 ≤13	Ki67 >13	
Tsize3cm	Tumor size ≤3	Count	7	5	12
		% within Ki67_13	21.2%	29.4%	24.0%
	Tumor size >3	Count	26	12	38
		% within Ki67_13	78.8%	70.6%	76.0%
Total		Count	33	17	50
		% within Ki67_13	100.0%	100.0%	100.0%

Chi-Square Tests

	Value	df	Asymp. Sig. (2-sided)	Exact Sig. (2-sided)	Exact Sig. (1-sided)
Pearson Chi-Square	.414[a]	1	.520		
Continuity Correction[b]	.086	1	.769		
Likelihood Ratio	.405	1	.524		
Fisher's Exact Test				.728	.378
Linear-by-Linear Association	.405	1	.524		
N of Valid Cases	50				

a. 1 cells (25.0%) have expected count less than 5. The minimum expected count is 4.08.

b. Computed only for a 2x2 table

피셔정확검정:

p=0.728 > α=0.05이므로 귀무가설(H0: 두 집단의 비율은 같다)을 기각하지 않는다. 즉, 두 집단의 Tsize3cm분포가 통계적으로 다르다고 볼 수 없다.

⊙ **피셔정확검정**

기대빈도가 5미만인 셀이 존재하는 경우 피셔정확검정(Fisher's exact test)을 실시하라.

2 x 2 table: 자동 계산됨
k x k table: 옵션 지정해야 함
[교차분석]-[정확]-[정확검정]

🩺 R에서 독립인 두 집단의 비교 (연속형변수)

```
## 연속형 변수
group = ifelse(mydata$Ki67 <=13, "13-", "13+")
y = mydata$나이

var.test(y ~ group)
t.test(y ~ group, paired=F, var.equal=F)
wilcox.test(y ~ group, paired=F, correct=F)

## 95% 신뢰구간 구하기
require(DescTools)
MeanCI(y)                 #95% CI
tapply(y, group, MeanCI)  #95% CI by group
```

```
> t.test(y ~ group, paired=F, var.equal=F)

        Welch Two Sample t-test

data:  y by group
t = 0.37578, df = 47.113, p-value = 0.7088
alternative hypothesis: true difference in means is not equal to 0
95 percent confidence interval:
 -6.378351  9.308832
sample estimates:
mean in group 13- mean in group 13+
        49.81818          48.35294


> tapply(y, group, MeanCI)  #95% CI by group
$`13-`
    mean  lwr.ci   upr.ci
49.81818 43.65587 55.98049

$`13+`
    mean  lwr.ci   upr.ci
48.35294 43.13822 53.56767
```

R에서 독립인 두 집단의 비교 (범주형변수)

```
## 범주형 변수
x1 <- mydata$성별
x2 <- group

table(x1, x2)
chisq.test(x1, x2)
fisher.test(x1, x2)

require(gmodels)
CrossTable(x1, x2, chisq=T, fisher=T)

## 95% 신뢰구간 구하기
x <- c(20, 6); n <- c(33, 17)
prop.test(x, n, correct = F)
BinomCI(x, n, method="clopper-pearson") #exact 95% CI
```

```
> BinomCI(x, n, method="clopper-pearson") #exact CI
            est       lwr.ci      upr.ci
x.1:n.1 0.6060606 0.4213937 0.7709338
x.2:n.2 0.3529412 0.1420975 0.6167163
```

```
> CrossTable(x1, x2, chisq=T, fisher=T)

   Cell Contents
|-------------------------|
|                       N |
| Chi-square contribution |
|           N / Row Total |
|           N / Col Total |
|         N / Table Total |
|-------------------------|

Total Observations in Table:  50

             | x2
         x1  |     13- |     13+ | Row Total |
-------------|---------|---------|-----------|
           F |      13 |      11 |        24 |
             |   0.509 |   0.988 |           |
             |   0.542 |   0.458 |     0.480 |
             |   0.394 |   0.647 |           |
             |   0.260 |   0.220 |           |
-------------|---------|---------|-----------|
           M |      20 |       6 |        26 |
             |   0.470 |   0.912 |           |
             |   0.769 |   0.231 |     0.520 |
             |   0.606 |   0.353 |           |
             |   0.400 |   0.120 |           |
-------------|---------|---------|-----------|
Column Total |      33 |      17 |        50 |
             |   0.660 |   0.340 |           |
-------------|---------|---------|-----------|

Statistics for All Table Factors

Pearson's Chi-squared test
------------------------------------------------------------
Chi^2 =  2.880045      d.f. =  1      p =  0.08968353

Pearson's Chi-squared test with Yates' continuity correction
------------------------------------------------------------
Chi^2 =  1.955214      d.f. =  1      p =  0.1620261
```

🩺 R에서 독립인 두 집단의 비교 (tableone 패키지)

```
mydata$group = ifelse(mydata$Ki67 <=13, "13-", "13+")
vars <- c("나이", "성별", "SubPath", "Ki67")
fvars <- c("성별", "SubPath")
nvars = "Ki67"              #치우친 변수
group = "group"             #집단변수

require(tableone)
t1.all <- CreateTableOne(data=mydata,
            vars=vars, factorVars=fvars,
            includeNA=T, smd=F)
pt1.all <- print(t1.all,
        nonnormal=nvars, minMax=F,
        contDigits=1, showAllLevels=T, noSpaces=T)

t1.group <- CreateTableOne(data=mydata,
            vars=vars, factorVars=fvars, strata=group,
            argsNormal=list(var.equal=F),
            includeNA=T, smd=F)

pt1.group <- print(t1.group,
        nonnormal=nvars, minMax=F, #median [IQR]
        exact=T, #Fisher's exact test
        contDigits=1, pDigits=5,
        showAllLevels=T, noSpaces=T)


## 테이블 저장
write.csv(cbind(pt1.all, pt1.group[,-1]),  "Table1.csv")
```

```
> t1.all
                    Overall
  n                    50
  나이 (mean (SD)) 49.32 (15.21)
  성별 = M (%)         26 (52.0)
  SubPath = 23 (%)      5 (10.0)
  Ki67 (mean (SD)) 12.98 (10.48)


> t1.group
                    Stratified by group
                    13-           13+          p       test
  n                   33           17
  나이 (mean (SD)) 49.82 (17.38) 48.35 (10.14)  0.709
  성별 = M (%)         20 (60.6)     6 (35.3)   0.162
  SubPath = 23 (%)      3 ( 9.1)     2 (11.8)   1.000
  Ki67 (mean (SD))  7.09 (3.54)  24.42 (10.04) <0.001
```

🔍 Table1.csv

	A	B	C	D	E	F	G
1		level	Overall	13-	13+	p	test
2	n		50	33	17		
3	나이 (mean (SD))		49.3 (15.2)	49.8 (17.4)	48.4 (10.1)	0.70876	
4	성별 (%)	F	24 (48.0)	13 (39.4)	11 (64.7)	0.1359	exact
5		M	26 (52.0)	20 (60.6)	6 (35.3)		
6	SubPath (%)	21	45 (90.0)	30 (90.9)	15 (88.2)	1	exact
7		23	5 (10.0)	3 (9.1)	2 (11.8)		
8	Ki67 (median [IQR])		10.0 [6.2, 16.3]	7.6 [4.1, 10.0]	25.0 [16.4, 26.7]	<0.00001	nonnorm
9							

Table1

⚕ Table3

⊙ 통계방법

일변량분석(univariate analysis):
집단간 생존율 비교를 위해 로그–순
위검정(log–rank test) 또는 칵스회
귀분석(Cox regression analysis;
Cox proportional hazards model)
실시 (unadjusted p–value)

다변량분석(multivariate analysis):
다른 변수들의 효과를 보정하기 위
해 칵스회귀분석(Cox regression
analysis; Cox proportional hazards
model) 실시 (Adjusted p–value)

TABLE 3. Univariate and Multivariate Analyses of Local Control

	N	Univariate Analysis 3 y (%)	P	Multivariate Analysis HR	95% CI	P
Ki-67 labeling index (%)			0.02	4.488	1.239-16.253	0.022
≤13	33	88.1				
>13	17	67.6				
Pathology			0.242	3.015	1.028-8.836	0.044
Atypical	45	83.3				
Chordoid	5	53.3				
Tumor location			0.246	1.233	0.754-2.018	0.404
Convexity	40	83.9				
Others	10	67.5				
Tumor size (cm)			0.439	3.322	0.521-21.277	0.204
≤3	12	91.7				
>3	38	75.8				
Extent of resection			0.185	2.224	0.518-9.545	0.282
Simpson grade I-II	39	83.8				
Simpson grade III-IV	11	68.2				
Adjuvant treatment			0.013	7.299	1.792-29.412	0.006
Postoperative RT	43	87.7				
No RT	7	38.1				

CI indicates confidence interval; HR, hazard ratio; RT, radiotherapy.

Results: Prognostic Factors for LC

The relationship between clinical factors and LC is summarized in Table 3. A higher value of the Ki–67 LI (> 13%, P = 0.020) and the implementation of PORT (P = 0.013) were statistically significant prognostic factors for LC in univariate analysis. Figure 3A presents the differences in LC according to Ki–67 LI value. However, tumor size (P = 0.439) and location (P = 0.246) had no significant effect on LC. In multivariate analysis, the value of the Ki–67 LI (> 13%, P = 0.022) and the implementation of PORT (P = 0.006) were independent prognostic factors for LC. Although pathologic subtype (atypical vs. chordoid) was also significant factor in multivariate analysis (P = 0.044), it did not reach a statistical significance in univariate analysis.

생존분석 (일변량분석)

[분석]−[생존분석]−[Kaplan−Meier]

⊙ 생존분석에서의 일변량분석

범주형변수로만 이루어진 경우 로그−순위검정을, 연속형변수와 범주형변수가 혼재되어 있는 경우 Cox 회귀모형을 이용한다.

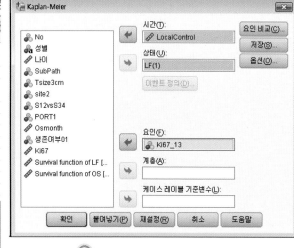

생존분석에서 일변량분석:

[분석]−[생존분석]−[Kaplan−Meier]

시간: LocalControl(연속형변수)
상태: LF(이분형변수)
이벤트 정의: 1(관심사건의 값)
요인: Ki67_13(범주형변수)

요인 비교: 로그−순위 검정
옵션: 도표−생존함수

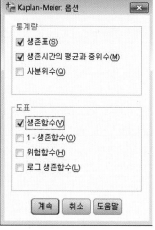

🩺 로그–순위 검정 결과

Kaplan-Meier

Case Processing Summary

Ki67_13	Total N	N of Events	Censored N	Percent
Ki67 ≤13	33	4	29	87.9%
Ki67 >13	17	8	9	52.9%
Overall	50	12	38	76.0%

Event 개수가 각 범주별로 충분한지를 검토한다. 의학 연구에서는 보통 10이상이 추천된다.

Means and Medians for Survival Time

Ki67_13	Mean[a] Estimate	Std. Error	95% Confidence Interval Lower Bound	Upper Bound	Median Estimate	Std. Error	95% Confidence Interval Lower Bound	Upper Bound
Ki67 ≤13	101.913	6.936	88.319	115.507	.	.	.	.
Ki67 >13	78.835	15.672	48.118	109.551	57.000	11.912	33.653	80.347
Overall	105.912	9.235	87.811	124.013	.	.	.	.

a. Estimation is limited to the largest survival time if it is censored.

Survival Table

Ki67_13		Time	Status	Cumulative Proportion Surviving at the Time Estimate	Std. Error	N of Cumulative Events	N of Remaining Cases
Ki67 ≤13	1	4.000	.0	.	.	0	32
	2	7.000	.0	.	.	0	31
	3	10.000	1.0	.968	.032	1	30
	4	10.000	.0	.	.	1	29
	5	11.000	.0	.	.	1	28
	6	13.000	.0	.	.	1	27
	7	13.000	.0	.	.	1	26
	14	34.000	1.0	.881	.065	3	19
	15	34.000	.0	.	.	3	18
	16	35.000	.0	.	.	3	17
	17	43.000	1.0	.829	.080	4	16
	18	45.000	.0	.	.	4	15

36개월 생존율 = 88.1%

Overall Comparisons

	Chi-Square	df	Sig.
Log Rank (Mantel-Cox)	5.410	1	.020

Test of equality of survival distributions for the different levels of Ki67_13.

로그순위검정:
p=0.020 < α=0.050이므로 귀무가설 (H0: 두 군의 생존분포는 같다)을 기각한다. 즉, 두 군의 생존율은 유의한 차이를 보인다.

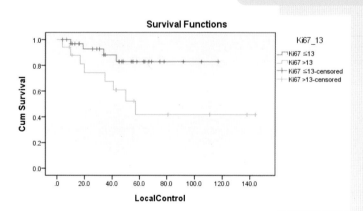

Survival Functions

Ki67_13
- Ki67 ≤13
- Ki67 >13
- + Ki67 ≤13-censored
- + Ki67 >13-censored

Cum Survival / LocalControl

생존분석 (다변량분석)

[분석]−[생존분석]−[Cox 회귀]

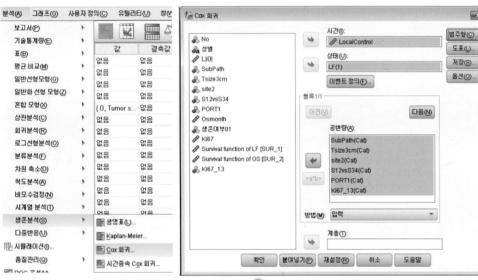

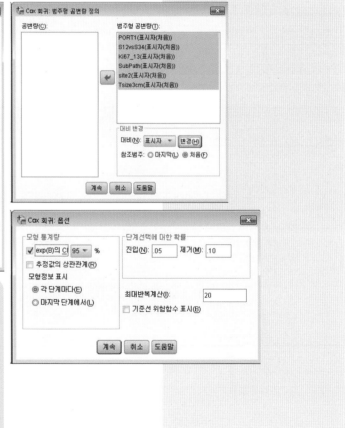

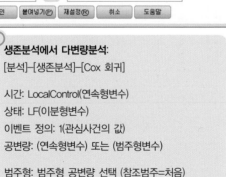

생존분석에서 다변량분석:

[분석]−[생존분석]−[Cox 회귀]

시간: LocalControl(연속형변수)

상태: LF(이분형변수)

이벤트 정의: 1(관심사건의 값)

공변량: (연속형변수) 또는 (범주형변수)

범주형: 범주형 공변량 선택 (참조범주=처음)

옵션: exp(B)의 CI

Cox 회귀분석

Cox Regression

Case Processing Summary

		N	Percent
Cases available in analysis	Event[a]	12	23.5%
	Censored	38	74.5%
	Total	50	98.0%
Cases dropped	Cases with missing values	1	2.0%
	Cases with negative time	0	0.0%
	Censored cases before the earliest event in a stratum	0	0.0%
	Total	1	2.0%
Total		51	100.0%

a. Dependent Variable: LocalControl

Categorical Variable Codings[a,c,d,e,f,g]

		Frequency	(1)
SubPath[b]	21=Atypical	45	0
	23=Chordoid	5	1
Tsize3cm[b]	0=Tumor size ≤3	12	0
	1=Tumor size >3	38	1
site2[b]	1=Convexity	41	0
	4=Others	9	1
S12vsS34[b]	0=0	39	0
	1=Simpson grade I-II	11	1
PORT1[b]	0=No RT	7	0
	1=Postoperative RT	43	1
Ki67_13[b]	1=Ki67 ≤13	33	0
	2=Ki67 >13	17	1

a. Category variable: SubPath

b. Indicator Parameter Coding

> 가변수 정보를 확인한다.
> 참조범주(reference)가 처음으로 설정됨

> 자료 개수가 맞는지 반드시 확인해야 함. 또한 Event 개수가 각 범주별로 충분한지를 검토한다. 의학연구에서는 보통 10이상이 추천된다.

Block 1: Method = Enter

Omnibus Tests of Model Coefficients[a]

-2 Log Likelihood	Overall (score)			Change From Previous Step			Change From Previous Block		
	Chi-square	df	Sig.	Chi-square	df	Sig	Chi-square	df	Sig.
64.948	21.115	6	.002	17.706	6	.007	17.706	6	.007

a. Beginning Block Number 1. Method = Enter

Variables in the Equation

	B	SE	Wald	df	Sig.	Exp(B)	95.0% CI for Exp(B)	
							Lower	Upper
SubPath	2.157	1.102	3.832	1	.050	8.648	.997	74.999
Tsize3cm	1.188	.943	1.588	1	.208	3.280	.517	20.813
site2	.706	.763	.857	1	.354	2.026	.455	9.033
S12vsS34	.767	.748	1.052	1	.305	2.153	.497	9.326
PORT1	-1.991	.713	7.799	1	.005	.137	.034	.552
Ki67_13	1.483	.655	5.120	1	.024	4.404	1.219	15.906

> Ki67_13에서 HR=4.404의 의미:
>
> 다른 공변량의 값이 일정할 때 Ki67 130이상인 집단이 그렇지 않은 집단에 비해 Local failure 위험이 4.404배 높다.
>
> Adjusted HR=4.404, 95% CI=(1.219, 15.906), p=0.024

> ⊙ Cox 비례위험모형 (proportional hazard model):
> $$h(t) = h_0(t) \exp(b_1 x_1 + \cdots + b_p x_p)$$
> 여기서
> $h(t)$: 시간 t에서의 위험함수(hazard function)
> $h_0(t)$: 시간 t에서 공변량 x가 0일때의 기저위험함수(baseline hazard function)
>
> ⊙ **다중회귀분석의 목적**
> 목적1) 공변량의 상대적 영향력 (adjusted effect of covariates)
> 다중회귀에서 회귀계수는 다른 변수들의 값을 고정했을 때 x의 변화가 y에 주는 보정된 영향력을 의미함. 상대적인 중요도를 평가하거나 기저변수의 불균형이 존재할 때 활용
> 목적2) 예측 (prediction)
> 예후 예측을 위해 설명력/적합도가 높은 모형을 선택함. 모형선택기준은 다양함 (AIC, BIC, Concordance 등)
>
> ⊙ **다중공선성과 변수선택**
> 공변량들간에 강한 상관관계가 존재하는 경우 회귀계수의 분산을 증가시켜 회귀계수가 잘못 추정될 수 있음 (부호 반대, 유의성 등)
> 해결방법:
> 1) 동일한 개념의 변수는 하나만 선택하거나
> 2) 하나의 통합 지표로 변형한 후 모형에 추가할 것 (가령, 키, 몸무게는 BMI 로 대신함)

엑셀에서 결과 정리 (복사, 붙여넣기)

Variables in the Equation

	B	SE	Wald	df	Sig.	Exp(B)	95.0% CI for Exp(B)
SubPath	2.157	1.102	3.832	1	.050	8.648	잘라내기
Tsize3cm	1.188	.943	1.588	1	.208	3.280	복사
site2	.706	.763	.857	1	.354	2.026	선택하여 복사...
S12vsS34	.767	.748	1.052	1	.305	2.153	뒤에 붙여넣기
PORT1	-1.991	.713	7.799	1	.005	.137	자동 스크립트 작성/편집...
Ki67_13	1.483	.655	5.120	1	.024	4.404	유형 출력(F)...

J4 　　　　 f_x =TEXT(G4, "0.000") & TEXT(H4, " (0.000 - ") & TEXT(I4, "0.000)")

	A	B	C	D	E	F	G	H	I	J	K
1				Variables in the Equation							
2								Exp(B)			
3		B	SE	Wald	df	Sig.	Exp(B)	Lower	Upper	HR (95% CI)	p-value
4	SubPath	2.157	1.102	3.832	1	.050	8.648	.997	74.999	8.648 (0.997 - 74.999)	0.050
5	Tsize3cm	1.188	.943	1.588	1	.208	3.280	.517	20.813	3.280 (0.517 - 20.813)	0.208
6	site2	.706	.763	.857	1	.354	2.026	.455	9.033	2.026 (0.455 - 9.033)	0.354
7	S12vsS34	.767	.748	1.052	1	.305	2.153	.497	9.326	2.153 (0.497 - 9.326)	0.305
8	PORT1	-1.991	.713	7.799	1	.005	.137	.034	.552	0.137 (0.034 - 0.552)	0.005
9	Ki67_13	1.483	.655	5.120	1	.024	4.404	1.219	15.906	4.404 (1.219 - 15.906)	0.024
10											

[Tip] HR (95% CI) 결과 정리

TEXT함수 사용법:
TEXT(G열, "0.000") & TEXT(H열, " (0.000 – ") &
TEXT(I열, "0.000)")

FIXED함수 사용법:
FIXED(G열, 3) & " (" & FIXED(H열, 3) & " – " &
FIXED(I열, 3) & ")"

R에서 생존분석

```
## 변수정의
xvars <- c("SubPath", "Tsize3cm", "site2", "S12vsS34", "PORT1", "Ki67_13")
require(tidyverse)
wd <- mydata %>% mutate(
  time = LocalControl,
  status = LF,
  Ki67_13 = ifelse(Ki67 <=13, 1, 2)
) %>% mutate_at(xvars, as.factor)


require(survival)
require(tableone)

## 일변량분석
for(k in xvars){

  sd <- wd[c("time","status",k)]
  fit <- coxph(Surv(time, status==1) ~ ., data=sd, method="breslow")
  ShowRegTable(fit, digits=3, pDigits=5, ciFun=confint.default, exp=T)

}

## 다변량분석
f <- as.formula(paste("Surv(time, status==1) ~ ",
                paste(xvars, collapse = " + ")))

fit <- coxph(f, data=wd, method="breslow")
ShowRegTable(fit, digits=3, pDigits=5, ciFun=confint.default, exp=T)

## Forest plot for hazard ratio
require(survminer)
ggforest(fit, data=wd)
```

일변량분석(Unadjusted p-value)

```
            exp(coef) [confint]      p
SubPath23   2.407  [0.525, 11.037]  0.25832
            exp(coef) [confint]      p
Tsize3cm1   1.807  [0.395, 8.278]   0.44601
            exp(coef) [confint]      p
site24      2.421  [0.728, 8.052]   0.14937
            exp(coef) [confint]      p
S12vsS341   2.205  [0.662, 7.344]   0.19773
            exp(coef) [confint]      p
PORT11      0.246  [0.074, 0.821]   0.02255
            exp(coef) [confint]      p
Ki67_132    3.759  [1.131, 12.492]  0.03069
```

다변량분석(Adjusted p-value)

```
            exp(coef) [confint]      p
SubPath23   8.648  [0.997, 74.999]  0.05030
Tsize3cm1   3.280  [0.517, 20.813]  0.20760
site24      2.026  [0.455, 9.033]   0.35445
S12vsS341   2.153  [0.497, 9.326]   0.30503
PORT11      0.137  [0.034, 0.552]   0.00523
Ki67_132    4.404  [1.219, 15.906]  0.02365
```

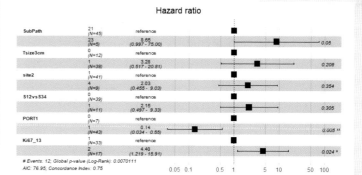

🩺 R에서 restricted cubic spline plot 그리기

```
## 변수정의
vars <- c("SubPath", "Tsize3cm", "site2", "S12vsS34", "PORT1")

require(tidyverse)
wd <- mydata %>% mutate( time = LocalControl,   status = LF ) %>%
mutate_at(vars, as.factor)

require(rms)
xvars <- c("SubPath", "Tsize3cm", "site2", "S12vsS34", "PORT1", "Ki67")
dd <- datadist(mydata[xvars])
dd$limits$Ki67[2] <- 13  #Adjust to: Reference value
knots <- outer(13, seq(-5,5,length=3), "+")

options(datadist='dd')

fit <- cph(Surv(time, status==1) ~ rcs(Ki67, knots) +
          SubPath + Tsize3cm + site2 + PORT1, data=wd, x=T, y=T)
pred <- Predict(fit, Ki67, ref.zero=T, fun=exp)

## restricted cubic spline plot
fig <- ggplot(pred) +
  geom_hline(aes(yintercept=1), linetype=3) +
  labs(y=paste("Hazard Ratio (95% CI) vs.", ref),
      title="Local Control hazard ratio as a function of Ki67",
      subtitle="Cubic spline: knots at 8, 13, and 18")

pred.point <- Predict(fit, Ki67=knots,
              ref.zero=T, fun=exp, conf.int=F)

fig + geom_point(data=pred.point, size=2, col=2)

options(datadist=NULL)
```

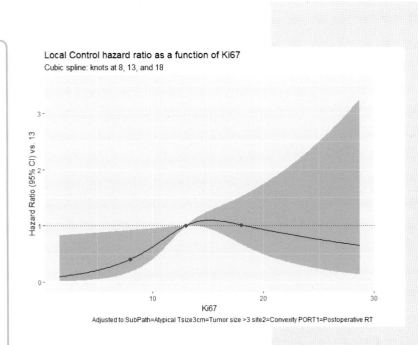

Local Control hazard ratio as a function of Ki67
Cubic spline: knots at 8, 13, and 18

Adjusted to:SubPath=Atypical Tsize3cm=Tumor size >3 site2=Convexity PORT1=Postoperative RT

Figure3

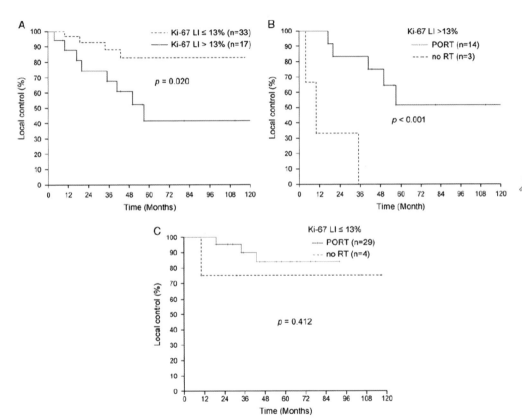

생존율의 비교:
로그–순위 검정(log–rank test) 실시

Results: The Influence of PORT on LC According to the Value of Ki–67 LI

Figure 3A shows a comparison of LC according to the value of Ki–67 LI and implementation of PORT. Among patients with a Ki–67 LI > 13% (n = 17), PORT (n = 14) improved LC (P < 0.001, Fig. 3B). Among the 3 patients with Ki67 > 13% and not receiving PORT (Fig. 3B), 2 patients underwent incomplete resection (Simpson grade III–IV) and 1 patient received complete resection (Simpson grade I). However, the one who underwent complete resection had developed recurrence at 35 months after resection. The rest (n = 2) who underwent incomplete resection experienced local progression at 4 and 10 months after resection, respectively. However, PORT (n = 29) did not significantly affect LC (P = 0.412) in patients with a Ki 67 LIr13% (n = 33, Fig. 3C).

FIGURE 3. Influence of Ki-67 labeling index (LI) and postoperative radiotherapy on local control; (A) local control according to Ki-67 LI; (B) postoperative radiotherapy (PORT) (n=14) improved local control (P<0.001) in patients with Ki-67 LI>13% (n=17); (C) however, PORT (n=29) did not significantly affect local control (P=0.412) for patients with Ki-67 LI≤13% (n=33).

계층별 생존율의 비교

[분석]−[생존분석]−[Kaplan−Meier]

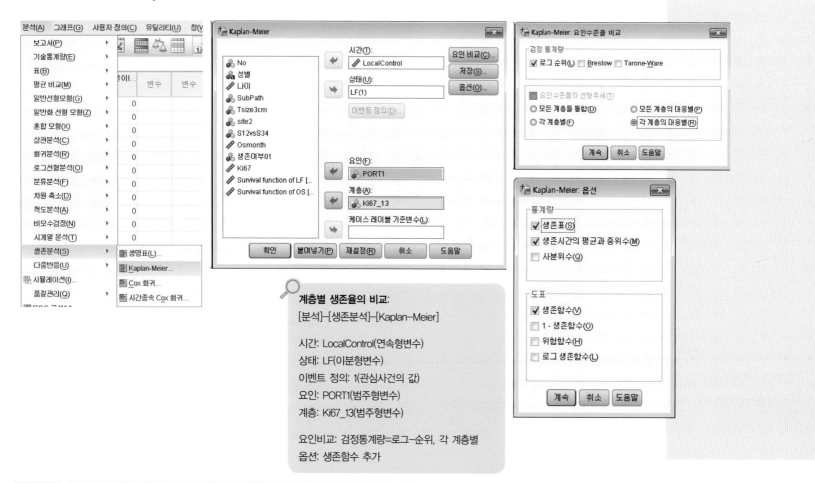

계층별 생존율의 비교:

[분석]−[생존분석]−[Kaplan−Meier]

시간: LocalControl(연속형변수)
상태: LF(이분형변수)
이벤트 정의: 1(관심사건의 값)
요인: PORT1(범주형변수)
계층: Ki67_13(범주형변수)

요인비교: 검정통계량=로그−순위, 각 계층별
옵션: 생존함수 추가

계층별 로그–순위 검정 결과

Kaplan-Meier

Event 개수가 각 범주별로 충분한지를 검토한다. 의학연구에서는 보통 10이상이 추천된다.

Case Processing Summary

Ki67_13	PORT1	Total N	N of Events	Censored N	Percent
Ki67 ≤13	No RT	4	1	3	75.0%
	Postoperative RT	29	3	26	89.7%
	Overall	33	4	29	87.9%
Ki67 >13	No RT	3	3	0	0.0%
	Postoperative RT	14	5	9	64.3%
	Overall	17	8	9	52.9%
Overall	Overall	50	12	38	76.0%

Pairwise Comparisons

	Ki67_13	PORT1	No RT Chi-Square	Sig.	Postoperative RT Chi-Square	Sig.
Log Rank (Mantel-Cox)	Ki67 ≤13	No RT			.672	.412
		Postoperative RT	.672	.412		
	Ki67 >13	No RT			12.118	.000
		Postoperative RT	12.118	.000		

로그순위검정:
$p < 0.001$이므로 귀무가설(H0: 두 군의 생존분포는 같다)을 기각한다. 즉, 두 군의 생존율은 유의한 차이를 보인다.

Stratum: Ki67_13 = Ki67 ≤13

Stratum: Ki67_13 = Ki67 >13

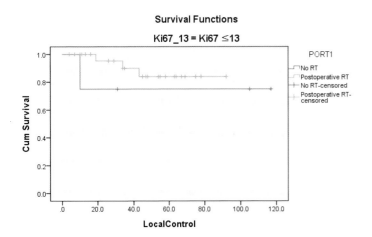

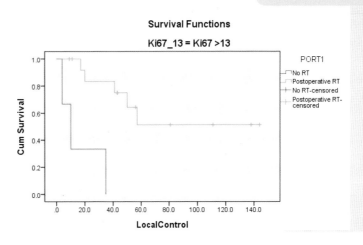

R에서 계층별 생존분석

```
## 변수정의
vars <- c("SubPath", "Tsize3cm", "site2", "S12vsS34", "PORT1")

require(tidyverse)
wd <- mydata %>% mutate(
 time = LocalControl,
 status = LF,
 Ki67_13 = ifelse(Ki67 <=13, "Ki67 <=13", "Ki67 >13")
) %>% mutate_at(vars, as.factor)

## 사용자 정의 함수
f <- Surv(time, status) ~ PORT1
flogrank <- function(x) survdiff(f, data=x)
fcox <- function(x){
 fit <- coxph(f, data=x, method="breslow")
 hr <- ShowRegTable(fit, digits=3, pDigits=5,
            ciFun=confint.default, exp=T, printToggle=F)
 return(hr)
}

require(survival)
require(tableone)

strata <- wd$Ki67_13
by(wd, strata, function(x) flogrank(x)) # 계층별 로그-순위검정
by(wd, strata, function(x) fcox(x))      # 계층별 칵스회귀분석
```

```
> by(wd, strata, function(x) flogrank(x))
strata: Ki67 <=13
Call:
survdiff(formula = f, data = x)

          N Observed Expected (O-E)^2/E (O-E)^2/V
PORT1=0   4        1    0.472    0.5918     0.672
PORT1=1  29        3    3.528    0.0791     0.672

 Chisq= 0.7  on 1 degrees of freedom, p= 0.4
----------------------------------------------------
strata: Ki67 >13
Call:
survdiff(formula = f, data = x)

          N Observed Expected (O-E)^2/E (O-E)^2/V
PORT1=0   3        3    0.561      10.6      12.1
PORT1=1  14        5    7.439       0.8      12.1

 Chisq= 12.1  on 1 degrees of freedom, p= 5e-04
> by(wd, strata, function(x) fcox(x))
strata: Ki67 <=13
       exp(coef) [confint]      p
PORT11 "0.400 [0.042, 3.859]" " 0.42853"
----------------------------------------------------
strata: Ki67 >13
       exp(coef) [confint]      p
PORT11 "0.079 [0.013, 0.485]" " 0.00610"
```

R에서 계층별 생존분석에서 forest plot 그리기

```
data = read.csv("out.csv", stringsAsFactors=F)

hr <- sprintf("%.2f [%.2f, %.2f]  %.3f",
        data$hr, data$low, data$hig, data$pvalue)
hr <- ifelse(substr(hr,1,2) == "NA", "", hr)

pval <- ifelse(!is.na(data$pvalue_int), sprintf("%.3f", data$pvalue_int), "")

tabletext <- cbind(
  c("Subgroup", "", data$Subgroup),
  c("HR [95% CI]  P-value", "", hr),
  c("P-value for", "Interaction", pval)
)

require(forestplot)
forestplot(labeltext = tabletext, graph.pos=2,
        mean=c(NA,NA, data$hr),
        lower=c(NA,NA, data$low),
        upper=c(NA,NA, data$hig),
        zero=1, xlog=T,
        boxsize=0.25,
        lwd.ci=2, ci.vertices=T, ci.vertices.height = 0.1,
        title="Hazard Ratio",
        xlab="Postoperative RT vs no RT",
        txt_gp=fpTxtGp(label=gpar(cex=.9)),
        lineheight = "auto")
```

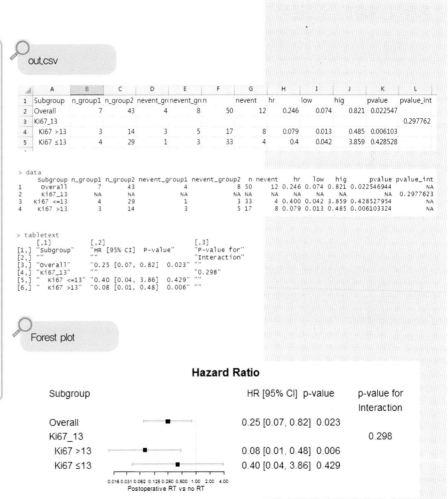

out.csv

	A	B	C	D	E	F	G	H	I	J	K	L
1	Subgroup	n_group1	n_group2	nevent_gro	nevent_gro	n	nevent	hr	low	hig	pvalue	pvalue_int
2	Overall	7	43	4	8	50	12	0.246	0.074	0.821	0.022547	
3	Ki67_13											0.297762
4	Ki67 >13	3	14	3	5	17	8	0.079	0.013	0.485	0.006103	
5	Ki67 ≤13	4	29	1	3	33	4	0.4	0.042	3.859	0.428528	

```
> data
   Subgroup n_group1 n_group2 nevent_group1 nevent_group2  n nevent    hr   low   hig      pvalue pvalue_int
1   Overall        7       43             4             8 50     12 0.246 0.074 0.821 0.022546944         NA
2   Ki67_13       NA       NA            NA            NA NA     NA    NA    NA    NA          NA  0.2977623
3  Ki67 <=13        4       29             1             3 33      4 0.400 0.042 3.859 0.428527954         NA
4  Ki67 >13        3       14             3             5 17      8 0.079 0.013 0.485 0.006103324         NA

> tabletext
     [,1]          [,2]                    [,3]
[1,] "Subgroup"    "HR [95% CI]  P-value"  "P-value for"
[2,] ""            ""                      "Interaction"
[3,] "Overall"     "0.25 [0.07, 0.82]  0.023"  ""
[4,] "Ki67_13"     ""                      "0.298"
[5,] "  Ki67 <=13" "0.40 [0.04, 3.86]  0.429"  ""
[6,] "  Ki67 >13"  "0.08 [0.01, 0.48]  0.006"  ""
```

Forest plot

결론

Figure1	**국소제어실패(LF) 예측을 위한 Ki-67 LI의 ROC분석** Youden index를 최대로 하는 최적절단점은 13 (AUC=0.638, 민감도 66.7%, 특이도 76.3%).
Figure2	**생존율의 추정** 1) 5-year LC=65.9% 2) 5-year OS=89.5%
Table2	**Ki-67 LI 수준별(13이하, 13초과) 비교** Surgical extent, LF에서 유의한 차이를 보임
Table3	**LF에 영향을 주는 인자** 1) 일변량분석: ki-67 LI, adjuvant treatment에서 유의함 2) 다변량분석: ki-67 LI, pathology, adjuvant treatment에서 유의함
Figure3	**Ki-67 LI 수준별(13이하, 13초과) 생존율 비교** LC에 대해 유의한 차이를 보인다.

예제 5

Lalonde data

자료설명

연구목적

- Evaluating the Econometric Evaluations of Training Programs with Experimental Data

대상

- Our example data set is a subset of the job training program analyzed in Lalonde (1986) and Dehejia and Wahba (1999). MatchIt includes a subsample of the original data consisting of the National Supported Work Demonstration (NSW) treated group and the comparison sample from the Population Survey of Income Dynamics (PSID).

통계분석

- 직업훈련을 받은 집단과 그렇지 않는 집단을 비교하기 위해 연속형변수는 정규성 만족여부에 따라 독립표본 t-검정(independent t-test) 또는 윌콕슨 순위합 검정(Wilcoxon rank-sum test)을, 범주형변수는 피셔 정확검정(Fisher's exact test)을 실시하였다. 기저변수의 불균형을 보정하기 위하여 성향점수(propensity score)를 이용한 최근접 짝짓기(nearest neighbor matching)를 사용하였다.
- 통계 처리는 R 3.3을 이용하여 시행되었으며 p-값이 0.05 미만인 경우를 통계학적으로 유의성이 있는 것으로 간주하였다.

관련논문

- HO, Daniel E., et al. MatchIt: nonparametric preprocessing for parametric causal inference. *Journal of Statistical Software*, *http://gking. harvard. edu/ matchit*, 2011.

- LALONDE RJ. Evaluating the econometric evaluations of training programs with experimental data. *The American economic review*, 1986, 604-620.

분석절차

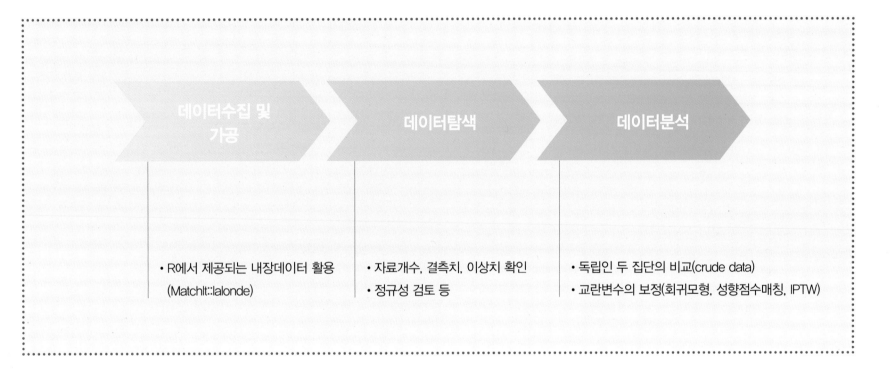

🩺 lalonde data 불러오기

```
require(MatchIt)  #lalonde data
require(tidyverse) #as.tbl

data("lalonde")

d <- as.tbl(lalonde)
```

```
> d
# A tibble: 614 x 10
   treat   age  educ black hispan married nodegree  re74  re75   re78
   <int> <int> <int> <int>  <int>   <int>    <int> <dbl> <dbl>  <dbl>
 1     1    37    11     1      0       1        1     0     0  9930.
 2     1    22     9     0      1       0        1     0     0  3596.
 3     1    30    12     1      0       0        0     0     0 24909.
 4     1    27    11     1      0       0        1     0     0  7506.
 5     1    33     8     1      0       0        1     0     0   290.
 6     1    22     9     1      0       0        1     0     0  4056.
 7     1    23    12     1      0       0        0     0     0     0
 8     1    32    11     1      0       0        1     0     0  8472.
 9     1    22    16     1      0       0        0     0     0  2164.
10     1    33    12     0      0       1        0     0     0 12418.
# ... with 604 more rows
```

A data frame with 604 observations (185 treated, 429 control). There are 10 variables measured for each individual.

"treat" is the treatment assignment (1=treated, 0=control).

"age" is age in years.

"educ" is education in number of years of schooling.

"black" is an indicator for African–American (1=African–American, 0=not).

"hispan" is an indicator for being of Hispanic origin (1=Hispanic, 0=not).

"married" is an indicator for married (1=married, 0=not married).

"nodegree" is an indicator for whether the individual has a high school degree (1=no degree, 0=degree).

"re74" is income in 1974, in U.S. dollars.

"re75" is income in 1975, in U.S. dollars.

"re78" is income in 1978, in U.S. dollars.

The outcome of interest is real earnings in1978. There are eight baseline variables age (age), years of education (educ), real earnings in1974 (re74), real earnings in 1975 (re75), and a series of indicator variables. The indicator variables are black (black), Hispanic (hisp), married (married) and lack of a high school diploma (nodegr).

🩺 데이터탐색

```
## 변수정의
wd <- d %>% mutate_at(vars(treat, black:nodegree), as.character) %>%
  mutate(
    base.income = rowMeans(select(., re74, re75), na.rm=T),
    change_re78 = re78 - base.income
) %>% select(-c(re74:re78))

## 데이터탐색
require(tableone)
summary(CreateTableOne(data=wd))

# 행렬산점도: 이상치 및 정규성검토용
library(PerformanceAnalytics)
temp <- wd %>% select_if(is.numeric)
chart.Correlation(temp)
```

```
> summary(CreateTableOne(data=wd))

    ### Summary of continuous variables ###

strata: Overall
                 n miss p.miss  mean   sd median  p25   p75    min    max  skew kurt
age            614    0      0    27   10     25   20    32     16     55   1.0  0.2
educ           614    0      0    10    3     11    9    12      0     18  -0.7  1.7
base.income    614    0      0  3371 4370   1310    0  5702      0  23288   1.5  2.1
change_re78    614    0      0  3422 7207   1961 -478  7218 -15720  59666   1.3  6.4

================================================================================

    ### Summary of categorical variables ###

strata: Overall
      var   n miss p.miss level  freq percent cum.percent
    treat 614    0    0.0     0   429    69.9        69.9
                                1   185    30.1       100.0

    black 614    0    0.0     0   371    60.4        60.4
                                1   243    39.6       100.0

   hispan 614    0    0.0     0   542    88.3        88.3
                                1    72    11.7       100.0

  married 614    0    0.0     0   359    58.5        58.5
                                1   255    41.5       100.0

 nodegree 614    0    0.0     0   227    37.0        37.0
                                1   387    63.0       100.0
```

자료개수, 결측치 유무, 분포모양(왜도, 첨도), 이상치 등을 확인한다.

정규성 가정이 타당하지 않은 경우(age, re74, re75, re78) 비모수검정 또는 변수변환, 범주화 등을 고려한다.

집단 비교

```
## treat=1: 직업훈련을 받은 집단(treated)
## treat=0; 그렇지 않은 집단(control)

require(tableone)
vars = c("age", "educ", "black", "hispan", "married", "nodegree",
       "base.income", "change_re78")

ctab <- CreateTableOne(data=wd, vars=vars, strata="treat",
            includeNA=F, smd=F,
            argsNormal = list(var.equal=F))

nonnormal = c("age", "base.income", "change_re78")
print(ctab,
    showAllLevels=T,
    nonnormal=nonnormal, minMax=F,
    noSpaces=T, exact=T,
    contDigits=1, pDigits=4)
```

```
                     Stratified by treat
                     level 0                    1                    p       test
n                          429                  185
age (median [IQR])         25.0 [19.0, 35.0]    25.0 [20.0, 29.0]    0.5194  nonnorm
educ (mean (SD))           10.2 (2.9)           10.3 (2.0)           0.5848
black (%)            0     342 (79.7)           29 (15.7)            <0.0001 exact
                     1     87 (20.3)            156 (84.3)
hispan (%)           0     368 (85.8)           174 (94.1)           0.0026  exact
                     1     61 (14.2)            11 (5.9)
married (%)          0     209 (48.7)           150 (81.1)           <0.0001 exact
                     1     220 (51.3)           35 (18.9)
nodegree (%)         0     173 (40.3)           54 (29.2)            0.0106  exact
                     1     256 (59.7)           131 (70.8)
base.income (median [IQR]) 2094.5 [346.3, 6768.0] 0.0 [0.0, 2275.6]  <0.0001 nonnorm
change_re78 (median [IQR]) 1708.6 [-752.4, 6776.6] 2321.1 [0.0, 8173.9] 0.0182 nonnorm
```

직업훈련을 받은 집단(treat=1)의 소득변화량 (change_re78)은 그렇지 않은 집단(treat=0)에 비해 유의하게 높다(p=0.0182).

직업훈련 전 기저변수(black, hispan, married, nodegree)에서 유의한 차이가 있으므로 기저 변수(공변량, 교란변수)의 불균형을 보정후 유의성을 재확인한다.

공변량 보정:
방법1) 회귀모형(adjusting)
방법2) 짝짓기(matching)
방법3) 가중치(weighting) 기법 등이 있다.

🩺 공변량 보정 – (1) 회귀모형

```
fit <- lm(change_re78 ~ treat + age + educ + black +
        hispan + married + nodegree, data=wd)
summary(fit)

## 평균과 95% 신뢰구간
confint.default(fit)
ShowRegTable(fit, digits=2, pDigits=3, ciFun=confint.default, exp=F)
```

```
> ShowRegTable(fit, digits=2, pDigits=3, ciFun=confint.default, exp=F)
              coef [confint]            p
(Intercept)  597.52 [-4285.30, 5480.34]  0.811
treat1      1825.08 [256.93, 3393.23]    0.023
age          -17.04 [-80.48, 46.39]      0.599
educ         314.93 [-2.67, 632.54]      0.052
black1     -1039.36 [-2582.87, 504.16]   0.187
hispan1      332.55 [-1559.30, 2224.40]  0.731
married1   -1035.09 [-2348.43, 278.25]   0.123
nodegree1    489.99 [-1214.88, 2194.86]  0.573
```

🔍 **회귀계수 β=1825.08의 의미:**

다른 공변량의 값이 일정할 때
직업훈련을 받은 집단(treat=1)의 보정된 소득변화량(change_re78)은
그렇지 않은 집단(treat=0)에 비해 1825.08 유의하게 증가하였다
(adjusted p=0.023).

두 군의 보정된 평균차이=1825.08, 95% CI=(256.93, 3393.23)

⊙ **회귀모형의 선택**

반응변수에 형태에 따라 회귀모형을
선택한다.

연속형: 선형회귀
이분형: 로지스틱회귀
생존자료: 칵스회귀모형 등

🩺 공변량 보정 – (2) 짝짓기: 성향점수매칭 (Propensity Score Matching, PSM)

```
## 변수정의
dd <- wd %>% rowid_to_column()
sd <- na.omit(dd) %>% mutate(
  age = Hmisc::cut2(age, g=5),
  base.income = Hmisc::cut2(base.income, g=5)
)

xvars = c("age", "educ", "black", "hispan", "married", "nodegree",
"base.income")
ff <- formula(paste("treat =='1' ~ ", paste(vars, collapse = " + ")))

## 성향점수매칭
require(MatchIt)
set.seed(1234)
psm <- matchit(ff, data=sd, distance="logit", method="nearest",
          ratio=1, caliper=0.2); psm
```

Caliper 옵션:
두 집단의 성향점수차이가
0.2 이내인 것들만 매칭함.
매칭결과에 따라 조정

```
> psm

call:
matchit(formula = ff, data = sd,
    ratio = 1, caliper = 0.2)

Sample sizes:
          Control Treated
All         429     185
Matched      95      95
Unmatched   334      90
Discarded     0       0
```

Nearest neighbor matching 방법으로 1:1 짝짓기
자료가 충분한 경우에만 매칭할 수 있음
Control이 Treated 보다 많아야 함

🩺 공변량 보정 – (2) 짝짓기: 성향점수매칭 (Propensity Score Matching, PSM) – 계속

```
## 성향점수분포
graphics.off()
plot(psm, type="jitter", interactive = F)
plot(psm, type="hist", interactive = F)

## balance 확인
out <- summary(psm, standardize = T)
plot(out)  #변수이름 표시: 원하는 좌표를 클릭 후 ESC
```

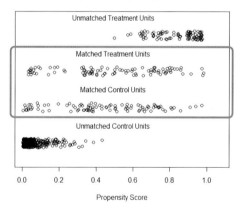

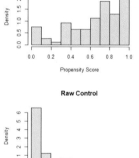

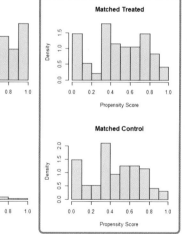

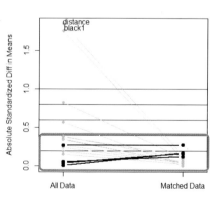

🔍 **성향점수분포:**
매칭 후 두 집단의 성향점수 분포가 비슷한 지를 확인한
다. 성향점수의 분포가 겹치지 않는다면 매칭 불가능

🔍 **매칭 후 Balance 확인:**
표준화된 평균차이가 0.1 미만인지
확인한다.

🩺 공변량 보정 – (2) 짝짓기: 성향점수매칭 (Propensity Score Matching, PSM) – 계속

```
## 집단비교 (matched data)
mid <- match.data(psm)$rowid
md <- dd %>% filter(rowid %in% mid)
ctab <- CreateTableOne(data=md, vars=vars, strata="treat",
            includeNA=F, smd=F,
            argsNormal = list(var.equal=F))

nonnormal = c("age", "base.income", "change_re78")
print(ctab,
    showAllLevels=T,
    nonnormal=nonnormal, minMax=F,
    noSpaces=T, exact=T,
    contDigits=1, pDigits=4)
```

```
                      Stratified by treat
                      level 0                   1                      p        test
n                           95                  95
age (median [IQR])          23.0 [19.0, 31.5]   25.0 [19.0, 30.5]      0.6840   nonnorm
educ (mean (SD))            10.4 (2.8)          10.1 (2.2)             0.4896
black (%)             0     30 (31.6)           27 (28.4)             0.7517   exact
                      1     65 (68.4)           68 (71.6)
hispan (%)            0     85 (89.5)           86 (90.5)             1.0000   exact
                      1     10 (10.5)           9 (9.5)
married (%)           0     68 (71.6)           72 (75.8)             0.6214   exact
                      1     27 (28.4)           23 (24.2)
nodegree (%)          0     32 (33.7)           30 (31.6)             0.8771   exact
                      1     63 (66.3)           65 (68.4)
base.income (median [IQR])  781.7 [0.0, 3945.0] 577.2 [0.0, 4413.6]   0.9099   nonnorm
change_re78 (median [IQR])  1563.3 [-129.6, 5695.2] 2022.8 [0.0, 7705.9] 0.3794 nonnorm
```

기저변수의 불균형이 해결되지 않는 경우 변수변환(로그변환, 범주화 등)을 고려

1:1 매칭 후 직업훈련을 받은 집단(treat=1)과 그렇지 않은 집단 (treat=0)의 소득변화량(change_re78)은 직업훈련을 받은 집단이 높지만 통계적으로 유의한 차이가 아니다(adjusted p=0.3794).

공변량 보정 – (3) 가중치: IPTW (Inverse Probability Treatment Weight)

```
## 변수정의
sd <- wd %>% rowid_to_column() %>% na.omit()

## 사용자 정의함수
c5 <- function(x) Hmisc::cut2(x, g=5)

## 성향점수(PS) 계산
xvars = c("log(age)", "educ", "black", "hispan", "married", "nodegree",
    "c5(base.income)")
ff <- formula(paste("treat =='1' ~ ", paste(xvars, collapse = " + ")))
fit <- glm(ff, data=sd, family=binomial)

## IPTW 계산
dd <- sd %>% mutate(

  ps = fitted(fit),
  iptw = ifelse(treat==1, 1/ps, 1/(1-ps)),
  iptw.stable = ifelse(treat==1, mean(ps)/ps, mean(1-ps)/(1-ps)),
  iptw.trim = ifelse(iptw.stable <0.1, 0.1,
             ifelse(iptw.stable >10, 10, iptw.stable))

)

require(survey)
temp <- svydesign(id=~1, strata=~treat, weights=~iptw.trim, data=dd)
ctab <- svyCreateTableOne(data=temp, vars=vars, strata="treat")
print(ctab,
    showAllLevels=T,
    nonnormal=nonnormal, minMax=F,
    noSpaces=T, exact=F,
    contDigits=1, pDigits=4)
```

```
> dd
# A tibble: 614 x 14
   rowid treat   age  educ black hispan married nodegree base.income change_re78     ps  iptw iptw.stable iptw.trim
   <int> <chr> <int> <int> <chr>  <chr>   <chr>    <chr>         <dbl>       <dbl>  <dbl> <dbl>       <dbl>     <dbl>
 1     1 1        37    11 1      0       1        1                 0        9930 0.783   1.28       0.385     0.385
 2     2 1        22     9 0      1       0        1                 0        3596 0.422   2.37       0.714     0.714
 3     3 1        30    12 1      0       0        0                 0       24909 0.791   1.26       0.381     0.381
 4     4 1        27    11 1      0       0        1                 0        7506 0.878   1.14       0.343     0.343
 5     5 1        33     8 1      0       0        1                 0         290 0.824   1.21       0.366     0.366
 6     6 1        22     9 1      0       0        1                 0        4056 0.829   1.21       0.364     0.364
 7     7 1        23    12 1      0       0        0                 0           0 0.776   1.29       0.388     0.388
 8     8 1        32    11 1      0       0        1                 0        8472 0.884   1.13       0.341     0.341
 9     9 1        22    16 1      0       0        0                 0        2164 0.869   1.15       0.347     0.347
10    10 1        33    12 0      0       1        0                 0       12418 0.0845 11.8        3.57      3.57
# ... with 604 more rows
```

```
                               Stratified by treat
                               level  0                    1                      p      test
n                                     438.6                160.3
age (median [IQR])                    23.0 [18.2, 34.2]    23.0 [21.0, 27.0]      0.8529 nonnorm
educ (mean (SD))                      10.3 (2.7)           10.6 (1.9)             0.2850
black (%)                      0      258.3 (58.9)         86.0 (53.6)            0.4649
                               1      180.3 (41.1)         74.3 (46.4)
hispan (%)                     0      388.8 (88.6)         142.7 (89.0)           0.9298
                               1       49.8 (11.4)          17.6 (11.0)
married (%)                    0      260.0 (59.3)         113.2 (70.6)           0.1554
                               1      178.6 (40.7)          47.1 (29.4)
nodegree (%)                   0      160.2 (36.5)          67.4 (42.1)           0.4586
                               1      278.4 (63.5)          92.9 (57.9)
base.income (median [IQR])            994.3 [0.0, 5534.5]  1017.2 [0.0, 3436.6]   0.2828 nonnorm
change_re78 (median [IQR])            1783.1 [-333.1, 7027.3] 3370.7 [0.0, 8453.0] 0.1180 nonnorm
```

🔎 **가중치 방법에 의한 공변량 보정시**
직업훈련을 받은 집단(treat=1)과 그렇지 않은 집단(treat=0)의 소득변화량(change_re78)은
직업훈련을 받은 집단이 높지만 통계적으로 유의한 차이라 볼 수 없다(adjusted p=0.1180).

SPSS에서 성향점수매칭

[분석]–[PS Matching]

PS Matching 모듈 추가
(부록 참조)

[주의사항]

ID Variable: 반드시 있어야 함

Treatment Indicator:
- 이분형으로 코딩 (0=control, 1=treatment)
- Control 집단이 Treatment 집단보다 많아야 함
- 변수보기에서 명목형 측도로 설정

Covariates:
- 문자값 변수는 사용 불가
- 결측치는 없어야 함
- 결과변수를 제외한 모든 기저변수 추가

⊙ PS Matching 모듈 추가 시 준비사항
(SPSS 22 기준, 부록 참조)

1) R (Version 2.15.2) 설치
2) R 패키지 설치
3) SPSS Statistics R Essentials 22 설치: R과 SPSS 연동
4) SPSS 확장 번들 설치: PS Matching 모듈이 추가됨

SPSS에서 성향점수매칭

[파일]−[열기]−[데이터]−[lalonde.sav]

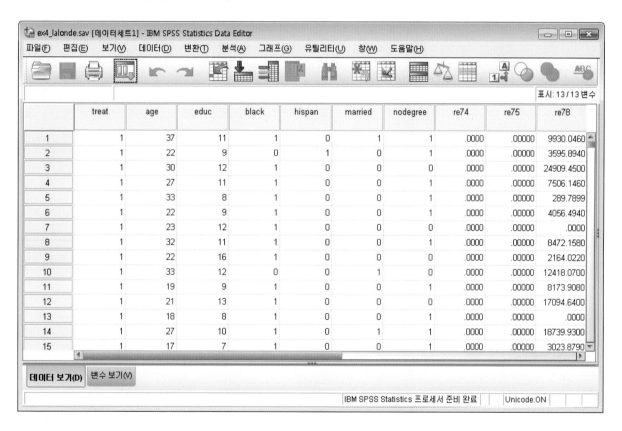

ID변수 생성

[변환]–[변수계산]–[함수집단: 기타]–[함수 및 특수변수: $CASENUM]

$CASENUM함수를 이용해 케이스번호 추가
- 목표변수: 새변수이름
- 숫자표현식: $CASENUM

	married	nodegree	re74	re75	re78	ID
1	0	1	1	.0000	.00000	9930.0460	1.00
2	1	0	1	.0000	.00000	3595.8940	2.00
3	0	0	0	.0000	.00000	24909.4500	3.00
4	0	0	1	.0000	.00000	7506.1460	4.00
5	0	0	1	.0000	.00000	289.7899	5.00
6	0	0	1	.0000	.00000	4056.4940	6.00
7	0	0	0	.0000	.00000	.0000	7.00
8	0	0	1	.0000	.00000	8472.1580	8.00
9	0	0	0	.0000	.00000	2164.0220	9.00
10	0	1	0	.0000	.00000	12418.0700	10.00
11	0	0	1	.0000	.00000	8173.9080	11.00
12	0	0	0	.0000	.00000	17094.6400	12.00
13	0	0	1	.0000	.00000	.0000	13.00
14	0	1	1	.0000	.00000	18739.9300	14.00
15	0	0	1	.0000	.00000	3023.8790	15.00

결측 케이스 확인

[변환]-[변수계산]-[함수집단: 결측값]-[함수 및 특수변수: Nmiss]

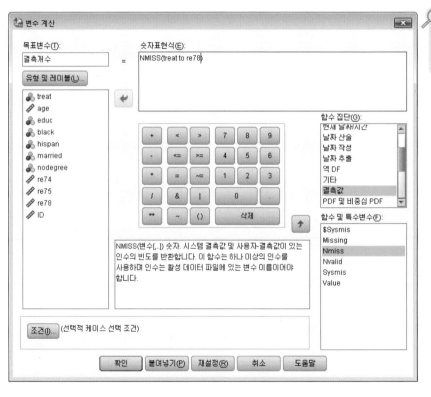

NMISS함수를 이용해 케이스별 결측치 개수 파악:
- 목표변수: 새변수이름
- 숫자표현식: Nmiss (처음변수 to 마지막변수)

결측 케이스 제거

[데이터]−[케이스 선택]−[조건]

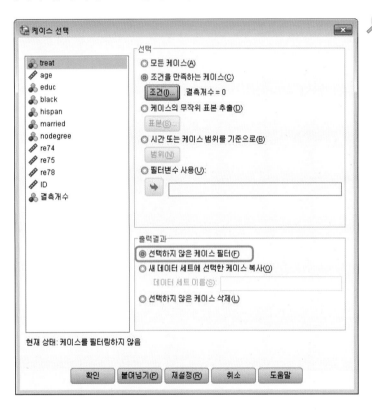

⚕ Treatment 변수: 명목형 측도로 변경

[변수보기]–[측도: 명목형]

	이름	유형	너비	소수점이...	레이블	값	결측값	열	맞춤	측도	역할
1	treat	숫자	1	0		없음	없음	8	▦ 오른쪽	🍀 명목형	↘ 입력
2	age	숫자	2	0		없음	없음	8	▦ 오른쪽	🖊 척도	↘ 입력
3	educ	숫자	2	0		없음	없음	8	▦ 오른쪽	🍀 명목형	↘ 입력
4	black	숫자	1	0		없음	없음	8	▦ 오른쪽	🍀 명목형	↘ 입력
5	hispan	숫자	1	0		없음	없음	8	▦ 오른쪽	🍀 명목형	↘ 입력
6	married	숫자	1	0		없음	없음	8	▦ 오른쪽	🍀 명목형	↘ 입력
7	nodegree	숫자	1	0		없음	없음	8	▦ 오른쪽	🍀 명목형	↘ 입력
8	re74	숫자	8	4		없음	없음	8	▦ 오른쪽	🖊 척도	↘ 입력
9	re75	숫자	8	5		없음	없음	8	▦ 오른쪽	🖊 척도	↘ 입력
10	re78	숫자	8	4		없음	없음	8	▦ 오른쪽	🖊 척도	↘ 입력
11	ID	숫자	8	2		없음	없음	10	▦ 오른쪽	🖊 척도	↘ 입력
12	결측개수	숫자	8	2		없음	없음	14	▦ 오른쪽	🍀 명목형	↘ 입력
13	filter_$	숫자	1	0	결측개수 = 0 (F...	{0, Not Sele...	없음	10	▦ 오른쪽	🍀 명목형	↘ 입력

🔍 Treatment 변수는 0 또는 1로 코딩
(0 = Control / 1 = Treated)

PS Matching

[분석]−[PS Matching]

Estimation Algorithm:
성향점수 계산을 위해 로지스틱 회귀모형 사용

Matching Algorithm:
Nearest Neighbor 방법을 이용하여 최근접값들을 짝짓기함

Discard Units Outside of Common Support:
지정된 경계를 벗어나면 매칭에서 제외시킬 수 있음, 옵션= None (기본값) / Both / Control / Treated

Caliper Definition:
두 집단의 성향점수 매칭시 최대 허용 거리를 정의함

Match One to Many:
주로 1:1 매칭을 사용

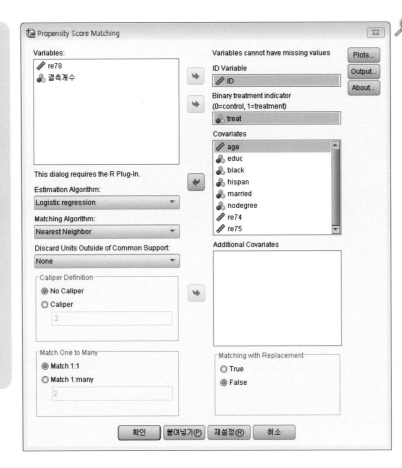

ID Variable: ID

Treatment Indicator: Treat
• 이분형으로 코딩 (0=control, 1=treatment)
• Control 집단이 Treatment 집단보다 많아야 함
• 변수보기에서 명목형 측도로 설정

Covariates: age ~ re75
• 문자값 변수는 사용 불가
• 결측치는 없어야 함
• 결과변수를 제외한 모든 기저변수 추가
 (두 집단에서 유의한 차이가 있는 변수만 고려할 경우 매칭 후 유의하지 않았던 변수가 유의해 질 수 있으므로 결과변수를 제외한 baseline에서 측정한 모든 변수를 추가하는 것을 추천함, 단 다중공선성 문제로 계산 불능이 생길 수 있으므로 상관이 높은 변수는 대표로 하나만 추가할 것)

Additional Covariates:
매칭에는 제외하지만 불균형정도를 보고자 하는 경우

Matching with Replacement:
True / False (기본값=비복원추출)

PS Matching

[분석]−[PS Matching]−[Output]

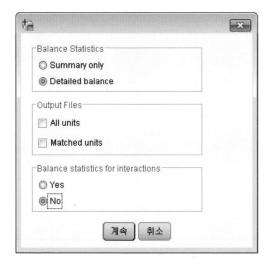

→ **Propensity Score Matching**

Sample Sizes

	Control	Treated
All	429	185
Matched	185	185
Unmatched	244	0
Discarded	0	0

185명이 매칭됨
(1:1 매칭)

Overall balance test (Hansen & Bowers, 2010)

	chisquare	df	p.value
Overall	62.136	9.000	.000

p<0.001이므로 H0 (overall balance) 기각, 즉 두 집단의 불균형 있음

Relative multivariate imbalance L1 (Iacus, King, & Porro, 2010)

	Before matching	After matching
Multivariate imbalance measure L1	.937	.886

불균형 지표:
0=balance / 1=imbalance

Summary of unbalanced covariates (|d| > .25)

	Means Treated	Means Control	SD Control	Std. Mean Diff.
black	.843	.470	.500	1.023
propensity	.580	.361	.253	.983
hispan	.059	.205	.405	-.615

표준화된 평균차이 (SMD):
절대값이 0.25 이상일때 불균형이 심각

PS Matching

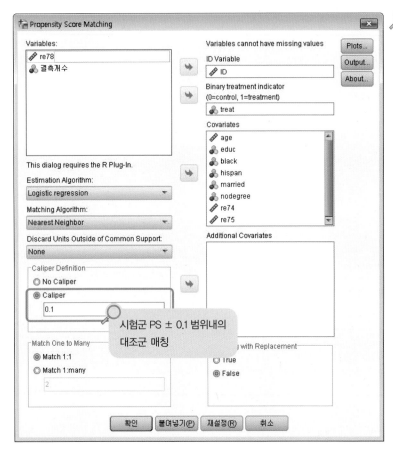

Caliper=0.1의 매칭 결과

→ Propensity Score Matching

Sample Sizes

	Control	Treated
All	429	185
Matched	111	111
Unmatched	318	74
Discarded	0	0

매칭된 케이스 확인:
111명이 매칭됨

Overall balance test (Hansen & Bowers, 2010)

	chisquare	df	p.value
Overall	2.457	8.000	.964

Relative multivariate imbalance L1 (Iacus, King, & Porro, 2010)

	Before matching	After matching
Multivariate imbalance measure L1	.896	.802

Summary of unbalanced covariates (|d| > .25)

No covariate exhibits a large imbalance (|d| > .25).

표준화된 평균차이 (SMD):
절대값이 0.25인 변수가 없으
므로 매칭된 데이터를 이용해
결과 확인

시험군 PS ± 0.1 범위내의
대조군 매칭

PS Matching

[분석]−[PS Matching]−[Plots]

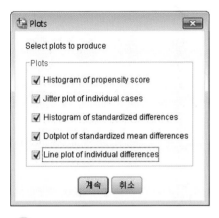

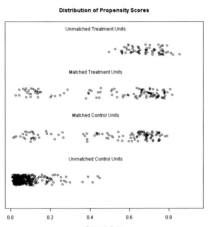

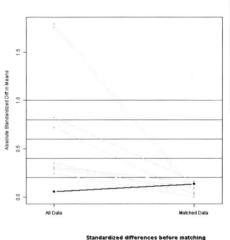

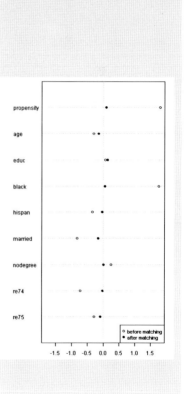

성향점수분포 확인:
매칭전 두 군의 성향점수가 겹치지
않는다면 매칭은 불가능함. 겹치는
정도가 적을수록 매칭케이스가 현저
히 줄어들기 때문에 케이스가 적은
연구는 매칭이 부적절함

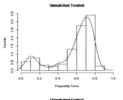

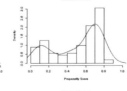

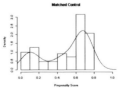

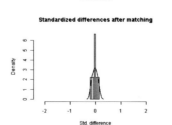

성향점수(Propensity Score) 출력

[분석]−[PS Matching]−[Output]

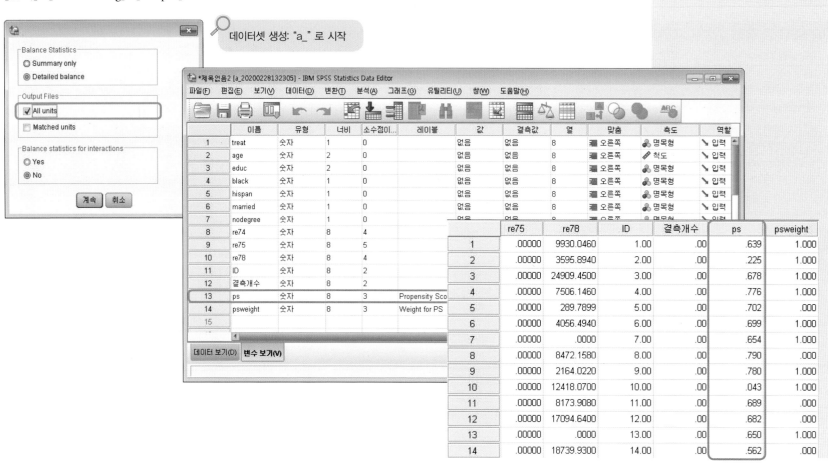

데이터셋 생성: "a_" 로 시작

🩺 매칭된 자료(Matched data) 생성

[lalonde.sav]−[분석]−[PS Matching]−[Output]

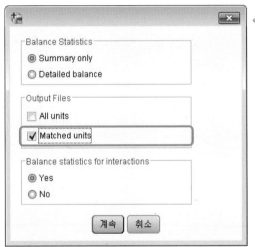

데이터셋 생성: "m_" 으로 시작

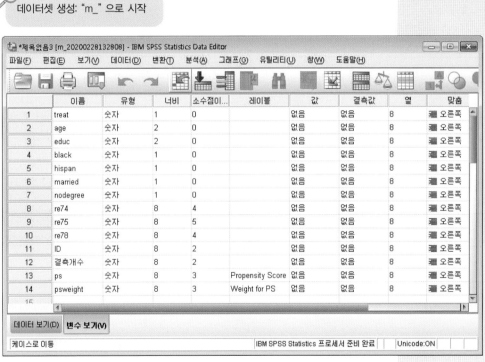

매칭 케이스 확인

[매칭된 데이터]–[데이터]–[케이스 정렬]–[정렬기준: 집단, PS]

대조군(treat=0)과 시험군(treat=1)이 아래와 같은 순서로 매칭됨

	treat	age	educ	black	hispan	married	nodegree	re74	re75	ps
1	0	29	12	0	0	1	0	14641.6000	162.91940	.015
2	0	27	12	0	0	1	0	11493.0600	1906.69400	.019
3	0	41	5	0	0	1	1	10785.7600	11991.58000	.028
4	0	52	0	0	1	1	1	773.9104	2506.45200	.049
5	0	39	9	0	0	0	1	11230.5200	537.09680	.061

	treat	age	educ	black	hispan	married	nodegree	re74	re75	ps
111	0	20	11	1	0	0	1	.0000	3480.38700	.789
112	1	27	13	0	0	1	0	9381.5660	853.72250	.025
113	1	23	8	0	0	1	1	.0000	1713.15000	.043
114	1	33	12	0	0	1	0	.0000	.00000	.043
115	1	21	12	0	0	0	0	3670.8720	334.04940	.063
116	1	23	7	0	0	0	1	.0000	.00000	.074

매칭된 자료를 이용한 결과분석

[매칭된 데이터]-[분석]-[비모수검정]-[레거시 대화상자]-[2-독립표본]

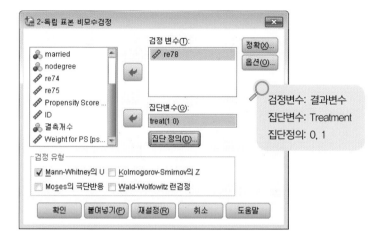

검정변수: 결과변수
집단변수: Treatment
집단정의: 0, 1

→ **NPar Tests**

[m_20200228132808]

Mann-Whitney Test

Ranks

	treat	N	Mean Rank	Sum of Ranks
re78	0	111	107.89	11976.00
	1	111	115.11	12777.00
	Total	222		

Test Statistics[a]

	re78
Mann-Whitney U	5760.000
Wilcoxon W	11976.000
Z	-.844
Asymp. Sig. (2-tailed)	.399

a. Grouping Variable: treat

p=0.339 이므로
두 집단의 소득은 유의한
차이를 보이지 않는다 .

결과변수의 형태에 따라 통계분석방
법이 결정된다.
• 연속형 자료: 독립표본 t-검정(또
는 비모수검정) 회귀분석
• 이분형 자료: 카이제곱검정(또는
피셔정확검정), 로지스틱회귀분석
• 생존자료: 로그-순위검정, 칵스
회귀분석

SPSS에서 IPTW (Inverse Probability Treatment Weight)

[lalonde_ps포함.sav]−[파일]−[열기]−[명령문]

[분석]−[기술통계량]−[빈도분석]

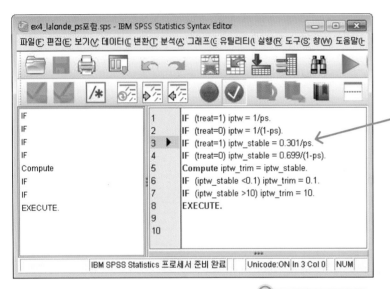

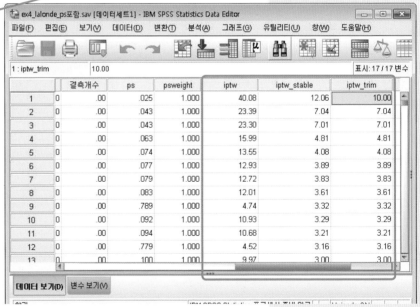

treat

		Frequency	Percent	Valid Percent	Cumulative Percent
Valid	0	429	69.9	69.9	69.9
	1	185	30.1	30.1	100.0
	Total	614	100.0	100.0	

명령문 실행:
메뉴-[실행]-[모두]

⚕ IPTW를 이용한 결과분석

[lalonde_ps포함.sav]−[데이터]−[가중케이스]−[가중케이스 지정: IPTW 변수]

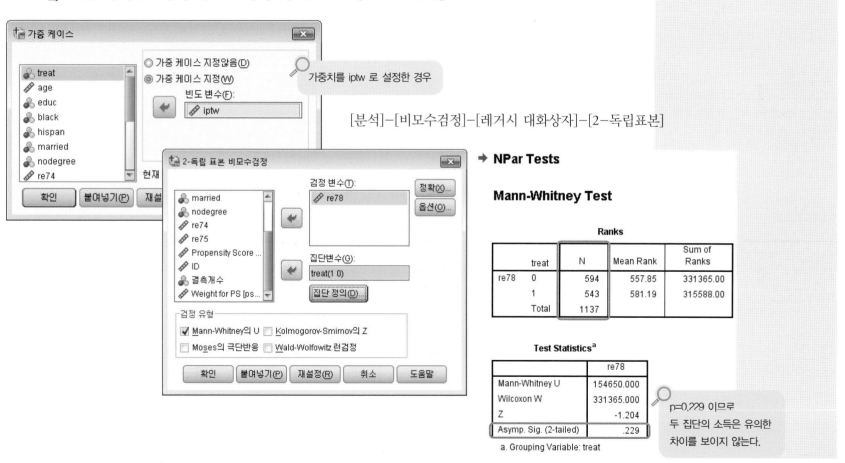

가중치를 iptw 로 설정한 경우

[분석]−[비모수검정]−[레거시 대화상자]−[2−독립표본]

➜ **NPar Tests**

Mann-Whitney Test

Ranks

	treat	N	Mean Rank	Sum of Ranks
re78	0	594	557.85	331365.00
	1	543	581.19	315588.00
	Total	1137		

Test Statistics[a]

	re78
Mann-Whitney U	154650.000
Wilcoxon W	331365.000
Z	-1.204
Asymp. Sig. (2-tailed)	.229

a. Grouping Variable: treat

p=0.229 이므로
두 집단의 소득은 유의한
차이를 보이지 않는다.

🩺 IPTW를 이용한 결과분석

[lalonde_ps포함.sav]-[데이터]-[가중케이스]-[가중케이스 지정: IPTW 변수]

가중치를 이용한 분석:

방법1) [분석]-[복합 표본]-[일반선
형모형], [로지스틱 회귀모형], [Cox
회귀모형] 등 이용
방법2) [분석]-[일반화 선형 모형]-
[일반화 선형 모형], [일반화 추정 방
정식]
방법3) 가중케이스 지정 후 분석

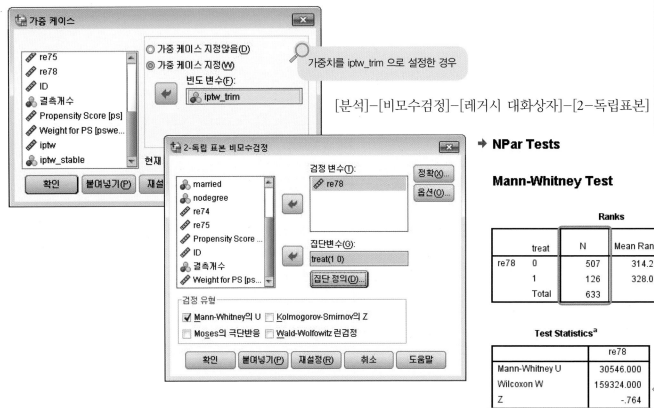

가중치를 iptw_trim 으로 설정한 경우

[분석]-[비모수검정]-[레거시 대화상자]-[2-독립표본]

→ **NPar Tests**

Mann-Whitney Test

Ranks

	treat	N	Mean Rank	Sum of Ranks
re78	0	507	314.25	159324.00
	1	126	328.07	41337.00
	Total	633		

Test Statistics[a]

	re78
Mann-Whitney U	30546.000
Wilcoxon W	159324.000
Z	-.764
Asymp. Sig. (2-tailed)	.445

a. Grouping Variable: treat

p=0.445 이므로
두 집단의 소득은 유의한
차이를 보이지 않는다.

결론

두 집단의 소득(re78) 비교:

1) Crude data: 두 집단간에 유의한 차이가 없었다. (기저변수의 불균형 존재)
2) Matched data: 기저변수의 불균형을 보정 후 두 집단간에 유의한 차이를 보였다.

기저변수의 불균형을 보정하는 방법으로는

1) 회귀모형(adjusting)
2) 짝짓기(matching)
3) 가중치(weighting) 기법 등이 있다.

매칭 후에도 기저변수에 불균형이 있는 경우에는

1) Caliper 또는 set.seed 값 변경
2) 데이터 조건 추가(가령, age 17 ~ 46, educ 4 ~ 16 으로 범위 제한)
3) 성향점수에 대한 모형 재검토 등을 고려할 수 있다.

매칭 후 두 집단 비교: 반응변수의 형태에 따라 분석방법은 달라진다.

1) 연속형: 독립표본 t–검정 또는 윌콕슨 순위합 검정
2) 범주형: 카이제곱검정 또는 피셔정확검정
3) 생존자료: 로그–순위검정 등 다양하다.

예제 6

전향적, 무작위배정 임상시험

자료설명

연구목적

- 이전에 치료 받지 않은 확장병기 소세포폐암 환자에서 Etoposide, Cisplatin 복합항암화학요법과 Irinotecan, Cisplatin 복합항암화학요법을 비교하는 무작위배정 3상 임상시험
- This randomized phase III study was designed to compare the efficacy and safety of irinotecan plus cisplatin (IP) over etoposide plus cisplatin (EP) in Korean patients with extensive disease small-cell lung cancer (SCLC).

대상

- Patients were randomly assigned to receive IP, composed of irinotecan 65 mg/m2 intravenously on days 1 and 8+cisplatin 70 mg/m2 intravenously on day 1 every 3 weeks, or EP, composed of etoposide 100 mg/m2 intravenously on days 1, 2, 3+cisplatin 70 mg/m2 intravenously on day 1, every 3 weeks for a maximum of six cycles, until disease progression, or until unacceptable toxicity occurred. The primary endpoint was overall survival.

통계분석

- OS and progression-free survival (PFS) were calculated using the Kaplan-Meier method and log-rank test was employed to compare survival rates. HR was presented together with the 90% two-sided confidence interval. OS was calculated from the day of start of treatment until death by any cause; surviving patients were censored at the last date of follow-up. PFS was calculated from the day of treatment until disease progression or death from any cause. Efficacy was analyzed on intention-to-treat population. Exploratory subgroup analysis was planned to be conducted by considering factors such as sex, age, and ECOG status.

관련논문

- KIM, Dong-Wan, et al. Randomized phase III trial of irinotecan plus cisplatin versus etoposide plus cisplatin in chemotherapy-naïve Korean patients with extensive-disease small cell lung cancer. *Cancer research and treatment: official journal of Korean Cancer Association*, 2019, 51.1: 119.

주요개념

```
┌─────────────────────┐   ┌─────────────────────┐   ┌─────────────────────┐
│  연구계획서 작성 시  │▷ │  연구대상자수 산출 시 │▷ │  통계분석계획 시     │▷
│     고려사항         │   │     고려사항         │   │     고려사항         │
└─────────────────────┘   └─────────────────────┘   └─────────────────────┘
```

- 연구대상자수 산출 예시

- 연구계획서에 포함되어야 할 항목
- 단일군 모비율 추정
- 연구계획서 예시
- 단일군 모평균 추정
- 연구계획서 등록 및 검색
- 두 집단 모비율 비교
- 통계분석계획 예시
- 임상연구 설계 종류
- 두 집단 모평균 비교
- 주요용어

연구계획서에 포함되어야 할 항목

번호	구분	내용	번호	구분	내용
1	연구배경	• 선행 연구 등 연구 배경과 연구의 정당성에 대한 분명한 설명 • 연구에서 제기된 윤리적 문제나 고려사항에 대한 연구자의 관점, 그리고 적절한 경우에 그 문제나 고려사항을 어떻게 다룰 지에 대한 제안 • 연구의 안전하고 적절한 수행을 위한 기능의 적절성에 대한 정보를 포함하여 연구가 수행되는 장소에 대한 간단한 기술 및 해당 나라나 지역에 대한 관련된 인구통계학적 및 역학 정보 등을 기술함	11	연구방법	• 모든 시술 또는 처치, 행위 등에 관한 구체적인 사항(연구를 위해 연구대상자가 해야할 일과 소요시강 등)을 기술 • 계획과 절차, 그리고 연구에서 지속되는 연구대상자의 자발성에 영향을 끼칠 수 있으며 해당 연구로부터 또는 같은 주제를 가진 다른 연구로부터 생겨날 수 있는 정보(예를 들어, 손상 또는 이익)를 전달할 책임이 있는 사람들 등에 대해 기술
2	연구목적	• 임상시험의 목적은 하나의 일차 목적으로 끝날 수도 있으나, 필요한 경우 이차 목적을 기술할 수도 있다. 임상시험의 일차 및 이차 목적을 기술할 때에는 일차 및 이차 평가변수의 정의를 명확히 기술한다.	12	관찰항목	• 연구를 통해 얻고자 하는 정보 또는 자료의 내용을 구체적으로 나열하고 기술
3	연구 실시 기관명 및 주소	• 실제 연구가 수행되는 기관의 기관명 및 주소를 기술	13	효과 평가 기준 및 방법	• 연구의 효과성을 평가하는 기준 및 방법을 기술
4	연구 지원기관	• 연구비 또는 물품 등 경제적 이익 제공하거나, 인력 등의 지원받은 경우에만 기술	14	안전성 평가 기준 및 평가 방법	• 연구의 안전성을 평가하는 기준 및 방법을 기술
5	연구책임자, 공동연구자, 담당자의 성명과 직명	• 본 연구에 실제 참여하는 연구진 기술	15	자료분석과 통계적 방법	• 연구를 통해 수집된 자료 또는 정보의 이용하는 방법(통계적 방법 포함) 기술
6	연구기간	• 연구 소요 예상 기간(승인일로부터 ~ 00년 00월 00일 또는 00년 00개월)	16	예측 부작용 및 주의사항과 조치	• 본 연구에서 나타날 수 있는 이상반응과 중대한 이상반응을 기술 • 중대한 이상반응 정의 및 보고 절차 기술 • 연구대상자를 연구에서 제외시킬 수 있거나, (다기관연구에서) 기관을 중지시킬 수 있거나 또는 연구를 종결하도록 할 수 있는 규정 또는 범위 • 일부를 대상으로 하는 연구의 경우, 여성과 아기의 건강에 대한 장·단기적 영향 등에 관하여 임신의 결과를 모니터링하는 등의 계획 • 연구의 목적을 위해 적용되는 의약품 또는 기타 시술의 지속적인 안전성을 모니터링하는 계획과 적절한 경우에 이런 목적의 독립적인 자료 모니터링(자료 및 안전성 모니터링) 위원회의 지정 등을 기술
7	연구대상자	• 연구대상자를 직접 모집하는 경우, 선정기준과 제외기준 반드시 명시 • 잠재적인 연구대상자의 선정 또는 제외기준에 대한 범위 및 나이, 성별, 사회적 또는 경제적 요인의 기초 하에 모든 군의 제외에 대한 정당성 또는 기타 이유에 대한 정당성 • 연구 계획에 대한 구체적인 기술과 대조군이 있는 연구의 경우, 각 군에 대한 배정 방법(무작위, 이중맹검 등) 및 필요성 등에 대해 구체적으로 기술 • 동의를 하기에 제한적인 능력을 가진 사람들이나 취약한 사람들을 연구 대상자로 포함시키는 것에 대한 정당성과 이러한 연구대상자에 대한 위험 및 불편함을 최소화하는 특정 수단에 대한 기술	17	중지 및 탈락기준	• 연구자에 의해서 연구대상자의 연구 참여가 제한되는 경우 기술
8	예상 여구대상자 수와 산출 근거	• 직접 모집하는 경우, 반드시 명시 • 연구에 필요한 연구대상자 수를 선행연구, 통계학적 평가방법에 근거하여 제시 • 예상 연구대상자 수는 절대적이 아니며, 계획된 연구에서 필요한 결과를 얻을 수 있는 최소한 이상의 연구대상자 수이어야 함	18	연구대상자의 위험과 이익	• 연구참여로 인해 연구대상자에게 발생할 수 있는 위험이나 불편 기술 • 연구에 참여함으로써 어떤 시술 또는 처치, 행위가 예상치 못하는 위험을 수반할 수 있다는 사실 • 연구에 참여함으로써 연구대상자에게 기대되는 이익 기술
9	연구대상자 모집	• 모집 과정(예, 광고), 모집하는 동안 개인의 사생활 보호와 비밀 유지를 위하여 취해야 할 단계 등을 기술(해당하는 경우)	19	연구대상자 안전대책 및 개인정보보호 대책	• 연구대상자를 안전하게 보호하기 위한 대책을 마련하고 연구와 관련된 손상이 발생하였을 경우 보상/배상이나 치료방법 등을 구체적으로 반드시 기술 • 신체적 손상의 최소한의 위험 이상을 수반하는 연구에 대하여 치료비 등 상해에 대한 치료를 제공하고 연구와 관련된 장애나 사망에 대한 보상을 제공하는 보험 보증 등의 계획을 구체적으로 기술 • 연구대상자의 개인정보를 수집하는 경우, 반드시 수집하는 개인정보의 항목 및 항목, 그 정보의 보관과 폐기 방법 등에 관한 기술

10	연구대상자 동의	• 연구대상자의 서면 동의를 얻기 위하여 제안된 방법 및 예상 연구대상자들에게 정보를 전달하기 위해 계획된 절차
		  - 동의 대상자 : □피험자, □법정대리인, □기타 _____
		  - 동의과정 설명 주체 : □연구책임자, □연구관련자, □기타 _____
		  - 동의를 위한 논의를 위하여 피험자당 할애할 시간 : (　) 분
		  - 강압의 가능성이나 부당한 영향을 최소화하기 위한 조치:
		  - 기타사항:
		• 동의면제를 요하는 경우, 동의면제사유 반드시 기록(별도의 동의면제 점검표 제출)
			20	참고문헌	

🩺 연구계획서 예시 (개요)

제목	이전에 치료 받지 않은 확장병기 소세포폐암 환자에서 Etoposide, Cisplatin (EP) 복합항암화학요법과 Irinotecan, Cisplatin (IP) 복합항암화학요법을 비교하는 무작위배정 3상 임상시험.
임상시험책임자/ 참여기관	서울대학교병원 내과 허 대 석 서울대학교병원 포함 국내 19개 3상 임상시험기관
목적	1차 목적: EP/IP 군 간의 전체생존율 비교 2차 목적: EP/IP 군 간의 반응률, 질병진행시간, 안전성 비교
임상시험방법	전향적, 다기관, 1:1 무작위배정, 공개, 3상 임상시험
목표환자수	총 362명 (각 군당 181명)

선정기준	1) 조직학적 또는 세포학적으로 진단된 소세포폐암 환자
	2) 확장병기 (원격전이가 있거나, 반대편 폐문림프절 침범이 있거나, 세포학적으로 증명된 악성흉수가 있는 경우)
	3) 신경학적 증상이 있는 뇌전이가 있는 경우에는, 이전에 뇌전이에 대한 방사선치료 또는 수술적 치료를 받고 신경학적으로 안정된 경우 (진행하는 신경학적 증상이 없고, 스테로이드 치료가 중단된 경우).
	4) 이전에 소세포폐암에 대해 항암화학요법, 면역요법, 수술, 방사선치료 등의 항암요법을 받지 않은 경우 (단, 증상이 있는 뇌전이 혹은 뼈전이에 대한 국소방사선치료는 허용되며, 이 경우 방사선치료에 의한 독성이 회복되었다고 연구자가 판단한 시점에 참여가능)
	5) RECIST 기준으로 하나 이상의 계측 가능 병변이 있는 경우
	6) 18세 이상
	7) Eastern Cooperative Oncology Group (ECOG) 활동도 0-2
	8) 적절한 골수, 간, 신기능
	    혈청 creatinine ≤ 각기관정상상한치 (UNL)
	    혈청 transaminase ≤ UNL x 2.5 (간전이가 있는 경우 ≤ UNL x 5)
	    혈청 bilirubin ≤ UNL x 1.5
	    neutrophil count ≥ 1,500/uL, platelets ≥ 100,000/uL
	8) 각 기관 임상시험 위원회의 지침에 근거한 서면동의를 취득한 경우

제외기준	1) 완치된 피부기저세포암 또는 완치된 자궁경부의 상피내암종을 제외한 악성종양의 병력이 최근 5년 내에 있는 경우 2) 의학적으로 조절되지 않는 심각한 심장, 폐, 신경, 정신과, 대사 질환이 있는 경우 3) 조절되지 않는 심각한 감염증 4) 타 임상시험에 30일 이내에 참여한 경우 5) 임신, 또는 수유부 (가임기 여성의 경우, 미리 임신반응 검사)
치료방법	− Arm A (EP 군): Etoposide 100 mg/m^2 IV on day 1-3 / Cisplatin 70mg/m^2 IV on day 1 − Arm B (IP 군): Irinotecan 65 mg/m^2 IV on day 1, 8 / Cisplatin 70 mg/m^2 IV on day 1 양 군 모두 3주 간격 6회 치료
평가기준	전체생존기간: 무작위배정일로부터 사망일 까지 종양반응: RECIST 기준 질병진행시간: 무작위배정일로부터 질병진행 또는 사망일 까지 안전성 평가: NCI CTCAE version 3.0 기준
통계처리	전체생존율 (생존곡선: 카플란−마이어법, 생존율의 차이: 로그−랭크법) 귀무가설: 두 군간의 중앙생존값의 차이가 3.0 개월 미만 대립가설: 두 군간의 중앙생존값의 차이가 3.0 개월 이상
시험기간	환자등록: 2006년 5월 1일−2014년 4월 30일 (4년간 등록) 추적관찰: 각 환자당 3년간 추적

🩺 연구계획서 등록 및 검색

🔍 **임상시험 등록 및 검색:**
헬싱키선언 (제35조)에 따라 모든 임상시험은 첫 연구 대상자를 모집하기 전 공개적으로 접근이 가능한 데이터베이스(primary registry)에 연구에 대하여 공개해야 한다.

1. ClinicalTrials.gov:
http://clinicaltrials.gov

2. 질병관리본부 CRIS:
http://cris.nih.go.kr

3. 그 외 국제 임상시험등록 플랫폼(WHO ICTRP):
http://www.who.int/clinical-trials-registry-platform

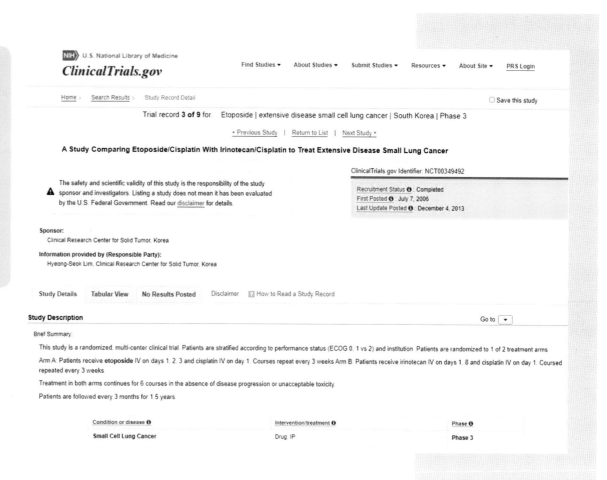

🩺 임상연구 설계 종류

연구설계 종류	구분 (중재여부)	구분 (인과관계)	설득력의 크기
증례보고 (case report)	관찰	기술적 연구 (관련성 평가, Association)	가장 약함
환자군연구 (case series study)	관찰		
단면연구 (cross-sectional study)	관찰		
환자-대조군연구 (case-control study)	관찰		
코호트연구 (cohort study)	관찰	분석적 연구 (인과성 평가, Causation)	
무작위배정 비교임상시험 (randomized controlled clinical trial)	실험		가장 강함

시간의 방향에 따라	**전향적연구**(prospective study): 임상연구에 등록된 연구대상자를 전향적 관점으로 정기적으로 관찰하여 자료를 수집하는 것
	후향적연구(retrospective study): 이전에 선택 또는 등록되었던 연구대상자에게서 관찰된 자료를 사용하는 것
관측횟수에 따라	**횡단/단면연구**(cross-sectional study): 연구대상자가 등록된 특정 시기에 관찰 또는 측정이 이루어지는 것
	종단연구(longitudinal study): 정기적으로 반복 추적 관찰하여 자료를 수집하는 것
중재여부에 따라	**실험연구**(experimental study), 중재연구(interventional study)
	관찰연구(observational study)
임상시험 단계에 따라	**전임상**: 기초연구(세포실험, 동물실험 등)
	임상: 1상, 2상, 3상, 4상 (PMS)
연구목적에 따라	**탐색적연구**(exploratory study): 귀납적 접근법, 임상시험의 경우 초기 안전성 및 유효성 정보 수집, 후속 임상시험의 설계, 평가항목, 평가방법의 근거 제공 목적
	확증적연구(confirmatory study): 연역적 접근법, 임상시험의 경우 식약처 허가 목적

연구대상자수 산출 예시

논문	연구계획서

3. Statistical methods

The primary objective of this study was to compare the OS in patients with extensive stage small-cell lung cancer treated with EP (standard arm) with that in comparable patients treated with the IP (experimental). IP would be judged superior to the standard if the true increase in median OS was 3.0 months. We used Freedman's sample size formula for log-rank statistic assuming that the hazard ratio (HR) is constant throughout the trial [17]. A total of 333 events were required to demonstrate a significant superiority of OS with an α of 5% and a power of 80% at final analysis, using a one-sided stratified log-rank test. Assuming that the expected survival rate will be 5.2% at 18 months in the standard arm, a total of 362 patients were calculated. Planned interim analysis was conducted at the time of 166 events (50% of target events) occurred. α1=0.0055 and α2=0.0482 were used by O'Brien Flemming method.

1.3 목표 피험자의 수

총 362명(각 군당 181명)의 환자들이 이 연구에 모집될 것이다.

1.3.1 목표피험자 수 설정근거

이전에 치료 받지 않은 확장병기 소세포폐암환자에서 EP요법과 IP요법을 일차치료로서 시행하여, IP군의 중앙생존값이 EP군의 중앙생존값보다 크다는 것을 알아보기 위한 우위성 검정이며, 연구가설은 다음과 같다.

[가설]

귀무가설 (H0): IP요법을 일차치료로서 받은 소세포폐암환자군과 EP요법을 일차치료로서 받은 소세포폐암환자군의 중앙생존값의 차이가 3.0개월 미만이다.

대립가설 (H1): IP요법을 일차치료로서 받은 소세포폐암환자군과 EP요법을 일차치료로서 받은 소세포폐암환자군의 중앙생존값의 차이가 3.0개월 이상이다.

일본에서 시행된 기존의 연구결과(1)에 따르면, 1.5년의 추적 관찰 종료 시 IP군의 중앙생존값은 12.8개월 EP군의 중앙생존값은 9.4개월로 두 군간의 중앙생존값의 차이는 3.4 개월이었으나 일본 연구의 결과가 실제보다 과추정되었을 가능성을 고려하여 본 연구에서는 두 군간의 중앙 생존값의 차이를 3개월로 가정하였다. 즉, EP군의 중앙생존값 9.4개월, IP 군의 중앙생존값 12.4개월 유의수준 5% 로그랭크 단측검정에서 검정력 80%를 확보하기 위해 요구되는 사건 수는 333건이었고, EP 군의 1.5년 기대 생존율 5.2%로 가정할 때 본 연구를 위한 피험자수는 362명이다.

위의 대상수 산출은 다음의 Freedman(1982)의 비모수적 연구대상수 산출 공식(2, 3)를 사용하였다.

[산출공식]

Freedman(1982)의 비모수적 연구대상수 산출 공식 (2, 3)

생존시간 분포를 가정하지 않고, 환자들은 포아송과정으로 연구에 들어온 것을 가정한다.

$$d = \frac{(1+\delta)^2(Z_\alpha + Z_\beta)^2}{2(1-\delta)^2} \quad ; \text{각 그룹당 필요한 총 사망자 수}$$

$$\delta = \lambda_1 / \lambda_2 \quad ; \quad \lambda = \frac{\ln 2}{M} \quad \text{위험함수}$$

$$N = \frac{2d}{2 - S_1 - S_2} \quad ; \text{각 그룹당 필요한 총 연구대상수}$$

[Reference]

1) Noda K, Nishiwaki Y, Kawahara M, et al. Irinotecan plus cisplatin compared with etoposide plus cisplatin for extensive small-cell lung cancer. N Engl J Med 2002;346:85-91.

2) Freedman, L. S., Tables of the number of patients required in clinical trials using the logrank test, Statistics in Medicine 1982;1:121-129.

3) 박미라, 김선우, 이재원: 생존함수의 비교연구를 위한 표본수의 결정 응용통계연구, 제11권, 제 2호, 1982, pp 269-286.

🩺 연구대상자수 산출 시 일반적 고려사항

• 목표한 연구대상자 수(Sample size)

임상시험에서 목표한 시험대상자 수는 알아내고자 하는 의문에 신뢰성 있는 답을 제공할 수 있도록 충분한 수여야 한다. 임상시험의 일차목적(primary outcome)에 근거하여 결정한다. 연구목적에 따라 정해지며, 통계적 관점에서 연구목적은 크게 '추정'과 '가설검정'으로 나뉠 수 있다.

• 연구대상자수를 통계적으로 산출하여야 하는 이유

적은 피험자를 대상으로 시행된 연구에서는 치료군에서 효능이 관찰됨에도 불구하고 통계적 검정력(power)의 부족으로 이를 증명하지 못해 향후 연구 혹은 임상에서 관심을 받지 못할 수 있다. 반대로 너무 많은 피험자를 대상으로 한 연구에서는 많은 연구비용과 추적손실이나 순응도 저하 등 연구대상자의 관리 문제가 발생될 수 있다. 그러므로 적절한 크기의 연구대상수를 산출하는 것은 통계적으로 유의한 연구결과를 도출하여 타당한 결론을 내리게 하는 것은 물론이고, 정확한 임상시험의 진행 기관과 효율적인 비용 산출을 위한 중요한 과정이다.

• 유용한 사이트

http://powerandsamplesize.com

http://www.gpower.hhu.de

https://www.trialdesign.org/#software

연구목적	**추정**: 연구목적이 모집단의 유해사례 발생률과 같은 모수추정에 있는 경우, 표본으로부터 얻은 모수에 대한 추정치가 정밀성 또는 신뢰성을 갖추는 것이 중요하다.
	가설검정: 연구목적이 두 치료에서의 효과의 차이여부와 같은 가설검정에 있는 경우 있는 경우, 연구대상자수 산출에서 고려되는 요소는 주 결과변수의 유형과 연구가설, 통계적 오류 등이 있다.
비교유형	**우월성검정**(superiority test): 시험군이 대조군에 비하여 치료효과가 우월한지를 검정, 가설 H0: not superiority, H1: superiority 하에서 신뢰구간이 0을 포함하는지로 판정
	비열등성검정(non-inferiority test): 시험군이 대조군(활성대조군, 표준치료)에 비하여 비열등한지를 검정, 가설 H0: inferiority, H1: non-inferiority 하에서 신뢰구간이 비열등성 구간안에 포함되는 지로 판정
	동등성검정(equivalence test): 시험군과 대조군(활성대조군, 표준치료)의 치료효과가 동등한지를 검정, 가설 H0: not equivalence, H1: equivalence 하에서 신뢰구간이 동등성 구간안에 포함되는 지로 판정

출처: 임상시험 관리자를 위한 기본교재 (식약처 가이드)

연구대상자수 산출예제 (모수추정, 단일군)

1. 모비율 추정

위암 환자를 대상으로 한 항암제 단일군(single arm) 임상시험에서 6주기 치료 후 종양의 크기 변화를 이용하여 반응률(response rate)을 추정하고 한다. 종양의 크기가 기저치에 비하여 25% 이상 감소한 경우를 '반응'으로 정의하였을 때 본 임상시험에서 기대되는 반응률은 약 30%이고, 반응률에 대한 95% 신뢰구간을 25%-35%가 되기를 기대한다. 따라서, 신뢰구간의 폭이 10%이내가 되기 위해 필요한 최소의 표본크기는 323명이다. 중도탈락률 10%을 고려하여 359명의 피험자를 등록할 것이다. (p=0.1, w=0.1, α=0.05, $Z_{0.025}$=1.96)

중도탈락률 p% 고려시:
N / (1-p)

$$n \geq \left(\frac{Z_{\alpha/2}\sqrt{p(1-p)}}{w/2} \right)^2$$

```
## R 코드
p = 0.3; w = 0.1; d = w/2; alpha = 0.05
z = qnorm(alpha/2, lower.tail = F) #1.96
ceiling((z * sqrt(p * (1-p)) / d )^2)
```

2. 모평균 추정

고혈압 환자를 대상으로 한 혈압강하제 단일군 임상시험에서는 8주의 치료 후 이완기혈압의 강하정도를 추정하고자 한다. 시험약의 기대되는 평균 이완기혈압 강하정도는 기저치 대비 10mmHg이고, 95% 신뢰구간은 7mmHg-13mmHg가 되기를 기대한다. 표준편차는 8mmHg로 가정한다. 따라서 신뢰구간의 폭이 6mmHg이내가 되기 위해 필요한 최소의 표본크기는 28명이다. 중도탈락률 20%을 고려하여 35명의 피험자를 등록할 것이다. (σ=8, w=6, α=0.05, $Z_{0.025}$=1.96)

$$n \geq \left(\frac{Z_{\alpha/2}\sigma}{w/2} \right)^2$$

```
## R 코드
sigma = 8; w = 6; d = w/2; alpha = 0.05
z = qnorm(alpha/2, lower.tail = F)
ceiling((z * sigma / d )^2)
```

🩺 연구대상자수 산출예제 (가설검정, 두 군)

1. 모비율 검정 (두 군)

위암 환자를 대상으로 한 항암제 무작위배정 1:1 비교 임상시험에서 6주기 치료 후 반응률(response rate)을 비교하고자 한다. 기존의 연구결과를 통하여 대조약의 반응률은 약 34%로 알려져 있고, 시험약의 반응률은 대조약보다 우수한 50%를 보일 것으로 기대한다. 귀무가설(H0): 두 군의 반응률은 같다, 대립가설(H1): 두 군의 반응률은 다르다 (양측검정), 유의수준 5%, 검정력 80%하에서 두 군의 반응률 차이 16%(대조군 34%, 시험군 50%)를 통계적으로 입증하기 위해 필요한 최소의 표본크기는 각 군당 146명씩, 총 292명이다. 중도탈락률 10%을 고려하여 총 326명의 피험자를 등록할 것이다. (p_1=0.34, p_2=0.5, α=0.05, β=0.2, $Z_{0.025}$=1.96, $Z_{0.2}$=0.84)

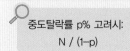

중도탈락률 p% 고려시:

N / (1–p)

$$n \geq \left(\frac{(Z_{\alpha/2}+Z_{\beta})\sqrt{p_1(1-p_1)+p_2(1-p_2)}}{p_1-p_2} \right)^2$$

```
## R 코드
power.prop.test(p1=0.5, p2=0.34, sig.level=0.05,
                power=0.8, alternative = "two.sided")
```

2. 모평균 검정 (두 군)

고혈압 환자를 대상으로 한 혈압강하제 무작위배정 1:1 비교 임상시험에서 8주 치료 후 두 군의 이완기혈압의 강하정도를 비교하고자 한다. 기존의 연구결과를 통하여 대조약의 이완기혈압 강하정도에 대한 평균과 표준편차는 각각 5mmHg, 8mmHg로 알려져 있다. 시험약의 강하정도는 대조약보다 우수한 10mmHg를 보일 것으로 기대한다. 귀무가설(H0): 두 군의 평균이 같다, 대립가설(H1): 두 군의 평균이 다르다 (양측검정), 유의수준 5%, 검정력 80%하에서 두 군의 평균차이 5(대조군 5±8, 시험군 10±8)를 통계적으로 입증하기 위해 필요한 최소의 표본크기는 각 군당 41씩, 총 82명이다. 중도탈락률 20%을 고려하여 각 군당 52명씩, 총 104명의 피험자를 등록할 것이다. (μ_1=5, μ_2=10, σ=8, α=0.05, β=0.2, $Z_{0.025}$=1.96, $Z_{0.2}$=0.84)

$$n \geq 2\left(\frac{(Z_{\alpha/2}+Z_{\beta})\sigma}{\mu_1-\mu_2} \right)^2$$

```
## R코드
power.t.test(delta=5, sd=8, sig.level=0.05, power=0.8,
             type="two.sample", alternative = "two.sided")
```

📋 통계분석 계획 예시

2. 통계분석 계획

2.1 결과분석의 일반적 원칙

본 임상시험의 분석에서는 무작위배정이 이루어진 모든 환자들의 자료에 대해서 분석할 것이다.

본 시험의 분석군은 ITT 분석군, Safety 분석군으로 2가지이며, 각각의 정의는 다음과 같다. 인구 통계 자료 및 시험약 투여 전 특성에 대한 분석과 유효성 평가는 ITT 분석군에 대해 실시하고, 안전성 분석은 무작위배정 후 항암화학요법을 1회 이상 투여 받은 모든 피험자를 대상으로 하는 Safety 분석군을 대상으로 한다.

분석대상군	정의
ITT 분석군 (Intention-to-treat)	- 무작위배정이 이루어진 모든 환자를 대상으로 배정된 군에 따라서 분석한다.
Safety 분석군	- 무작위배정 후 항암화학요법을 1회 라도 투여 받은 모든 환자를 대상으로 한다.

2.2 피험자의 임상시험 참여상태

피험자의 시험 참여상태(ITT 분석군)에 대한 도식과 중도탈락한 피험자의 탈락사유의 분포를 제시할 것이다.

2.3 인구통계학적 분석 및 치료 전 검사 결과 분석

각 치료군 별로 무작위배정을 받은 피험자들의 인구학적 특성에 유의한 차이가 없는지를 확인하기 위한 목적으로 피험자들의 기초자료정보에 대하여 기술통계적인 측면에서 분석하고자 계획되었으며, 구체적인 분석

방법은 다음과 같다.

연속형 자료의 경우는 정규성 가정 만족 여부에 따라 t-test 혹은 Wilcoxon rank sum test를 시행하고, 범주형 자료의 경우는 기대도수의 분포에 따라 Chi-square test 혹은 Fisher's exact test 등 적절한 검정방법을 이용하여 평가할 것이다.

2.3.1 피험자들의 치료 전 검사 결과 분석

피험자들의 치료 전 특성은 다음 항목들에 대하여 평가할 것이다.

평가항목	평가방법
무작위배정 층화요인 별 등록 현황	- 층화요인(기관, ECOG 활동도(0,1 대 2))별 무작위배정 분포를 빈도와 분율을 이용하여 요약할 것이다.
인구학적 자료 및 치료 전 특성	- 연속형 변수에 대해서는 평균과 표준편차 등 기술통계량을 이용하여 요약한다. - 범주형 변수에 대해서는 빈도와 분율을 이용하여 요약할 것이다. - 위 사항을 무작위배정된 처치군 별로 제시할 것이다.

2.4 유효성 변수에 대한 분석

2.4.1 일차 평가변수

본 임상시험의 일차 평가변수는 다음과 같이 정의되며, 일차 평가변수와 관련된 가설 및 통계방법은 다음과 같다.

1) 일차 평가변수: 전체 생존율

1차 유효성 평가변수는 IP군과 EP군 각각의 전체 생존율이며, 전체생존기간은 무작위배정일로부터 추적관찰 종료일 혹은 사망일까지로 정의한다.

2) 분석 방법

[가설]

- 귀무가설 (H0): IP법을 일차치료로서 받은 소세포폐암환자군과 EP요법을 일차치료로서 받은 소세포폐암환자군의 중앙생존값의 차이가 3.0개월 미만이다.
- 대립가설 (H1): IP요법을 일차치료로서 받은 소세포폐암환자군과 EP요법을 일차치료로서 받은 소세포폐암환자군의 중앙생존값의 차이가 3.0개월 이상이다.

생존곡선은 카플란-마이어 법으로 결정될 것이고, 두 군간 생존율의 차이는 로그-랭크법을 이용하여 평가될 것이다. 또한 목표한 사건 수 333건 중 50%(166건)가 관찰되었을 때 실시한 중간분석으로 인한 두 변의 통계 검정으로 제 1종 오류의 증가를 막기 위해 분석 시 보정된 유의수준을   사용한다(중간분석   유의수준=0.0055,   최종분석 유의수준=0.0482). 따라서 로그-랭크 검정 결과 단측 p-value가 0.0482보다 작으면, IP군의 생존 기간이 EP군보다 길다고 할 수 있다.

2.4.2 이차 평가변수

본 임상시험의 이차 평가변수는 다음과 같이 정의되며, 이차 평가변수와 관련된 가설 및 통계방법은 다음과 같다.

1) 이차 평가변수
  - 객관적 반응률
  - 질병 조절률
  - 무진행생존기간

종양반응은 RECIST 기준으로 평가될 것이며, 객관적 반응률은 완전관해 또는 부분관해를 보인 피험자의 분율이다. 질병 조절률은 완전관해 또는

통계분석 계획 예시 (계속)

부분관해 또는 안정병변을 보인 피험자의 분율이며, 무진행생존기간은 무작위배정일로부터 질병진행 혹은 사망까지의 시간으로 정의한다.

2) 분석 방법

- 객관적 반응률: 빈도와 분율을 이용하여 요약할 것이며, 기대도수의 분포에 따라 Chi-square test 혹은 Fisher's exact test를 실시할 것이다.
- 질병 조절률: 빈도와 분율을 이용하여 요약할 것이며, 기대도수의 분포에 따라 Chi-square test 혹은 Fisher's exact test를 실시할 것이다.
- 무진행생존기간: 무진행생존기간에 대한 생존곡선은 카플란-마이어법으로 결정될 것이고, 두 군간 무진행생존 분포를 비교하기 위해 로그-랭크법을 이용하여 평가될 것이다.

2.4.3 소집단 분석

일차/이차 유효성 평가변수에 대하여 성별, 연령(65세 기준), ECOG 활동도(0,1 대 2)에 대한 소집단 분석(Subgroup analysis)을 실시할 것이다. 분석 방법은 일차/이차 유효성 평가변수에 대한 통계분석과 동일한 방법을 사용할 것이다.

2.5 안전성 변수에 대한 분석

본 임상시험에 무작위배정 후 항암화학요법을 1회 라도 투여 받은 모든 환자(Safety 분석군)를 대상으로 안전성 평가를 시행할 것이다.

2.5.1 시험약물 투여 주기수 및 투여 용량

시험약물 투여주기 별 환자수 및 주기수, 투여 용량 별 환자수, 투여용량 감량 사유 그리고 투여지연 사유를 각 치료군에 대해 제시할 것이다. 또한 시험약물 투여 용량과 dose intensity 및 cycle별 상대용량(relative dose)을 각 치료군에 대해 요약할 것이다.

2.5.2 이상반응

모든 이상반응은 NCI CTCAE version 3.0을 기준으로 평가되었다. 각 Grade에 대한 이상반응 발생률과 독성발생률, 이상반응을 원인으로 중도탈락된 피험자 정보를 제시할 것이다. 중대한 이상반응의 발현율을 치료군별로 요약하며, 시험약물과의 인과관계 유무에 대한 분석을 실시할 것이다. 발생률은 cycle 단위(총 cycle 중 몇 번의 cycle에서 해당 독성이 발생했는지), 피험자 단위(safety 군에 포함되는 피험자 중 몇 명의 피험자에서 해당 독성이 발생했는지)로 각각 제시할 것이며, 두 군간 비교 분석을 위해 chi-square test 혹은 Fisher's exact test를 실시할 것이다.

논문

OS and progression-free survival (PFS) were calculated using the Kaplan-Meier method and log-rank test was employed to compare survival rates. HR was presented together with the 90% two-sided confidence interval. OS was calculated from the day of start of treatment until death by any cause; surviving patients were censored at the last date of follow-up. PFS was calculated from the day of treatment until disease progression or death from any cause. Efficacy was analyzed on intention-to-treat population. Exploratory subgroup analysis was planned to be conducted by considering factors such as sex, age, and ECOG status.

주요용어

연구설계 유형

- **단일군**(single group): 모든 연구대상 자가 동일한 하나의 중재를 받는 설계

- **평행설계**(parallel): 연구대상자가 두 개 혹은 그 이상의 중재 중 하나의 중재만을 받는 설계

- **교차설계**(crossover): 연구대상자가 휴약기간(washout period)에 의해 분리된 다른 기간 동안 모든 중재를 받는 설계

- **요인설계**(factorial): 서로 다른 두 개 이상의 중재의 효과를 동시에 검정하기 위한 설계

중재군 유형(Arm type)

- **시험군**(Experimental): 효과를 입증하고자 하는 새로운 약물, 치료법, 혹은 수술 등의 중재를 가한 군

- **활성 대조군**(Active comparator): 현재 해당 질병에 일반적으로 사용되는 표준 치료제(standard treatment) 혹은 중재를 가한 군

- **위약 대조군**(Placebo comparator): 위약(가짜약)효과를 만들 수 있는 가짜 중재군으로 보통 비활성(inert)의 tablet을 가한 군

- **샴 대조군**(Sham comparator): 위약효과를 만들 수 있는 가짜 중재군의 일종으로 속여진(faked) 수술 및 치료 과정 등을 가한 군

자료 유형

- **1차자료**(Primary data): 연구를 위해 연구자가 직접 새롭게 수집한 자료

- **2차자료**(Secondary data): 이미 다른 연구 목적으로 수집되어 공개된 자료, 대표적으로 국민건강영양조사자료, 건강보험청구자료 등이 있음

분석대상군

- **모든 분석 대상자군**(Full Analysis Set; FAS): '배정된 대로 분석' 원칙(Intention-To-Treat principle)에 따라 무작위 배정된 모든 임상시험대상자

- **계획서 순응 임상시험대상자군**(Per Protocol Set; PP): 모든 분석 대상자군 중에서 중대한 위반 없이 임상시험계획서에 따라 임상시험을 실시한 임상시험대상자

부록

R 설치 및 SPSS PSM 모듈 추가 방법

(SPSS PSM 모듈 추가는 SPSS 25버전 이전 사용자인 경우만 해당)

진행절차

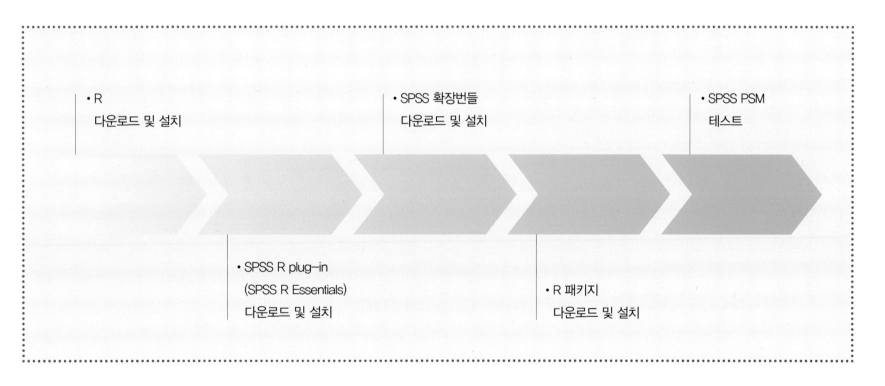

- R
  다운로드 및 설치

- SPSS R plug-in
  (SPSS R Essentials)
  다운로드 및 설치

- SPSS 확장번들
  다운로드 및 설치

- R 패키지
  다운로드 및 설치

- SPSS PSM
  테스트

🩺 단계1-1: R 다운로드

- R 설치 전 확인사항
  - **사용자 계정은 반드시 영문**이어야 함, 한글이름인 경우 R 패키지 설치 및 모듈 작동이 되지 않음
  - 사용자 계정 확인 및 생성: [제어판]-[사용자 계정] 또는 [설정]-[계정] (Windows10)

- R 다운로드: http://cran.r-project.org
  - OS 선택: Linux, Mac, Windows
  - Base ➜ Previous releases 선택: SPSS 버전에 맞는 R 버전 선택 (교재: SPSS22와 R2.15.2 사용)

SPSS Version	18	19	20	21	22	23	24	25
R Version	2.8.0	2.10.0	2.12.1	2.14.2	2.15.2	3.1.0	3.2.2	3.3.0

← → C ⌂   🛡 🔒 https://cran.**r-project.org**/bin/windows/base/old/2.15.2/

R-2.15.2 for Windows (32/64 bit)

Download R 2.15.2 for Windows (47 megabytes, 32/64 bit)

Installation and other instructions
New features in this version

단계1-2: R 설치

- R 2.15.2-win.exe(관리자 권한으로 실행) ➜ 기본값으로 설치

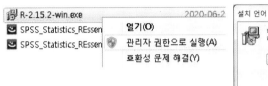

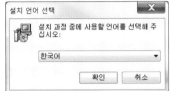

단계1-2: R 설치 (계속)

단계2-1: SPSS R plug-in (R Essentials) 다운로드

• R Essentials 다운로드: http://spss.datasolution.kr , [기술지원]-[Path]

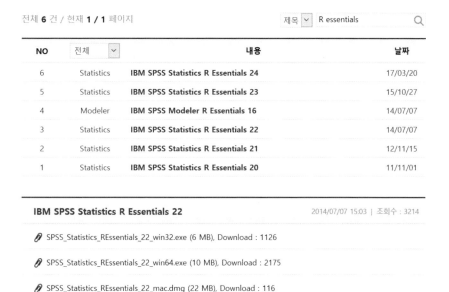

기술지원

기술지원정책

FAQ

문제 해결

Installation Guide

Patch >

Patch

전체 **6** 건 / 현재 **1 / 1** 페이지　　　　　　　　　제목 ✓ | R essentials 　🔍

NO	전체 ✓	내용	날짜
6	Statistics	**IBM SPSS Statistics R Essentials 24**	17/03/20
5	Statistics	**IBM SPSS Statistics R Essentials 23**	15/10/27
4	Modeler	**IBM SPSS Modeler R Essentials 16**	14/07/07
3	Statistics	**IBM SPSS Statistics R Essentials 22**	14/07/07
2	Statistics	**IBM SPSS Statistics R Essentials 21**	12/11/15
1	Statistics	**IBM SPSS Statistics R Essentials 20**	11/11/01

IBM SPSS Statistics R Essentials 22 　　　　　2014/07/07 15:03 | 조회수 : 3214

🔗 SPSS_Statistics_REssentials_22_win32.exe (6 MB), Download : 1126

🔗 SPSS_Statistics_REssentials_22_win64.exe (10 MB), Download : 2175

🔗 SPSS_Statistics_REssentials_22_mac.dmg (22 MB), Download : 116

단계2-2: SPSS R plug-in (R Essentials) 설치

• SPSS_Statistics_REssentials_22.exe (관리자 권한으로 실행) → 기본값으로 설치

→ 64비트 운영체제는 _win64.exe로 설치

단계2-2: SPSS R plug-in (R Essentials) 설치 (계속)

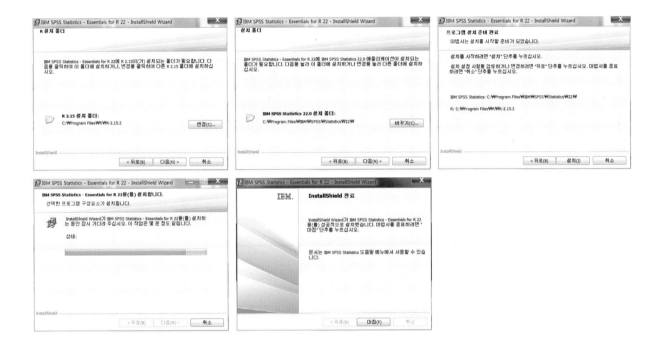

단계3-1: PSM 확장번들 다운로드

- PSM 확장번들 다운로드: http://sourceforge.net/projects/psmspss/files
- 교재: psmatching3.0

단계3-2: PSM 확장번들 설치

• SPSS 실행: [메뉴]–[유틸리티]–[확장번들]–[로컬 확장 번들 설치]–[PSMATCHING3.spe]

단계4-1: R 패키지 다운로드

- R 패키지 다운로드: http://cran.r-project.org
  - OS 선택: Linux, Mac, Windows
  - Old contrib 선택 – R 버전 선택(교재는 2.15 이용)
- 필수 R패키지: lme4, MatchIt, Matrix, Rltools, lattice, cem, randomForest
- 확장번들 버전에 따라 optmatch,SparseM 등 추가 설치(에러 메시지 확인 후 R패키지 추가)

← → C ⌂   🛡 🔒 https://cran-archive.**r-project.org**/bin/windows/contrib/2.15/

Index of /bin/windows/contrib/2.15

Name	Last modified	Size	Description
📁 Parent Directory		-	
❓ @ReadMe	2014-04-10 14:24	6.0K	
📄 A3_0.9.2.zip	2014-04-10 13:21	69K	
📄 ABCExtremes_1.0.zip	2013-05-16 06:40	24K	
📄 ABCoptim_0.13.11.zip	2013-11-07 06:23	18K	

🩺 단계4-2: R 패키지 설치

• R 실행: [메뉴]-[패키지]-[로컬에 있는 zip 파일로부터 패키지 설치]-[모든 파일선택]-[열기]

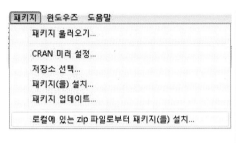

```
> utils:::menuInstallLocal()
패키지 'cem' 는 성공적으로 압축을 해제하고 MD5 sums 를 확인했습니다
패키지 'combinat' 는 성공적으로 압축을 해제하고 MD5 sums 를 확인했습니다
패키지 'lme4' 는 성공적으로 압축을 해제하고 MD5 sums 를 확인했습니다
패키지 'MatchIt' 는 성공적으로 압축을 해제하고 MD5 sums 를 확인했습니다
패키지 'minqa' 는 성공적으로 압축을 해제하고 MD5 sums 를 확인했습니다
패키지 'optmatch' 는 성공적으로 압축을 해제하고 MD5 sums 를 확인했습니다
패키지 'randomForest' 는 성공적으로 압축을 해제하고 MD5 sums 를 확인했습니다
패키지 'Rcpp' 는 성공적으로 압축을 해제하고 MD5 sums 를 확인했습니다
패키지 'RItools' 는 성공적으로 압축을 해제하고 MD5 sums 를 확인했습니다
패키지 'xtable' 는 성공적으로 압축을 해제하고 MD5 sums 를 확인했습니다
```

단계5: SPSS PSM 테스트

- SPSS: [메뉴]-[분석]-[PS Matching]

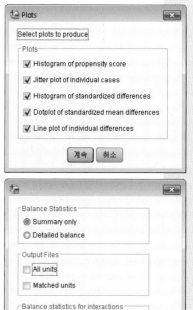

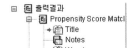 단계5: SPSS PSM 테스트

➡ **Propensity Score Matching**

Warning

Function	Warning Message
1 NA	package 'cem' was built under R version 2.15.3
2 NA	package 'lattice' was built under R version 2.15.3
3 NA	package 'randomForest' was built under R version 2.15.3
4 NA	package 'MatchIt' was built under R version 2.15.3
5 NA	package 'Rltools' was built under R version 2.15.3
6 NA	package 'Matrix' was built under R version 2.15.3
7 NA	package 'lme4' was built under R version 2.15.3

Sample Sizes

	Control	Treated
All	429	185
Matched	113	113
Unmatched	316	72
Discarded	0	0

Overall balance test (Hansen & Bowers, 2010)

	chisquare	df	p.value
Overall	6.812	8.000	.557

Relative multivariate imbalance L1 (Iacus, King, & Porro, 2010)

	Before matching	After matching
Multivariate imbalance measure L1	.896	.832

Summary of unbalanced covariates (|d| > .25)

	Means Treated	Means Control	SD Control	Std. Mean Diff.
married	.204	.310	.464	-.270

➡ **RGraph**

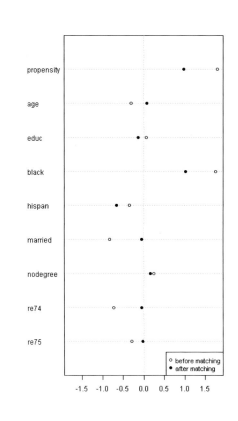

Index

저자 약력

김충락 부산대학교 통계학과 교수, PhD crkim@pusan.ac.kr

김진미 부산대학교병원 의생명연구원 의학통계실 연구교수, PhD jinmi@pusan.ac.kr

이형식 동아대학교 방사선종양학교실 교수, MD, PhD hyslee@dau.ac.kr

최윤선 인제대학교 방사선종양학교실 교수, MD, PhD rtyoon@gmail.com

최홍조 동아대학교 외과학교실 교수, MD, PhD colonche@dau.ac.kr

허대석 서울대학교 내과학교실 명예교수, MD, PhD heo1013@snu.ac.kr

의학논문 작성을 위한 통계분석 입문
− SPSS & R, 사례 중심 −

DATA 내려받기 crkim.pusan.ac.kr (김충락교수 연구실 홈페이지)
　　　　　　　　http://m.site.naver.com/0ONKE (군자출판사 게시판)